Goethe's
Dichtung und Wahrheit

SELECTIONS FROM BOOKS I–XI

EDITED

WITH A BRIEF INTRODUCTION AND EXPLANATORY NOTES

PY

H. C. G. von JAGEMANN
Professor of Germanic Philology in Harvard University

NEW YORK
HENRY HOLT AND COMPANY

February, 1937

PRINTED IN THE U. S. A.

PREFACE.

GOETHE'S Autobiography may be read with great profit by students of German who have reached a stage of advancement when the study of the language may and should be gradually supplanted by that of the literature. Simple narrative and description, biographical anecdote and detail, are mixed and blended with literary history and criticism in such a happy manner that the student cannot fail to become interested in the subject of the story, in the greatest German poet and his time. And although some erroneous impressions as to the details of Goethe's life are produced by his own account of it, they may easily be corrected afterwards, and are of little consequence compared with the general truthfulness and perfect artistic form of the Autobiography; if it should be the student's lot to read but one story of Goethe' searly life, we should by all means have him read the poet's own first and last.

The present edition of selected portions of *Dichtung und Wahrheit* is intended for students that have acquired a certain facility in reading ordinary German, but still need help in dealing with the more difficult idioms and constructions, with rare and archaic words and phrases. For such students the reading of the whole Autobiography would be neither possible nor desirable. but in order to facilitate the reading of as large an amount as is here offered, the editor has in doubtful cases preferred to err on the side of giving the student too much help rather than too little. It has also been the editor's aim to call attention to the more striking peculiarities of Goethe's language and style, as well as to explain historical, biographical, and literary references.

The task of selecting the most suitable portions has been a difficult one, and it is feared that many teachers will miss this or that favorite passage. Much had to be omitted which the editor would gladly have included, had space permitted. On the whole he has been guided by his experience in reading *Dichtung und Wahrheit* with classes of college students many times; the passages selected for the present volume are in the main those which seemed to possess the greatest interest for American youth.

Naturally, an edition of selected portions of a work can never be a critical edition, and the demands usually made on a critical edition should not be made on the present book. Neither the Introduction nor the Notes are intended to be exhaustive; it is hoped that they will satisfy the immediate needs of the class of students referred to above, but the thorough student of Goethe must of course read the Autobiography entire and peruse the commentaries of von Loeper and Düntzer.

Orthography and punctuation have been modernized, but otherwise the text is given strictly according to the Weimar Edition, except in one or two instances, where, for reasons stated in the Notes, other readings have seemed preferable.

H. C. G. v. J.

CAMBRIDGE, MASS., August, 1896.

INTRODUCTION.

In the year 1808 Goethe completed the task of collecting, arranging, and editing his literary works for a new and uniform edition. Besides the works previously published, he included in this edition some that had never been printed; he did not, however, include those earlier works that had remained fragments, nor the earlier and less perfect versions of works that were published in a final form. Hence the new edition presented but an incomplete picture of his development as a writer and of the extent of his literary activity. Moreover, Goethe realized that his works, more than those of almost any other writer, required, in order to be fully understood, that the reader should be acquainted with the circumtances under which they were written, for his works were the outcome of personal experiences, "parts of a great confession."

These considerations induced him to attempt first a mere chronology of his works, supplemented by brief remarks on their origins; soon, however, probably at the suggestion and request of friends (though the particular letter referred to in the *Vorrede* is doubtless fictitious), he expanded his plan and decided to give to the world a full account of his early life, showing the development of the poet and the man.

Riemer, Goethe's secretary, relates that Goethe resolved on his fifty-ninth birthday, August 28, 1808, to begin work on his autobiography the following year. Many things prevented the immediate execution of the project: the death of his beloved mother, stirring political events, court intrigues and a consequent misunderstanding and coolness between the poet and his friend Duke Karl August of Weimar, the completion of the novel *Die Wahlverwandtschaften*. The first evidence that Goethe had begun work is found in his Diary, in which on October 11, 1809, he entered "Schema einer Biographie"; on October 12, he wrote "Alte Tagebücher vorgesucht. Biographische Übersichten," and after that there are numerous references in the Diary to the further progress of the work.

Goethe proceeded very systematically. In the *Tag- und Jahreshefte* he writes under the year 1809: "What gave to my endeavors of this year a decided direction toward the future, were the preparations for the important undertaking of an autobiography; it was necessary to proceed with care and circumspection, as it was a risky thing to rely on one's memory for the long gone-by time of youth. But the resolution was finally taken, together with the determination to be frank toward one's self and others, and to approach truth as nearly as memory would permit." He first worked out a chronological *Schema* comprising important political events and events in his own life, beginning with the coronation of Charles VII. in 1742, when his father received the title of Imperial Councillor, and ending with the time of writing, 1809. It would seem from this that Goethe at first intended to treat the story of his whole life, but this plan he must soon have abandoned. In this first *Schema* he entered from time to time, or caused to be entered by his secretary, memoranda of things that occurred to him as worthy of mention in the Autobiography. It is doubtful whether Goethe had the first *Schema* in mind when he wrote in November, 1810, to his publisher Cotta that during the past summer he had succeeded in producing a *Schema* for his Autobiography which was fairly complete and which he would now proceed to work out in detail. Düntzer (p. vi) adduces reasons for believing that the *Schema* here referred to was a fuller and more detailed one than the first. Special *Schemata* were also drawn up for the several Books, and these were subjected to many modifications as the author's plans matured and the writing progressed. The various *Schemata* together with other *Collectanea* are reprinted in the Weimar Edition, vols. XXVI–XXIX.

Goethe's chief sources were his personal recollections and his diaries, notes, and letters. He made extensive use, however, of the recollections of others, and of written and printed documents. After his mother's death he asked her friend Bettina Brentano to write down for him what his mother had told her of his childhood, but, knowing Bettina's imaginative nature, he used her contributions sparingly and with great caution. He consulted many other persons, and spared no pains to obtain correct information concerning matters that he did not clearly remember. He refreshed his memory by the study of histories and topographies of Frankfort, and of numerous works dealing with the history and literature of the middle of the eighteenth century such as Archenholz' *Geschichte des siebenjährigen Krieges* and Nicolai's *Allgemeine deutsche Bibliothek;* he read, or at least consulted, again the works that had interested him in his youth, such as Goldsmith's *Vicar of Wakefield* and Klopstock's *Messias,* in order to recall the impressions which they had first made on him. As a further preparation for his work he read the autobiography of the Italian poet Alfieri which was just then attracting great attention, the biographies of the poet Gleim and the historian Johannes von Müller; his friend Zelter read to him at Teplitz his autobiography in manuscript. Goethe had previously done some work of a biographical nature; he had translated, in 1796–97, the *Life of Benvenuto Cellini,* the Florentine goldsmith and sculptor, written by himself; in 1805 he had published *Winckelmann und sein Jahrhundert;* and now, while already making preparations for his own autobiography, he finished the task of editing the autobiography of the painter Hackert, who had died in 1807 and had left his papers to Goethe with the commission to publish them.

Not till the printing of the Life of Hackert had commenced, in January 1811, did Goethe attempt to put into shape the autobiographical material which had meanwhile been collected; but on February 12, 1811, he read to his wife and one of her friends a portion of the story of his childhood, and after that the work progressed rapidly. In August of the same year the first Book was given to the printer, and at Michaelmas the first five Books with the Preface were issued under the title: *Aus meinem Leben. Dichtung und Wahrheit. Erster Teil.* The title had been suggested by Riemer, except that he wished *Wahrheit* to precede *Dichtung*; and later in life Goethe often referred to the book as *Wahrheit und Dichtung* and insisted that 'Truth' was the more prominent element in it, though for reasons of euphony he still preferred the older form of the title. As the authorized editions issued in Goethe's time all bear the title of *Dichtung und Wahrheit*, there seems to be little justification for the adoption of the other form by later editors.

It was intended that the second Part should be issued the following spring and that it should complete the account to the time of Goethe's departure for Weimar; the scope of the work, however, was gradually expanded, and when the second Part appeared in the autumn of 1812, it did not even reach to the end of the poet's residence in Strassburg. Work on the third Part was begun at once, but the unfortunate political events delayed the publication, which did not take place till the spring of 1814. For this Part, which covers the period from August 1771 to the close of 1774, Goethe wrote a Preface, in which he declared his intention of concluding the Autobiography at the point reached, at least temporarily. But this Preface, which has only recently been found among the poet's papers, was not published, so that Goethe seems to have changed his mind and planned a fourth Part even before the third was issued. On this fourth Part, which continues the story to his departure for Weimar, Goethe worked with frequent intermissions from 1814–1817, and again in 1821 and 1825; he finally completed it in October 1831, but, like the second Part of Faust, it was not published till after the poet's death. A plan to relate in a fifth Part the events from 1776 till 1786 was never carried out. The remainder of Goethe's life is partially covered by his other autobiographical writings, especially *Italienische Reise* (1786–1788), published in 1816–17; *Campagne in Frankreich* (1792), published in 1822, *Schweizerreise* (1797), published in 1833, and the *Tag- und Jahreshefte* (1749–1822), published in 1830; but unfortunately no account has been given to us by the poet of those most interesting first ten nor of the last ten years of his life at Weimar. The work of writing a connected account of his life naturally became more difficult as it progressed; Goethe found it impossible to speak with the same freedom of his relations to living persons, his benefactor Duke Karl August and the whole Weimar circle of friends and acquaintances, as he had done of the distant friends of his youth, many of whom were no longer living.

The question of the relationship of 'Poetry'* and 'Truth' in the Autobiography has been the subject of much detailed and careful investigation. The position of *Dichtung* before or after *Wahrheit* in the title seems to us to be of slight consequence; rhetorically one position may be as prominent and significant as the other, and it does not seem probable that for reasons of euphony alone Goethe would have preferred a form of title that could be otherwise in any way misleading. All that the original order of the title and Goethe's later inclination to change it seems to us to show, is that the poet desired the Autobiography to be regarded and judged in the

* It is difficult to render *Dichtung* by an English word. On the whole, 'Poetry' seems preferable, though *Dichtung* also suggests 'Fiction,' more strongly than 'Poetry' does, while on the other hand 'Fiction' as opposed to 'Truth,' without the element of 'Poetry,' corresponds more nearly to *Erdichtung*.

first place as a work of art, while later on, when the critics began to pull it to pieces and discuss the relations of his story to the facts of his life, he felt inclined to insist that 'Truth' was by no means a subordinate element in the work. In this connection it is interesting to note what Goethe said of the first Part of Jean Paul's Autobiography which appeared in 1826, shortly after the author's death. Jean Paul had never fully appreciated and often antagonized Goethe, and it is quite probable that in giving to his Autobiography the title *Wahrheit aus Jean Paul's Leben,* he desired to reflect on Goethe's *Dichtung und Wahrheit.* In speaking of this work to Eckermann, Goethe exclaimed: "As if the Truth of the life of such a man could be anything else than that he has become a philistine! * * * A fact in our life is of no consequence in so far as it is true, only in so far as it is significant."

From this point of view we must regard Goethe's Autobiography. It was never intended by the author as a reliable source of information concerning the individual incidents of his life; and he who would try to reconcile all the statements made in *Dichtung und Wahrheit* with the facts of the poet's life as they appear from more trustworthy documentary evidence, would soon find himself in a hopeless tangle. Many of the deviations from exact historical truth are doubtless unintentional, for in spite of Goethe's retentive memory, and in spite of the great precautions which he took against errors, it would be strange if the man of sixty could have given an account of his early life true in every detail. Numerous inaccuracies of more or less consequence have been pointed out by modern commentators, who with nearly all of Goethe's Correspondence and much other documentary evidence readily accessible, are in a better position to verify the details of his account than the author himself was. But this is not all. It is clear that in some cases the poet intentionally deviated from the truth for artistic purposes. Incidents were invented, fictitious characters were introduced, real characters were endowed with qualities which they never possessed; several persons were made to exchange with one another the parts which they played in actual life; liberties were taken in the grouping of incidents that really occurred at other times or in a different sequence. It is not our purpose here to enumerate all the points in which it has been more or less conclusively shown that *Dichtung* has triumphed over *Wahrheit;* a few examples of the poet's method must suffice. It is, for instance, uncertain exactly how much truth there is in Goethe's tale of his first love and his association with young men of criminal propensities, but it is almost certain that the discovery did not take place on the morning after the coronation, as he would have us believe, but some time before it. It is easy to see how much the poet gained artistically by this change of order; nothing could be more effective than the contrast between the magnificence of the coronation ceremonies, the happiness of his first love reaching its highest point in that first and last kiss that Gretchen bestowed on him, and the rude awakening in the morning with the officers of the law in the house ready to examine into his connection with alleged forgers and embezzlers. Similarly, the account of the Sesenheim episode is probably true in so far as it relates to Friderika's charming personality and lovely character, as well as to the young poet's tender passion for her; in many of its details, however, it rests on very dim recollections, and is largely the product of Goethe's poetic imagination and consummate artistic skill. His first visit to Sesenheim, which he describes so charmingly as having taken place before the excursion which he made through Alsace and Lorraine in midsummer of 1770, really took place in October, and Goethe did not become acquainted with *The Vicar of Wakefield* till a month later, but the change of order, which enables the poet to see in the family of the parson of Sesenheim the likeness of that of Dr. Primrose, is the masterstroke of an artist. The general conditions of the two families were probably very similar, but in particulars there was much difference, and these particulars Goethe changed with a free hand; he said, for instance, nothing about Friderika's younger sister, for whom there was no analogy in the Primrose family. The incident of the disguise is probably an invention; that of the christening cake surely. It must not, however, be supposed that all or even a large proportion of the particulars of this and other episodes are of the poet's invention; on the contrary, in a number of cases in which it was at first thought that the incidents related could not have happened, investigation has corroborated Goethe's story, so that the Autobiography has come to be more and more regarded as a trustworthy account even of the details of the poet's life, except in cases in which there is strong evidence to the contrary.

As a work of art, *Dichtung und Wahrheit* deserves a place among the poet's greatest works, and except Rousseau's *Confessions* probably no autobiography in the literature of the world can be compared to it. As a recent critic * puts it, "all the technical means at the disposal of the poet are used with the utmost skill, but the reader remains unconscious of them; characters are brought out clearly by contrast, internal processes are shown by external movements, beauty is depicted by its effect, narration takes the place of description, development that of result, brilliant generalization connects things which apparently have nothing in common and allows writer and reader to pass from one subject to another without break or effort, suggestions of important relations keep the reader in eager suspense; the language is simple, natural, and graceful, yet varied to suit the different subjects which the author presents; in short, the highest art is used where there is apparently artlessness." And around the whole life of the author a halo of poetry is cast so befitting Goethe's very nature, that one understands what Jacobi meant by saying that "the Truth of this Poetry is often truer than truth itself."

---

* K. Heinemann: *Goethe*, II, 295. The quotation is very freely translated.

BIBLIOGRAPHY.

A very full list of books and monographs dealing with Goethe's Autobiography may be found in Goedeke's *Grundriss zur Geschichte der deutschen Dichtung*, 2d ed., vol. IV, pp. 709 sqq.

BIEDERMANN, W. v.—*Irrtümer Goethes.* (Goethe-Jahrbuch, VI, 338 sqq.)

DÜNTZER, H.—*Goethe's 'Dichtung und Wahrheit,' erläutert.* Leipzig: 1881. I. Einleitung. pp. viii, 158. II. Erläuterung. pp. 323. (Erläuterungen zu den deutschen Klassikern, vols. 79–81.)

DÜNTZER, H.—*Goethe's 'Wahrheit und Dichtung' als Quelle seines Jugendlebens.* (Zeitschrift für den deutschen Unterricht, VI, 382 sqq.)

DÜNTZER, H.—*Goethe's 'Wahrheit und Dichtung,' herausgegeben.* Stuttgart: 1895. 4 vols., pp. xlviii, 264, 312, 330, 378. (Kürschner's Deutsche National-Litteratur, vols. 98–101.)

GILOW, H.—*Die Kunst und Technik der Characterschilderung in Goethe's 'Dichtung und Wahrheit.'* (Goethe-Jahrbuch, xii, 228 sqq.)

KOCHENDÖRFFER, K.—*Goethe's Glaubwürdigkeit in 'Dichtung und Wahrheit.'* (Preussische Jahrbücher, lxvi, 539 sqq.)

LOEPER, G. VON.—*Dichtung und Wahrheit. Mit Einleitung und Anmerkungen.* Berlin [: 1876–77]. 4 vols. pp. xlviii, 368, 412, 468, 360.

NOELDEKE, W.—'*Dichtung und Wahrheit,' herausgegeben.* Bielefeld und Leipzig: 1890.

OXENFORD, J.—*The Autobiography of Goethe. Truth and Poetry: From my own Life.* Translated from the German. London: 1846–48. New Edition, Revised. London: 1881–84. 2 vols. pp. viii, 520, 168.

Aus meinem Leben.

Dichtung und Wahrheit.

Erster Teil.

Ὁ μὴ δαρεὶς ἄνθρωπος οὐ παιδεύεται.

Vorwort.

Als Vorwort zu der gegenwärtigen Arbeit, welche desselben vielleicht mehr als eine andere bedürfen möchte, stehe hier der Brief eines Freundes, durch den ein solches, immer bedenkliches Unternehmen veranlaßt worden.

„Wir haben, teurer Freund, nunmehr die zwölf Teile Ihrer dichterischen Werke beisammen und finden, indem wir sie durchlesen, manches Bekannte, manches Unbekannte; ja, manches Vergessene wird durch diese Sammlung wieder angefrischt. Man kann sich nicht enthalten, diese zwölf Bände, welche in einem Format vor uns stehen, als ein Ganzes zu betrachten, und man möchte sich daraus gern ein Bild des Autors und seines Talents entwerfen. Nun ist nicht zu leugnen, daß für die Lebhaftigkeit, womit derselbe seine schriftstellerische Laufbahn begonnen, für die lange Zeit, die seitdem verflossen, ein Dutzend Bändchen zu wenig scheinen müssen. Ebenso kann man sich bei den einzelnen Arbeiten nicht verhehlen, daß meistens besondere Veranlassungen dieselben hervorgebracht und sowohl äußere bestimmte Gegenstände als innere entschiedene Bildungsstufen daraus hervorscheinen, nicht minder auch gewisse temporäre moralische und ästhetische Maximen und Überzeugungen darin obwalten. Im ganzen aber bleiben diese Produktionen immer 5 unzusammenhängend; ja, oft sollte man kaum glauben, daß sie von demselben Schriftsteller entsprungen seien.

„Ihre Freunde haben indessen die Nachforschung nicht aufgegeben und suchen, als näher bekannt mit Ihrer Lebens- und Denkweise, manches Rätsel zu erraten, man- 10 ches Problem aufzulösen; ja, sie finden, da eine alte Neigung und ein verjährtes Verhältnis ihnen beisteht, selbst in den vorkommenden Schwierigkeiten einigen Reiz. Doch würde uns hie und da eine Nachhülfe nicht unangenehm sein, welche Sie unsern freundschaftlichen 15 Gesinnungen nicht wohl versagen dürfen.

„Das erste also, warum wir Sie ersuchen, ist, daß Sie uns Ihre, bei der neuen Ausgabe nach gewissen innern Beziehungen geordneten Dichtwerke in einer chronologischen Folge aufführen und sowohl die Lebens- und 20 Gemütszustände, die den Stoff dazu hergegeben, als auch die Beispiele, welche auf Sie gewirkt, nicht weniger die theoretischen Grundsätze, denen Sie gefolgt, in einem gewissen Zusammenhange vertrauen möchten. Widmen Sie diese Bemühung einem engern Kreise, vielleicht ent- 25 springt daraus etwas, was auch einem größern angenehm und nützlich werden kann. Der Schriftsteller soll bis in sein höchstes Alter den Vorteil nicht aufgeben, sich mit denen, die eine Neigung zu ihm gefaßt, auch in die Ferne zu unterhalten; und wenn es nicht einem jeden ver- 30

liehen sein möchte, in gewissen Jahren mit unerwarteten, mächtig wirksamen Erzeugnissen von neuem aufzutreten: so sollte doch gerade zu der Zeit, wo die Erkenntnis vollständiger, das Bewußtsein deutlicher wird, das Geschäft
5 sehr unterhaltend und neubelebend sein, jenes Hervorgebrachte wieder als Stoff zu behandeln und zu einem Letzten zu bearbeiten, welches denen abermals zur Bildung gereiche, die sich früher mit und an dem Künstler gebildet haben."

10 Dieses so freundlich geäußerte Verlangen erweckte bei mir unmittelbar die Lust, es zu befolgen. Denn wenn wir in früherer Zeit leidenschaftlich unsern eigenen Weg gehen und, um nicht irre zu werden, die Anforderungen anderer ungeduldig ablehnen, so ist es uns in spätern
15 Tagen höchst erwünscht, wenn irgend eine Teilnahme uns aufregen und zu einer neuen Thätigkeit liebevoll bestimmen mag. Ich unterzog mich daher sogleich der vorläufigen Arbeit, die größeren und kleineren Dichtwerke meiner zwölf Bände auszuzeichnen und den
20 Jahren nach zu ordnen. Ich suchte mir Zeit und Umstände zu vergegenwärtigen, unter welchen ich sie hervorgebracht. Allein das Geschäft ward bald beschwerlicher, weil ausführliche Anzeigen und Erklärungen nötig wurden, um die Lücken zwischen dem bereits Bekanntge-
25 machten auszufüllen. Denn zuvörderst fehlt alles, woran ich mich zuerst geübt, es fehlt manches Angefangene und nicht Vollendete; ja sogar ist die äußere Gestalt manches Vollendeten völlig verschwunden, indem es in der Folge gänzlich umgearbeitet und in eine andere
30 Form gegossen worden. Außer diesem blieb mir auch

noch zu gedenken, wie ich mich in Wissenschaften und andern Künsten bemüht, und was ich in solchen fremd scheinenden Fächern sowohl einzeln als in Verbindung mit Freunden teils im stillen geübt, teils öffentlich bekannt gemacht.

Alles dieses wünschte ich nach und nach zur Befriedigung meiner Wohlwollenden einzuschalten; allein diese Bemühungen und Betrachtungen führten mich immer weiter; denn indem ich jener sehr wohl überdachten Forderung zu entsprechen wünschte und mich bemühte, die innern Regungen, die äußern Einflüsse, die theoretisch und praktisch von mir betretenen Stufen der Reihe nach darzustellen, so ward ich aus meinem engen Privatleben in die weite Welt gerückt; die Gestalten von hundert bedeutenden Menschen, welche näher oder entfernter auf mich eingewirkt, traten hervor; ja, die ungeheuren Bewegungen des allgemeinen politischen Weltlaufs, die auf mich wie auf die ganze Masse der Gleichzeitigen den größten Einfluß gehabt, mußten vorzüglich beachtet werden. Denn dieses scheint die Hauptaufgabe der Biographie zu sein, den Menschen in seinen Zeitverhältnissen darzustellen und zu zeigen, in wiefern ihm das Ganze widerstrebt, in wiefern es ihn begünstigt, wie er sich eine Welt- und Menschenansicht daraus gebildet, und wie er sie, wenn er Künstler, Dichter, Schriftsteller ist, wieder nach außen abspiegelt. Hiezu wird aber ein kaum Erreichbares gefordert, daß nämlich das Individuum sich und sein Jahrhundert kenne, sich, in wiefern es unter allen Umständen dasselbe geblieben, das Jahrhundert, als welches sowohl den Willigen als Unwil-

ligen mit sich fortreißt, bestimmt und bildet, dergestalt, daß man wohl sagen kann, ein jeder, nur zehn Jahre früher oder später geboren, dürfte, was seine eigene Bildung und die Wirkung nach außen betrifft, ein ganz
5 anderer geworden sein.

Auf diesem Wege, aus dergleichen Betrachtungen und Versuchen, aus solchen Erinnerungen und Überlegungen entsprang die gegenwärtige Schilderung, und aus diesem Gesichtspunkt ihres Entstehens wird sie am besten ge-
10 nossen, genutzt und am billigsten beurteilt werden können. Was aber sonst noch, besonders über die halb poetische, halb historische Behandlung etwa zu sagen sein möchte, dazu findet sich wohl im Laufe der Erzählung mehrmals Gelegenheit.

Erstes Buch.

Am 28. August 1749, mittags mit dem Glockenschlage zwölf, kam ich in Frankfurt am Main auf die Welt. Die Konstellation war glücklich; die Sonne stand im Zeichen der Jungfrau und kulminierte für den Tag; Jupiter und Venus blickten sie freundlich an, Merkur nicht widerwärtig; Saturn und Mars verhielten sich gleichgültig: nur der Mond, der soeben voll ward, übte die Kraft seines Gegenscheins um so mehr, als zugleich seine Planetenstunde eingetreten war. Er widersetzte sich daher meiner Geburt, die nicht eher erfolgen konnte, als bis diese Stunde vorübergegangen.

Diese guten Aspekten, welche mir die Astrologen in der Folgezeit sehr hoch anzurechnen wußten, mögen wohl Ursache an meiner Erhaltung gewesen sein: denn durch Ungeschicklichkeit der Hebamme kam ich für tot auf die Welt, und nur durch vielfache Bemühungen brachte man es dahin, daß ich das Licht erblickte. Dieser Umstand, welcher die Meinigen in große Not versetzt hatte, gereichte jedoch meinen Mitbürgern zum Vorteil, indem mein Großvater, der Schultheiß Johann Wolfgang Textor, daher Anlaß nahm, daß ein Geburtshelfer angestellt und der Hebammenunterricht eingeführt oder erneuert wurde; welches denn manchem der Nachgebornen mag zu gute gekommen sein.

Wenn man sich erinnern will, was uns in der frühsten Zeit der Jugend begegnet ist, so kommt man oft in den Fall, dasjenige, was wir von andern gehört, mit dem zu verwechseln, was wir wirklich aus eigner anschauender Erfahrung besitzen. Ohne also hierüber eine genaue Untersuchung anzustellen, welche ohnehin zu nichts führen kann, bin ich mir bewußt, daß wir in einem alten Hause wohnten, welches eigentlich aus zwei durchgebrochenen Häusern bestand. Eine turmartige Treppe führte zu unzusammenhangenden Zimmern, und die Ungleichheit der Stockwerke war durch Stufen ausgeglichen. Für uns Kinder, eine jüngere Schwester und mich, war die untere weitläufige Hausflur der liebste Raum, welcher neben der Thüre ein großes hölzernes Gitterwerk hatte, wodurch man unmittelbar mit der Straße und der freien Luft in Verbindung kam. Einen solchen Vogelbauer, mit dem viele Häuser versehen waren, nannte man ein *Geräms*. Die Frauen saßen darin, um zu nähen und zu stricken; die Köchin las ihren Salat; die Nachbarinnen besprachen sich von daher mit einander, und die Straßen gewannen dadurch in der guten Jahreszeit ein südliches Ansehen. Man fühlte sich frei, indem man mit dem Öffentlichen vertraut war. So kamen auch durch diese Gerämse die Kinder mit den Nachbarn in Verbindung, und mich gewannen drei gegenüber wohnende Brüder von *Ochsenstein*, hinterlassene Söhne des verstorbenen Schultheißen, gar lieb und beschäftigten und neckten sich mit mir auf mancherlei Weise.

Die Meinigen erzählten gern allerlei Eulenspiegeleien, zu denen mich jene sonst ernsten und einsamen Männer angereizt. Ich führe nur einen von diesen Streichen an.

Es war eben Topfmarkt gewesen, und man hatte nicht allein die Küche für die nächste Zeit mit solchen Waren versorgt, sondern auch uns Kindern dergleichen Geschirr im kleinen zu spielender Beschäftigung eingekauft. An
5 einem schönen Nachmittag, da alles ruhig im Hause war, trieb ich im Geräms mit meinen Schüsseln und Töpfen mein Wesen, und da weiter nichts dabei herauskommen wollte, warf ich ein Geschirr auf die Straße und freute mich, daß es so lustig zerbrach. Die von Ochsen-
10 stein, welche sahen, wie ich mich daran ergetzte, daß ich so gar fröhlich in die Händchen patschte, riefen: Noch mehr! Ich säumte nicht, sogleich einen Topf und auf immer fortwährendes Rufen: Noch mehr! nach und nach sämtliche Schüsselchen, Tiegelchen, Kännchen gegen
15 das Pflaster zu schleudern. Meine Nachbarn fuhren fort, ihren Beifall zu bezeigen, und ich war höchlich froh, ihnen Vergnügen zu machen. Mein Vorrat aber war aufgezehrt, und sie riefen immer: Noch mehr! Ich eilte daher stracks in die Küche und holte die irdenen
20 Teller, welche nun freilich im Zerbrechen noch ein lustigeres Schauspiel gaben; und so lief ich hin und wieder, brachte einen Teller nach dem andern, wie ich sie auf dem Topfbrett der Reihe nach erreichen konnte, und weil sich jene gar nicht zufrieden gaben, so stürzte ich alles,
25 was ich von Geschirr erschleppen konnte, in gleiches Verderben. Nur später erschien jemand, zu hindern und zu wehren. Das Unglück war geschehen, und man hatte für so viel zerbrochene Töpferware wenigstens eine lustige Geschichte, an der sich besonders die schalkischen
30 Urheber bis an ihr Lebensende ergetzten.

Meines Vaters Mutter, bei der wir eigentlich im Hause wohnten, lebte in einem großen Zimmer hinten hinaus, unmittelbar an der Hausflur, und wir pflegten unsere Spiele bis an ihren Sessel, ja, wenn sie krank war, bis an ihr Bett hin auszudehnen. Ich erinnere mich ihrer gleichsam als eines Geistes, als einer schönen, hagern, immer weiß und reinlich gekleideten Frau. Sanft, freundlich, wohlwollend ist sie mir im Gedächtnis geblieben.

Wir hatten die Straße, in welcher unser Haus lag, den Hirschgraben nennen hören; da wir aber weder Graben noch Hirsche sahen, so wollten wir diesen Ausdruck erklärt wissen. Man erzählte sodann, unser Haus stehe auf einem Raum, der sonst außerhalb der Stadt gelegen, und da, wo jetzt die Straße sich befinde, sei ehmals ein Graben gewesen, in welchem eine Anzahl Hirsche unterhalten worden. Man habe diese Tiere hier bewahrt und genährt, weil nach einem alten Herkommen der Senat alle Jahre einen Hirsch öffentlich verspeiset, den man denn für einen solchen Festtag hier im Graben immer zur Hand gehabt, wenn auch auswärts Fürsten und Ritter der Stadt ihre Jagdbefugnis verkümmerten und störten, oder wohl gar Feinde die Stadt eingeschlossen oder belagert hielten. Dies gefiel uns sehr, und wir wünschten, eine solche zahme Wildbahn wäre auch noch bei unsern Zeiten zu sehen gewesen.

Die Hinterseite des Hauses hatte, besonders aus dem oberen Stock, eine sehr angenehme Aussicht über eine beinah unabsehbare Fläche von Nachbarsgärten, die sich bis an die Stadtmauern verbreiteten. Leider aber war,

bei Verwandlung der sonst hier befindlichen Gemeinde-
plätze in Hausgärten, unser Haus und noch einige andere,
die gegen die Straßenecke zu lagen, sehr verkürzt worden,
indem die Häuser vom Roßmarkt her weitläufige Hinter-
5 gebäude und große Gärten sich zueigneten, wir aber uns
durch eine ziemlich hohe Mauer unsres Hofes von diesen
so nah gelegenen Paradiesen ausgeschlossen sahen.

Im zweiten Stock befand sich ein Zimmer, welches
man das Gartenzimmer nannte, weil man sich daselbst
10 durch wenige Gewächse vor dem Fenster den Mangel
eines Gartens zu ersetzen gesucht hatte. Dort war, wie
ich heranwuchs, mein liebster, zwar nicht trauriger, aber
doch sehnsüchtiger Aufenthalt. Über jene Gärten hinaus,
über Stadtmauern und Wälle sah man in eine schöne
15 fruchtbare Ebene; es ist die, welche sich nach Höchst hin-
zieht. Dort lernte ich Sommerszeit gewöhnlich meine
Lektionen, wartete die Gewitter ab, und konnte mich an
der untergehenden Sonne, gegen welche die Fenster
gerade gerichtet waren, nicht satt genug sehen. Da ich
20 aber zu gleicher Zeit die Nachbarn in ihren Gärten wandeln und ihre Blumen besorgen, die Kinder spielen, die
Gesellschaften sich ergetzen sah, die Kegelkugeln rollen
und die Kegel fallen hörte, so erregte dies frühzeitig in
mir ein Gefühl der Einsamkeit und einer daraus ent-
25 springenden Sehnsucht, das, dem von der Natur in mich
gelegten Ernsten und Ahnungsvollen entsprechend, seinen
Einfluß gar bald und in der Folge noch deutlicher
zeigte.

Die alte, winkelhafte, an vielen Stellen düstere Be-
30 schaffenheit des Hauses war übrigens geeignet, Schauer

und Furcht in kindlichen Gemütern zu erwecken. Unglücklicherweise hatte man noch die Erziehungsmaxime, den Kindern frühzeitig alle Furcht vor dem Ahnungsvollen und Unsichtbaren zu benehmen und sie an das Schauderhafte zu gewöhnen. Wir Kinder sollten daher allein schlafen, und wenn uns dieses unmöglich fiel und wir uns sacht aus den Betten hervormachten und die Gesellschaft der Bedienten und Mägde suchten, so stellte sich, in umgewandtem Schlafrock und also für uns verkleidet genug, der Vater in den Weg und schreckte uns in unsere Ruhestätte zurück. Die daraus entspringende üble Wirkung denkt sich jedermann. Wie soll derjenige die Furcht los werden, den man zwischen ein doppeltes Furchtbare einklemmt? Meine Mutter, stets heiter und froh und andern das Gleiche gönnend, erfand eine bessere pädagogische Auskunft. Sie wußte ihren Zweck durch Belohnungen zu erreichen. Es war die Zeit der Pfirschen, deren reichlichen Genuß sie uns jeden Morgen versprach, wenn wir nachts die Furcht überwunden hätten. Es gelang, und beide Teile waren zufrieden.

Innerhalb des Hauses zog meinen Blick am meisten eine Reihe römischer Prospekte auf sich, mit welchen der Vater einen Vorsaal ausgeschmückt hatte, gestochen von einigen geschickten Vorgängern des Piranese, die sich auf Architektur und Perspektive wohl verstanden, und deren Nadel sehr deutlich und schätzbar ist. Hier sah ich täglich die Piazza del Popolo, das Colisco, den Petersplatz, die Peterskirche von außen und innen, die Engelsburg und so manches andere. Diese Gestalten drückten sich tief bei mir ein, und der sonst sehr lakonische Vater

hatte wohl manchmal die Gefälligkeit, eine Beschreibung
des Gegenstandes vernehmen zu lassen. Seine Vorliebe
für die italienische Sprache und für alles, was sich auf
jenes Land bezieht, war sehr ausgesprochen. Eine kleine
5 Marmor- und Naturaliensammlung, die er von dorther
mitgebracht, zeigte er uns auch manchmal vor, und einen
großen Teil seiner Zeit verwendete er auf seine italienisch
verfaßte Reisebeschreibung, deren Abschrift und Redaktion
er eigenhändig, heftweise, langsam und genau ausfertigte.
10 Ein alter heiterer italienischer Sprachmeister, Giovi-
nazzi genannt, war ihm daran behülflich. Auch sang
der Alte nicht übel, und meine Mutter mußte sich bequemen, ihn und sich selbst mit dem Klaviere täglich zu
accompagnieren; da ich denn das Solitario bosco om-
15 broso bald kennen lernte und auswendig wußte, ehe ich
es verstand.

Mein Vater war überhaupt lehrhafter Natur, und
bei seiner Entfernung von Geschäften wollte er gern dasjenige, was er wußte und vermochte, auf andre über-
20 tragen. So hatte er meine Mutter in den ersten Jahren
ihrer Verheiratung zum fleißigen Schreiben angehalten,
wie zum Klavierspielen und Singen; wobei sie sich genötigt sah, auch in der italienischen Sprache einige
Kenntnis und notdürftige Fertigkeit zu erwerben.

25 Gewöhnlich hielten wir uns in allen unsern Freistunden zur Großmutter, in deren geräumigem Wohn-
zimmer wir hinlänglich Platz zu unsern Spielen fanden.
Sie wußte uns mit allerlei Kleinigkeiten zu beschäftigen
und mit allerlei guten Bissen zu erquicken. An einem
30 Weihnachtsabende jedoch setzte sie allen ihren Wohlthaten

die Krone auf, indem sie uns ein Puppenspiel vorstellen
ließ und so in dem alten Hause eine neue Welt erschuf.
Dieses unerwartete Schauspiel zog die jungen Gemüter
mit Gewalt an sich; besonders auf den Knaben machte
es einen sehr starken Eindruck, der in eine große, lang- 5
dauernde Wirkung nachklang.

Die kleine Bühne mit ihrem stummen Personal, die
man uns anfangs nur vorgezeigt hatte, nachher aber zu
eigner Übung und dramatischer Belebung übergab, mußte
uns Kindern um so viel werter sein, als es das letzte 10
Vermächtnis unserer guten Großmutter war, die bald
darauf durch zunehmende Krankheit unsern Augen erst
entzogen und dann für immer durch den Tod entrissen
wurde. Ihr Abscheiden war für die Familie von desto
größerer Bedeutung, als es eine völlige Veränderung in 15
dem Zustande derselben nach sich zog.

So lange die Großmutter lebte, hatte mein Vater sich
gehütet, nur das Mindeste im Hause zu verändern oder
zu erneuern; aber man wußte wohl, daß er sich zu einem
Hauptbau vorbereitete, der nunmehr auch sogleich vor- 20
genommen wurde. In Frankfurt, wie in mehrern alten
Städten, hatte man bei Aufführung hölzerner Gebäude,
um Platz zu gewinnen, sich erlaubt, nicht allein mit dem
ersten, sondern auch mit den folgenden Stocken überzubauen; wodurch denn freilich besonders enge Straßen 25
etwas Düsteres und Ängstliches bekamen. Endlich ging
ein Gesetz durch, daß, wer ein neues Haus von Grund
auf baue, nur mit dem ersten Stock über das Fundament
herausrücken dürfe, die übrigen aber senkrecht aufführen
müsse. Mein Vater, um den vorspringenden Raum im 30

zweiten Stock auch nicht aufzugeben, wenig bekümmert um äußeres architektonisches Ansehen und nur um innere gute und bequeme Einrichtung besorgt, bediente sich, wie schon mehrere vor ihm gethan, der Ausflucht, die oberen Teile des Hauses zu unterstützen und von unten herauf einen nach dem andern wegzunehmen und das Neue gleichsam einzuschalten, so daß, wenn zuletzt gewissermaßen nichts von dem Alten übrig blieb, der ganz neue Bau noch immer für eine Reparatur gelten konnte. Da nun also das Einreißen und Aufrichten allmählich geschah, so hatte mein Vater sich vorgenommen, nicht aus dem Hause zu weichen, um desto besser die Aufsicht zu führen und die Anleitung geben zu können: denn aufs Technische des Baues verstand er sich ganz gut; dabei wollte er aber auch seine Familie nicht von sich lassen. Diese neue Epoche war den Kindern sehr überraschend und sonderbar. Die Zimmer, in denen man sie oft enge genug gehalten und mit wenig erfreulichem Lernen und Arbeiten geängstigt, die Gänge, auf denen sie gespielt, die Wände, für deren Reinlichkeit und Erhaltung man sonst so sehr gesorgt, alles das vor der Hacke des Maurers, vor dem Beile des Zimmermanns fallen zu sehen, und zwar von unten herauf, und indessen oben auf unterstützten Balken gleichsam in der Luft zu schweben und dabei immer noch zu einer gewissen Lektion, zu einer bestimmten Arbeit angehalten zu werden — dieses alles brachte eine Verwirrung in den jungen Köpfen hervor, die sich so leicht nicht wieder ins Gleiche setzen ließ. Doch wurde die Unbequemlichkeit von der Jugend weniger empfunden, weil ihr etwas mehr Spielraum als bisher, und manche Gelegenheit, sich auf Balken zu schaukeln und auf Brettern zu schwingen, gelassen ward.

Hartnäckig setzte der Vater die erste Zeit seinen Plan durch; doch als zuletzt auch das Dach teilweise abgetragen wurde und ungeachtet alles übergespannten Wachstuches von abgenommenen Tapeten der Regen bis zu unsern Betten gelangte, so entschloß er sich, obgleich ungern, die Kinder wohlwollenden Freunden, welche sich schon früher dazu erboten hatten, auf eine Zeit lang zu überlassen und sie in eine öffentliche Schule zu schicken.

Dieser Übergang hatte manches Unangenehme: denn indem man die bisher zu Hause abgesondert, reinlich, edel, obgleich streng, gehaltenen Kinder unter eine rohe Masse von jungen Geschöpfen hinunterstieß, so hatten sie vom Gemeinen, Schlechten, ja Niederträchtigen ganz unerwartet alles zu leiden, weil sie aller Waffen und aller Fähigkeit ermangelten, sich dagegen zu schützen.

Um diese Zeit war es eigentlich, daß ich meine Vaterstadt zuerst gewahr wurde: wie ich denn nach und nach immer freier und ungehinderter, teils allein, teils mit muntern Gespielen, darin auf und ab wandelte. Um den Eindruck, den diese ernsten und würdigen Umgebungen auf mich machten, einigermaßen mitzuteilen, muß ich hier mit der Schilderung meines Geburtsortes vorgreifen, wie er sich in seinen verschiedenen Teilen allmählich vor mir entwickelte. Am liebsten spazierte ich auf der großen Mainbrücke. Ihre Länge, ihre Festigkeit, ihr gutes Ansehen machte sie zu einem bemerkenswerten Bauwerk; auch ist es aus früherer Zeit beinahe das einzige Denkmal jener Vorsorge, welche die weltliche Obrigkeit ihren Bürgern schuldig ist. Der schöne Fluß auf- und abwärts zog meine Blicke nach sich; und wenn auf dem Brückenkreuz der goldene Hahn im Sonnenschein glänzte, so war es mir immer eine erfreuliche Empfindung. Gewöhnlich ward alsdann durch Sachsenhausen spaziert und die Überfahrt für einen Kreuzer gar behaglich genossen. Da befand man sich nun wieder diesseits, da schlich man zum Weinmarkte, bewunderte den Mechanismus der Krane, wenn Waren ausgeladen wurden; besonders aber unterhielt uns die Ankunft der Marktschiffe, wo man so mancherlei und mitunter so seltsame Figuren aussteigen sah. Ging es nun in die Stadt herein, so ward jederzeit der Saalhof, der wenigstens an der Stelle stand, wo die Burg Kaiser Karls des Großen und seiner Nachfolger gewesen sein sollte, ehrfurchtsvoll gegrüßt. Man verlor sich in die alte Gewerbstadt und besonders Markttages gern in dem Gewühl, das sich um die Bartholomäuskirche herum versammelte. Hier hatte sich, von den frühesten Zeiten an, die Menge der Verkäufer und Krämer über einander gedrängt, und wegen einer solchen Besitznahme konnte nicht leicht in den neuern Zeiten eine geräumige und heitere Anstalt Platz finden. Die Buden des sogenannten Pfarreisens waren uns Kindern sehr bedeutend, und wir trugen manchen Batzen hin, um uns farbige, mit goldenen Tieren bedruckte Bogen anzuschaffen. Nur selten aber mochte man sich über den beschränkten, vollgepropften und unreinlichen Marktplatz hindrängen. So erinnere ich mich auch, daß ich immer mit Entsetzen vor den daranstoßenden engen und häßlichen Fleischbänken geflohen bin. Der Römerberg war ein desto angenehmerer Spazierplatz. Der Weg nach der neuen Stadt durch die neue Kräm war immer aufheiternd und ergötzlich; nur verdroß es uns, daß nicht neben der Liebfrauenkirche eine Straße nach der Zeile zu ging und wir immer den großen Umweg durch die Hasengasse oder die Katharinenpforte machen mußten. Was aber die Aufmerksamkeit des Kindes am meisten an sich zog, waren die vielen kleinen Städte in der Stadt, die Festungen in der Festung, die ummauerten Klosterbezirke nämlich und die aus frühern Jahrhunderten noch übrigen mehr oder minder burgartigen Räume: so der Nürnberger Hof, das Kompostell, das Braunfels, das Stammhaus derer von Stallburg, und mehrere in den spätern Zeiten zu Wohnungen und Gewerbsbenutzungen eingerichtete Festen. Nichts architektonisch Erhebendes war damals in Frankfurt zu sehen: alles deutete auf eine längst vergangene, für Stadt und Gegend sehr unruhige Zeit. Pforten und Türme, welche die Grenze der alten Stadt bezeichneten, dann weiterhin abermals Pforten, Türme, Mauern, Brücken, Wälle, Gräben, womit die neue Stadt umschlossen war, alles sprach noch zu deutlich aus, daß die Notwendigkeit, in unruhigen Zeiten dem Gemeinwesen Sicherheit zu verschaffen, diese Anstalten hervorgebracht, daß die Plätze, die Straßen, selbst die neuen, breiter und schöner angelegten, alle nur dem Zufall und der Willkür und keinem regelnden Geiste ihren Ursprung zu danken hatten. Eine gewisse Neigung zum Altertümlichen setzte sich bei dem Knaben fest, welche besonders durch alte chroniken, Holzschnitte, wie z. B. den Grave'schen von der Belagerung von Frankfurt, genährt und begünstigt wurde; wobei noch eine andere Lust, bloß menschliche Zustände in ihrer Mannigfaltigkeit und Natürlichkeit, ohne weitern Anspruch auf Interesse oder Schönheit, zu erfassen, sich hervorthat. So war es eine von unsern liebsten Promenaden, die wir uns des Jahrs ein paarmal zu verschaffen suchten, inwendig auf dem Gange der Stadtmauer herumzuspazieren. Gärten, Höfe, Hintergebäude ziehen sich bis an den Zwinger heran; man sieht mehreren tausend Menschen in ihre häuslichen, kleinen, abgeschlossenen, verborgenen Zustände. Von dem Putz- und Schaugarten des Reichen zu den Obstgärten des für seinen Nutzen besorgten Bürgers, von da zu Fabriken, Bleichplätzen und ähnlichen Anstalten, ja bis zum Gottesacker selbst — denn eine kleine Welt lag innerhalb des Bezirks der Stadt — ging man an dem mannigfaltigsten, wunderlichsten, mit jedem Schritt sich verändernden Schauspiel vorbei, an dem unsere kindische Neugier sich nicht genug ergötzen konnte. Denn fürwahr, der bekannte hinkende Teufel, als er für seinen Freund die Dächer von Madrid in der Nacht abhob, hat kaum mehr für diesen geleistet, als hier vor uns unter freiem Himmel, bei hellem Sonnenschein, gethan war. Die Schlüssel, deren man sich auf diesem Wege bedienen mußte, um durch mancherlei Türme, Treppen und Pförtchen durchzukommen, waren in den Händen der Zeugherren, und wir verfehlten nicht, ihren Subalternen aufs beste zu schmeicheln.

Bedeutender noch und in einem andern Sinne fruchtbarer blieb für uns das Rathaus, der Römer genannt. In seinen untern gewölbähnlichen Hallen verloren wir uns gar zu gerne. Wir verschafften uns Eintritt in das große, höchst einfache Sessionszimmer des Rates. Bis auf eine gewisse Höhe getäfelt, waren übrigens die Wände so wie die Wölbung weiß und das Ganze ohne Spur von Malerei oder irgend einem Bildwerk. Nur an der mittelsten Wand in der Höhe las man die kurze Inschrift:

> Eines Mannes Rede
> Ist keines Mannes Rede:
> Man soll sie billig hören beede.

Nach der altertümlichsten Art waren für die Glieder dieser Versammlung Bänke ringsumher an der Vertäfelung angebracht und um eine Stufe von dem Boden erhöht. Da begriffen wir leicht, warum die Rangordnung unseres Senats nach Bänken eingeteilt sei. Von der Thüre linker Hand bis in die gegenüberstehende Ecke, als auf der ersten Bank, saßen die Schöffen, in der Ecke selbst der Schultheiß, der einzige, der ein kleines Tischchen vor sich hatte; zu seiner Linken bis gegen die Fensterseite saßen nunmehr die Herren der zweiten Bank; an den Fenstern her zog sich die dritte Bank, welche die Handwerker einnahmen; in der Mitte des Saals stand ein Tisch für den Protokollführer.

Waren wir einmal im Römer, so mischten wir uns auch wohl in das Gedränge vor den burgemeisterlichen Audienzen. Aber größeren Reiz hatte alles, was sich auf Wahl und Krönung der Kaiser bezog. Wir wußten uns die Gunst der Schließer zu verschaffen, um die neue,

heitre, in Fresko gemalte, sonst durch ein Gitter verschlossene Kaisertreppe hinaufsteigen zu dürfen. Das mit Purpurtapeten und wunderlich verschnörkelten Goldleisten verzierte Wahlzimmer flößte uns Ehrfurcht ein.
5 Die Thürstücke, auf welchen kleine Kinder oder Genien, mit dem kaiserlichen Ornat bekleidet und belastet mit den Reichsinsignien, eine gar wunderliche Figur spielen, betrachteten wir mit großer Aufmerksamkeit und hofften wohl auch, noch einmal eine Krönung mit Augen zu er-
10 leben. Aus dem großen Kaisersaale konnte man uns nur mit sehr vieler Mühe wieder herausbringen, wenn es uns einmal geglückt war, hineinzuschlüpfen; und wir hielten denjenigen für unsern wahrsten Freund, der uns bei den Brustbildern der sämtlichen Kaiser, die in einer
15 gewissen Höhe umher gemalt waren, etwas von ihren Thaten erzählen mochte.

Von Karl dem Großen vernahmen wir manches Märchenhafte; aber das Historisch-Interessante für uns fing erst mit Rudolf von Habsburg an, der durch seine
20 Mannheit so großen Verwirrungen ein Ende gemacht. Auch Karl der Vierte zog unsre Aufmerksamkeit an sich. Wir hatten schon von der Goldnen Bulle und der peinlichen Halsgerichtsordnung gehört, auch daß er den Frankfurtern ihre Anhänglichkeit an seinen edlen Gegen-
25 kaiser, Günther von Schwarzburg, nicht entgelten ließ. Maximilianen hörten wir als einen Menschen- und Bürgerfreund loben, und daß von ihm prophezeit worden, er werde der letzte Kaiser aus einem deutschen Hause sein; welches denn auch leider eingetroffen, indem nach
30 seinem Tode die Wahl nur zwischen dem König von

Spanien, Karl dem Fünften, und dem König von Frankreich, Franz dem Ersten, geschwankt habe. Bedenklich fügte man hinzu, daß nun abermals eine solche Weissagung oder vielmehr Vorbedeutung umgehe: denn es sei augenfällig, daß nur noch Platz für das Bild eines 5 Kaisers übrig bleibe; ein Umstand, der, obgleich zufällig scheinend, die Patriotischgesinnten mit Besorgnis erfülle.

Wenn wir nun so einmal unsern Umgang hielten, verfehlten wir auch nicht, uns nach dem Dom zu begeben und daselbst das Grab jenes braven, von Freund und 10 Feinden geschätzten Günther zu besuchen. Der merkwürdige Stein, der es ehemals bedeckte, ist in dem Chor aufgerichtet. Die gleich daneben befindliche Thüre, welche ins Konklave führt, blieb uns lange verschlossen, bis wir endlich durch die obern Behörden auch den Ein- 15 tritt in diesen so bedeutenden Ort zu erlangen wußten. Allein wir hätten besser gethan, ihn durch unsre Einbildungskraft, wie bisher, auszumalen: denn wir fanden diesen in der deutschen Geschichte so merkwürdigen Raum, wo die mächtigsten Fürsten sich zu einer Hand- 20 lung von solcher Wichtigkeit zu versammeln pflegten, keineswegs würdig ausgeziert, sondern noch obenein mit Balken, Stangen, Gerüsten und anderem solchen Gesperr, das man beiseite setzen wollte, verunstaltet. Desto mehr ward unsere Einbildungskraft angeregt und das 25 Herz uns erhoben, als wir kurz nachher die Erlaubnis erhielten, beim Vorzeigen der Goldnen Bulle an einige vornehme Fremden auf dem Rathause gegenwärtig zu sein.

Mit vieler Begierde vernahm der Knabe sodann, was 30

ihm die Seinigen sowie ältere Verwandte und Bekannte gern erzählten und wiederholten, die Geschichten der zuletzt kurz auf einander gefolgten Krönungen: denn es war kein Frankfurter von einem gewissen Alter, der nicht diese beiden Ereignisse und was sie begleitete, für den Gipfel seines Lebens gehalten hätte. So prächtig die Krönung Karls des Siebenten gewesen war, bei welcher besonders der französische Gesandte mit Kosten und Geschmack herrliche Feste gegeben, so war doch die Folge für den guten Kaiser desto trauriger, der seine Residenz München nicht behaupten konnte und gewissermaßen die Gastfreiheit seiner Reichsstädter anflehen mußte.

War die Krönung Franz' des Ersten nicht so auffallend prächtig wie jene, so wurde sie doch durch die Gegenwart der Kaiserin Maria Theresia verherrlicht, deren Schönheit eben so einen großen Eindruck auf die Männer scheint gemacht zu haben, als die ernste, würdige Gestalt und die blauen Augen Karls des Siebenten auf die Frauen. Wenigstens wetteiferten beide Geschlechter, dem aufhorchenden Knaben einen höchst vorteilhaften Begriff von jenen beiden Personen beizubringen. Alle diese Beschreibungen und Erzählungen geschahen mit heitrem und beruhigtem Gemüt: denn der Aachner Friede hatte für den Augenblick aller Fehde ein Ende gemacht, und wie von jenen Feierlichkeiten, so sprach man mit Behaglichkeit von den vorübergegangenen Kriegszügen, von der Schlacht bei Dettingen, und was die merkwürdigsten Begebenheiten der verflossenen Jahre mehr sein mochten; und alles Bedeutende und Gefährliche schien, wie es nach einem abgeschlossenen Frieden zu gehen pflegt, sich nur ereignet zu haben, um glücklichen und sorgenfreien Menschen zur Unterhaltung zu dienen.

Hatte man in einer solchen patriotischen Beschränkung kaum ein halbes Jahr hingebracht, so traten schon die 5 Messen wieder ein, welche in den sämtlichen Kinderköpfen jederzeit eine unglaubliche Gärung hervorbrachten. Eine durch Erbauung so vieler Buden innerhalb der Stadt in weniger Zeit entspringende neue Stadt, das Wogen und Treiben, das Abladen und Auspacken 10 der Waren erregte von den ersten Momenten des Bewußtseins an eine unbezwinglich thätige Neugierde und ein unbegrenztes Verlangen nach kindischem Besitz, das der Knabe mit wachsenden Jahren, bald auf diese, bald auf jene Weise, wie es die Kräfte seines kleinen Beutels 15 erlauben wollten, zu befriedigen suchte. Zugleich aber bildete sich die Vorstellung von dem, was die Welt alles hervorbringt, was sie bedarf und was die Bewohner ihrer verschiedenen Teile gegen einander auswechseln. 20

Diese großen, im Frühjahr und Herbst eintretenden Epochen wurden durch seltsame Feierlichkeiten angekündigt, welche um desto würdiger schienen, als sie die alte Zeit, und was von dorther noch auf uns gekommen, lebhaft vergegenwärtigten. Am Geleitstag war das ganze 25 Volk auf den Beinen, drängte sich nach der Fahrgasse, nach der Brücke, bis über Sachsenhausen hinaus; alle Fenster waren besetzt, ohne daß den Tag über was Besonderes vorging; die Menge schien nur da zu sein, um sich zu drängen, und die Zuschauer, um sich unter ein- 30 ander zu betrachten: denn das, worauf es eigentlich ankam, ereignete sich erst mit sinkender Nacht und wurde mehr geglaubt, als mit Augen gesehen.

In jenen ältern unruhigen Zeiten nämlich, wo ein 5 jeder nach Belieben Unrecht that oder nach Lust das Rechte beförderte, wurden die auf die Messen ziehenden Handelsleute von Wegelagerern edlen und unedlen Geschlechts willkürlich geplagt und geplackt, so daß Fürsten und andere mächtige Stände die Ihrigen mit gewaffneter 10 Hand bis nach Frankfurt geleiten ließen. Hier wollten nun aber die Reichsstädter sich selbst und ihrem Gebiet nichts vergeben; sie zogen den Ankömmlingen entgegen: da gab es denn manchmal Streitigkeiten, wie weit jene Geleitenden heran kommen, oder ob sie wohl gar ihren 15 Einritt in die Stadt nehmen könnten. Weil nun dieses nicht allein bei Handels- und Meßgeschäften stattfand, sondern auch, wenn hohe Personen in Kriegs- und Friedenszeiten, vorzüglich aber zu Wahltagen, sich heranbegaben, und es auch öfters zu Thätlichkeiten kam, 20 sobald irgend ein Gefolge, das man in der Stadt nicht dulden wollte, sich mit seinem Herrn hereinzudrängen begehrte: so waren zeither darüber manche Verhandlungen gepflogen, es waren viele Rezesse deshalb, obgleich stets mit beiderseitigen Vorbehalten, geschlossen 25 worden, und man gab die Hoffnung nicht auf, den seit Jahrhunderten dauernden Zwist endlich einmal beizulegen, als die ganze Anstalt, weshalb er so lange und oft sehr heftig geführt worden war, beinah für unnütz, wenigstens für überflüssig angesehen werden konnte.

30 Unterdessen ritt die bürgerliche Kavallerie in mehreren

Abteilungen, mit den Oberhäuptern an ihrer Spitze, an jenen Tagen zu verschiedenen Thoren hinaus, fand an einer gewissen Stelle einige Reiter oder Husaren der zum Geleit berechtigten Reichsstände, die nebst ihren Anführern wohl empfangen und bewirtet wurden; man zögerte bis gegen Abend und ritt alsdann, kaum von der wartenden Menge gesehen, zur Stadt herein; da denn mancher bürgerliche Reiter weder sein Pferd noch sich selbst auf dem Pferde zu erhalten vermochte. Zu dem Brückenthore kamen die bedeutendsten Züge herein, und deswegen war der Andrang dorthin am stärksten. Ganz zuletzt und mit sinkender Nacht langte der auf gleiche Weise geleitete Nürnberger Postwagen an, und man trug sich mit der Rede, es müsse jederzeit dem Herkommen gemäß eine alte Frau darin sitzen; weshalb denn die Straßenjungen bei Ankunft des Wagens in ein gellendes Geschrei auszubrechen pflegten, ob man gleich die im Wagen sitzenden Passagiere keineswegs mehr unterscheiden konnte. Unglaublich und wirklich die Sinne verwirrend war der Drang der Menge, die in diesem Augenblick durch das Brückenthor herein dem Wagen nachstürzte; deswegen auch die nächsten Häuser von den Zuschauern am meisten gesucht wurden.

Eine andere, noch viel seltsamere Feierlichkeit, welche am hellen Tage das Publikum aufregte, war das Pfeifergericht. Es erinnerte diese Zeremonie an jene ersten Zeiten, wo bedeutende Handelsstädte sich von den Zöllen, welche mit Handel und Gewerb in gleichem Maße zunahmen, wo nicht zu befreien, doch wenigstens eine Milderung derselben zu erlangen suchten. Der Kaiser, der

ihrer bedurfte, erteilte eine solche Freiheit da, wo es von ihm abhing, gewöhnlich aber nur auf ein Jahr, und sie mußte daher jährlich erneuert werden. Dieses geschah durch symbolische Gaben, welche dem kaiserlichen Schult-
5 heißen, der auch wohl gelegentlich Oberzöllner sein konnte, vor Eintritt der Bartholomäi-Messe gebracht wurden, und zwar des Anstands wegen, wenn er mit den Schöffen zu Gericht saß. Als der Schultheiß späterhin nicht mehr vom Kaiser gesetzt, sondern von der Stadt
10 selbst gewählt wurde, behielt er doch diese Vorrechte, und sowohl die Zollfreiheiten der Städte, als die Zeremonien, womit die Abgeordneten von Worms, Nürnberg und Alt-Bamberg diese uralte Vergünstigung anerkannten, waren bis auf unsere Zeiten gekommen.
15 Den Tag vor Mariä Geburt ward ein öffentlicher Gerichtstag angekündigt. In dem großen Kaisersaale, in einem umschränkten Raume, saßen erhöht die Schöffen und eine Stufe höher der Schultheiß in ihrer Mitte; die von den Parteien bevollmächtigten Prokuratoren unten
20 zur rechten Seite. Der Aktuarius fängt an, die auf diesen Tag gesparten wichtigen Urteile laut vorzulesen; die Prokuratoren bitten um Abschrift, appellieren, oder was sie sonst zu thun nötig finden.

Auf einmal meldet eine wunderliche Musik gleichsam
25 die Ankunft voriger Jahrhunderte. Es sind drei Pfeifer, deren einer eine alte Schalmei, der andere einen Baß, der dritte einen Pommer oder Hoboe bläst. Sie tragen blaue, mit Gold verbrämte Mäntel, auf den Ärmeln die Noten befestigt, und haben das Haupt bedeckt. So
30 waren sie aus ihrem Gasthause, die Gesandten und ihre

Begleitung hinterdrein, Punkt zehn ausgezogen, von
Einheimischen und Fremden angestaunt, und so treten
sie in den Saal. Die Gerichtsverhandlungen halten
inne, Pfeifer und Begleitung bleiben vor den Schranken,
der Abgesandte tritt hinein und stellt sich dem Schultheißen gegenüber. Die symbolischen Gaben, welche auf
das genaueste nach dem alten Herkommen gefordert wurden, bestanden gewöhnlich in solchen Waren, womit die
darbringende Stadt vorzüglich zu handeln pflegte. Der
Pfeffer galt gleichsam für alle Waren, und so brachte
auch hier der Abgesandte einen schön gedrechselten höl-
zernen Pokal mit Pfeffer angefüllt. Über demselben
lagen ein Paar Handschuhe, wundersam geschlitzt, mit
Seide besteppt und bequastet, als Zeichen einer ge-
statteten und angenommenen Vergünstigung, dessen sich
auch wohl der Kaiser selbst in gewissen Fällen bediente.
Daneben sah man ein weißes Stäbchen, welches vormals
bei gesetzlichen und gerichtlichen Handlungen nicht leicht
fehlen durfte. Es waren noch einige kleine Silbermünzen hinzugefügt, und die Stadt Worms brachte einen
alten Filzhut, den sie immer wieder einlöste, so daß
derselbe viele Jahre ein Zeuge dieser Zeremonien gewesen.

Nachdem der Gesandte seine Anrede gehalten, das
Geschenk abgegeben, von dem Schultheißen die Versicherung fortdauernder Begünstigung empfangen, so entfernte er sich aus dem geschlossenen Kreise, die Pfeifer
bliesen, der Zug ging ab, wie er gekommen war, das Gericht verfolgte seine Geschäfte, bis der zweite und endlich
der dritte Gesandte eingeführt wurden; denn sie kamen

erst einige Zeit nach einander, teils damit das Vergnügen des Publikums länger daure, teils auch weil es immer dieselben altertümlichen Virtuosen waren, welche Nürnberg für sich und seine Mitstädte zu unterhalten und 5 jedes Jahr an Ort und Stelle zu bringen übernommen hatte.

Wir Kinder waren bei diesem Feste besonders interessiert, weil es uns nicht wenig schmeichelte, unsern Großvater an einer so ehrenvollen Stelle zu sehen, und weil 10 wir gewöhnlich noch selbigen Tag ihn ganz bescheiden zu besuchen pflegten, um, wenn die Großmutter den Pfeffer in ihre Gewürzladen geschüttet hätte, einen Becher und Stäbchen, ein Paar Handschuh oder einen alten Räderalbus zu erhaschen. Man konnte sich diese symbolischen, 15 das Altertum gleichsam hervorzaubernden Zeremonien nicht erklären lassen, ohne in vergangene Jahrhunderte wieder zurückgeführt zu werden, ohne sich nach Sitten, Gebräuchen und Gesinnungen unserer Altvordern zu erkundigen, die sich durch wieder auferstandene Pfeifer und 20 Abgeordnete, ja durch handgreifliche und für uns besitzbare Gaben auf eine so wunderliche Weise vergegenwärtigten. * * *

Das Haus war indessen fertig geworden, und zwar in ziemlich kurzer Zeit, weil alles wohl überlegt, vorbereitet 25 und für die nötige Geldsumme gesorgt war. Wir fanden uns nun alle wieder versammelt und fühlten uns behaglich; denn ein wohlausgedachter Plan, wenn er ausgeführt dasteht, läßt alles vergessen, was die Mittel, um zu diesem Zweck zu gelangen, Unbequemes mögen gehabt haben. Das Haus war für eine Privatwohnung geräumig genug. durchaus hell und heiter, die Treppe frei, die Vorsäle lustig, und jene Aussicht über die Gärten aus mehreren Fenstern bequem zu genießen. Der innere Ausbau, und was zur Vollendung und Zierde gehört, 5 ward nach und nach vollbracht und diente zugleich zur Beschäftigung und zur Unterhaltung.

Das erste, was man in Ordnung brachte, war die Büchersammlung des Vaters, von welcher die besten, in Franz- oder Halbfranzband gebundenen Bücher die 10 Wände seines Arbeits- und Studierzimmers schmücken sollten. Er besaß die schönen holländischen Ausgaben der lateinischen Schriftsteller, welche er der äußern Übereinstimmung wegen sämtlich in Quart anzuschaffen suchte; sodann vieles, was sich auf die römischen Anti- 15 quitäten und die elegantere Jurisprudenz bezieht. Die vorzüglichsten italienischen Dichter fehlten nicht, und für den Tasso bezeigte er eine große Vorliebe. Die besten neusten Reisebeschreibungen waren auch vorhanden, und er selbst machte sich ein Vergnügen daraus, den Keyßler 20 und Nemeitz zu berichtigen und zu ergänzen. Nicht weniger hatte er sich mit den nötigsten Hülfsmitteln umgeben, mit Wörterbüchern aus verschiedenen Sprachen, mit Reallexiken, daß man sich also nach Belieben Rats erholen konnte, so wie mit manchem andern, was zum 25 Nutzen und Vergnügen gereicht.

Die andere Hälfte dieser Büchersammlung, in saubern Pergamentbänden mit sehr schön geschriebenen Titeln, ward in einem besondern Mansardzimmer aufgestellt. Das Nachschaffen der neuen Bücher, so wie das Binden 30

und Einreihen derselben, betrieb er mit großer Gelassenheit und Ordnung. Dabei hatten die gelehrten Anzeigen, welche diesem oder jenem Werk besondere Vorzüge
beilegten, auf ihn großen Einfluß. Seine Sammlung
5 juristischer Dissertationen vermehrte sich jährlich um einige
Bände.

Zunächst aber wurden die Gemälde, die sonst in dem
alten Hause zerstreut herumgehangen, nunmehr zusammen an den Wänden eines freundlichen Zimmers neben
10 der Studierstube, alle in schwarzen, mit goldenen Stäbchen verzierten Rahmen, symmetrisch angebracht. Mein
Vater hatte den Grundsatz, den er öfters und sogar
leidenschaftlich aussprach, daß man die lebenden Meister
beschäftigen und weniger auf die abgeschiedenen wenden
15 solle, bei deren Schätzung sehr viel Vorurteil mit unter-
laufe. Er hatte die Vorstellung, daß es mit den Gemälden völlig wie mit den Rheinweinen beschaffen sei,
die, wenn ihnen gleich das Alter einen vorzüglichen
Wert beilege, dennoch in jedem folgenden Jahre eben so
20 vortrefflich als in den vergangenen könnten hervorgebracht werden. Nach Verlauf einiger Zeit werde der
neue Wein auch ein alter, eben so kostbar und vielleicht
noch schmackhafter. In dieser Meinung bestätigte er
sich vorzüglich durch die Bemerkung, daß mehrere alte
25 Bilder hauptsächlich dadurch für die Liebhaber einen
großen Wert zu erhalten schienen, weil sie dunkler und
bräuner geworden und der harmonische Ton eines solchen
Bildes öfters gerühmt wurde. Mein Vater versicherte
dagegen, es sei ihm gar nicht bange, daß die neuen
30 Bilder künftig nicht auch schwarz werden sollten; daß

sie aber gerade dadurch gewönnen, wollte er nicht zugestehen.

Nach diesen Grundsätzen beschäftigte er mehrere Jahre hindurch die sämtlichen Frankfurter Künstler: den Maler Hirt, welcher Eichen- und Buchenwälder und andere sogenannte ländliche Gegenden sehr wohl mit Vieh zu staffieren wußte; desgleichen Trautmann, der sich den Rembrandt zum Muster genommen und es in eingeschlossenen Lichtern und Widerscheinen, nicht weniger in effektvollen Feuersbrünsten weit gebracht hatte, so daß er einstens aufgefordert wurde, einen Pendant zu einem Rembrandtschen Bilde zu malen; ferner Schütz, der auf dem Wege des Sachtleben die Rheingegenden fleißig bearbeitete; nicht weniger Junckern, der Blumen und Fruchtstücke, Stillleben und ruhig beschäftigte Personen nach dem Vorgang der Niederländer sehr reinlich ausführte. Nun aber ward durch die neue Ordnung, durch einen bequemen Raum und noch mehr durch die Bekanntschaft eines geschickten Künstlers die Liebhaberei wieder angefrischt und belebt. Dieses war Seekatz, ein Schüler von Brinckmann, darmstädtischer Hofmaler, dessen Talent und Charakter sich in der Folge vor uns umständlicher entwickeln wird.

Man schritt auf diese Weise mit Vollendung der übrigen Zimmer, nach ihren verschiedenen Bestimmungen, weiter. Reinlichkeit und Ordnung herrschten im Ganzen; vorzüglich trugen große Spiegelscheiben das ihrige zu einer vollkommenen Helligkeit bei die in dem alten Hause aus mehreren Ursachen, zunächst aber auch wegen meist runder Fensterscheiben gefehlt hatte. Der

Vater zeigte sich heiter, weil ihm alles gut gelungen war; und wäre der gute Humor nicht manchmal dadurch unterbrochen worden, daß nicht immer der Fleiß und die Genauigkeit der Handwerker seinen Forderungen entsprachen, so hätte man kein glücklicheres Leben denken können, zumal da manches Gute teils in der Familie selbst entsprang, teils ihr von außen zufloß.

Durch ein außerordentliches Weltereignis wurde jedoch die Gemütsruhe des Knaben zum erstenmal im tiefsten erschüttert. Am 1. November 1755 ereignete sich das Erdbeben von Lissabon und verbreitete über die in Frieden und Ruhe schon eingewohnte Welt einen ungeheuren Schrecken. Eine große prächtige Residenz, zugleich Handels- und Hafenstadt, wird ungewarnt von dem furchtbarsten Unglück betroffen. Die Erde bebt und schwankt, das Meer braust auf, die Schiffe schlagen zusammen, die Häuser stürzen ein, Kirchen und Türme darüber her, der königliche Palast zum Teil wird vom Meere verschlungen, die geborstene Erde scheint Flammen zu speien; denn überall meldet sich Rauch und Brand in den Ruinen. Sechzigtausend Menschen, einen Augenblick zuvor noch ruhig und behaglich, gehen mit einander zu Grunde, und der Glücklichste darunter ist der zu nennen, dem keine Empfindung, keine Besinnung über das Unglück mehr gestattet ist. Die Flammen wüten fort, und mit ihnen wütet eine Schar sonst verborgner, oder durch dieses Ereignis in Freiheit gesetzter Verbrecher. Die unglücklichen Übriggebliebenen sind dem Raube, dem Morde, allen Mißhandlungen bloßgestellt; und so behauptet von allen Seiten die Natur ihre schrankenlose Willkür.

Schneller als die Nachrichten hatten schon Andeutungen von diesem Vorfall sich durch große Landstrecken verbreitet; an vielen Orten waren schwächere Erschütterungen zu verspüren, an manchen Quellen, besonders den heilsamen, ein ungewöhnliches Innehalten zu bemerken gewesen: um desto größer war die Wirkung der Nachrichten selbst, welche erst im allgemeinen, dann aber mit schrecklichen Einzelheiten sich rasch verbreiteten. Hierauf ließen es die Gottesfürchtigen nicht an Betrachtungen, die Philosophen nicht an Trostgründen, an Strafpredigten die Geistlichkeit nicht fehlen. So vieles zusammen richtete die Aufmerksamkeit der Welt eine Zeitlang auf diesen Punkt und die durch fremdes Unglück aufgeregten Gemüter wurden durch Sorgen für sich selbst und die Ihrigen um so mehr geängstigt, als über die weitverbreitete Wirkung dieser Explosion von allen Orten und Enden immer mehrere und umständlichere Nachrichten einliefen. Ja, vielleicht hat der Dämon des Schreckens zu keiner Zeit so schnell und so mächtig seine Schauer über die Erde verbreitet.

Der Knabe, der alles dieses wiederholt vernehmen mußte, war nicht wenig betroffen. Gott, der Schöpfer und Erhalter Himmels und der Erden, den ihm die Erklärung des ersten Glaubensartikels so weise und gnädig vorstellte, hatte sich, indem er die Gerechten mit den Ungerechten gleichem Verderben preisgab, keineswegs väterlich bewiesen. Vergebens suchte das junge Gemüt sich gegen diese Eindrücke herzustellen, welches überhaupt um so weniger möglich war, als die Weisen und Schriftgelehrten selbst sich über die Art, wie man ein solches Phänomen anzusehen habe, nicht vereinigen konnten.

Der folgende Sommer gab eine nähere Gelegenheit, den zornigen Gott, von dem das Alte Testament so viel überliefert, unmittelbar kennen zu lernen. Unversehens brach ein Hagelwetter herein und schlug die neuen Spie-
5 gelscheiben der gegen Abend gelegenen Hinterseite des Hauses unter Donner und Blitzen auf das gewaltsamste zusammen, beschädigte die neuen Möbeln, verderbte einige schätzbare Bücher und sonst werte Dinge, und war für die Kinder um so fürchterlicher, als das ganz außer
10 sich gesetzte Hausgesinde sie in einen dunklen Gang mit fortriß und dort auf den Knieen liegend durch schreckliches Geheul und Geschrei die erzürnte Gottheit zu versöhnen glaubte; indessen der Vater, ganz allein gefaßt, die Fensterflügel aufriß und aushob; wodurch er zwar
15 manche Scheiben rettete, aber auch dem auf den Hagel folgenden Regenguß einen desto offnern Weg bereitete, so daß man sich, nach endlicher Erholung, auf den Vorsälen und Treppen von flutendem und rinnendem Wasser umgeben sah.

20 Solche Vorfälle, wie störend sie auch im ganzen waren, unterbrachen doch nur wenig den Gang und die Folge des Unterrichts, den der Vater selbst uns Kindern zu geben sich einmal vorgenommen. Er hatte seine Jugend auf dem Koburger Gymnasium zugebracht, wel-
25 ches unter den deutschen Lehranstalten eine der ersten Stellen einnahm. Er hatte daselbst einen guten Grund in den Sprachen, und was man sonst zu einer gelehrten Erziehung rechnete, gelegt, nachher in Leipzig sich der Rechtswissenschaft beflissen und zuletzt in Gießen promo-
30 viert. Seine mit Ernst und Fleiß verfaßte Dissertation:

Electa de aditione hereditatis, wird noch von den Rechtslehrern mit Lob angeführt.

Es ist ein frommer Wunsch aller Väter, das, was ihnen selbst abgegangen, an den Söhnen realisiert zu sehen, so ungefähr, als wenn man zum zweitenmal lebte und die Erfahrungen des ersten Lebenslaufes nun erst recht nutzen wollte. Im Gefühl seiner Kenntnisse, in Gewißheit einer treuen Ausdauer und im Mißtrauen gegen die damaligen Lehrer, nahm der Vater sich vor, seine Kinder selbst zu unterrichten und nur so viel, als es nötig schien, einzelne Stunden durch eigentliche Lehrmeister zu besetzen. Ein pädagogischer Dilettantismus fing sich überhaupt schon zu zeigen an. Die Pedanterie und Trübsinnigkeit der an öffentlichen Schulen angestellten Lehrer mochte wohl die erste Veranlassung dazu geben. Man suchte nach etwas Besserem und vergaß, wie mangelhaft aller Unterricht sein muß, der nicht durch Leute vom Metier erteilt wird.

Meinem Vater war sein eigner Lebensgang bis dahin ziemlich nach Wunsch gelungen; ich sollte denselben Weg gehen, aber bequemer und weiter. Er schätzte meine angebornen Gaben um so mehr, als sie ihm mangelten: denn er hatte alles nur durch unsäglichen Fleiß, Anhaltsamkeit und Wiederholung erworben. Er versicherte mir öfters, früher und später, im Ernst und Scherz, daß er mit meinen Anlagen sich ganz anders würde benommen und nicht so liederlich damit würde gewirtschaftet haben.

Durch schnelles Ergreifen, Verarbeiten und Festhalten entwuchs ich sehr bald dem Unterricht, den mir mein

Vater und die übrigen Lehrmeister geben konnten, ohne daß ich doch in irgend etwas begründet gewesen wäre. Die Grammatik mißfiel mir, weil ich sie nur als ein willkürliches Gesetz ansah; die Regeln schienen mir lächer-
5 lich, weil sie durch so viele Ausnahmen aufgehoben wurden, die ich alle wieder besonders lernen sollte. Und wäre nicht der gereimte angehende Lateiner gewesen, so hätte es schlimm mit mir ausgesehen; doch diesen trommelte und sang ich mir gern vor. So hatten wir auch
10 eine Geographie in solchen Gedächtnisversen, wo uns die abgeschmacktesten Reime das zu Behaltende am besten einprägten, z. B.:

Ober-Yssel; viel Morast
Macht das gute Land verhaßt.

Die Sprachformen und Wendungen faßte ich leicht; so auch entwickelte ich mir schnell, was in dem Begriff
15 einer Sache lag. In rhetorischen Dingen, Chrieen und dergleichen that es mir niemand zuvor, ob ich schon wegen Sprachfehler oft hintanstehen mußte. Solche Aufsätze waren es jedoch, die meinem Vater besondre Freude machten, und wegen deren er mich mit manchem,
20 für einen Knaben bedeutenden Geldgeschenk belohnte.

Mein Vater lehrte die Schwester in demselben Zimmer Italienisch, wo ich den Cellarius auswendig zu lernen hatte. Indem ich nun mit meinem Pensum bald fertig war und doch stillsitzen sollte, horchte ich über das Buch
25 weg und faßte das Italienische, das mir als eine lustige Abweichung des Lateinischen auffiel, sehr behende.

Andere Frühzeitigkeiten in Absicht auf Gedächtnis und

Kombination hatte ich mit jenen Kindern gemein, die dadurch einen frühen Ruf erlangt haben. Deshalb konnte mein Vater kaum erwarten, bis ich auf Akademie gehen würde. Sehr bald erklärte er, daß ich in Leipzig, für welches er eine große Vorliebe behalten, gleichfalls 5 Jura studieren, alsdann noch eine andre Universität besuchen und promovieren sollte. Was diese zweite betraf, war es ihm gleichgültig, welche ich wählen würde; nur gegen Göttingen hatte er, ich weiß nicht warum, einige Abneigung, zu meinem Leidwesen; denn ich hatte gerade 10 auf diese viel Zutrauen und große Hoffnungen gesetzt.

Ferner erzählte er mir, daß ich nach Wetzlar und Regensburg, nicht weniger nach Wien und von da nach Italien gehen sollte; ob er gleich wiederholt behauptete, man müsse Paris voraus sehen, weil man aus Italien 15 kommend sich an nichts mehr ergötze.

Dieses Märchen meines künftigen Jugendganges ließ ich mir gern wiederholen, besonders da es in eine Erzählung von Italien und zuletzt in eine Beschreibung von Neapel auslief. Sein sonstiger Ernst und seine 20 Trockenheit schienen sich jederzeit aufzulösen und zu beleben, und so erzeugte sich in uns Kindern der leidenschaftliche Wunsch, auch dieser Paradiese teilhaft zu werden.

Privatstunden, welche sich nach und nach vermehrten, teilte ich mit Nachbarskindern. Dieser gemeinsame Un- 25 terricht förderte mich nicht; die Lehrer gingen ihren Schlendrian, und die Unarten, ja manchmal die Bösartigkeiten meiner Gesellen brachten Unruh, Verdruß und Störung in die kärglichen Lehrstunden. Chrestomathieen, wodurch die Belehrung heiter und mannig- 30

faltig wird, waren noch nicht bis zu uns gekommen. Der für junge Leute so starre Cornelius Nepos, das allzu leichte und durch Predigten und Religionsunterricht sogar trivial gewordne Neue Testament, Cellarius und
5 Pasor konnten uns kein Interesse geben; dagegen hatte sich eine gewisse Reim- und Versewut, durch Lesung der damaligen deutschen Dichter, unser bemächtigt. Mich hatte sie schon früher ergriffen, als ich es lustig fand, von der rhetorischen Behandlung der Aufgaben zu der
10 poetischen überzugehen.

Wir Knaben hatten eine sonntägliche Zusammenkunft, wo jeder von ihm selbst verfertigte Verse produzieren sollte. Und hier begegnete mir etwas Wunderbares, was mich sehr lange in Unruh setzte. Meine Gedichte,
15 wie sie auch sein mochten, mußte ich immer für die bessern halten. Allein ich bemerkte bald, daß meine Mitwerber, welche sehr lahme Dinge vorbrachten, in dem gleichen Falle waren und sich nicht weniger dünkten; ja, was mir noch bedenklicher schien, ein guter, obgleich zu
20 solchen Arbeiten völlig unfähiger Knabe, dem ich übrigens gewogen war, der aber seine Reime sich vom Hofmeister machen ließ, hielt diese nicht allein für die allerbesten, sondern war völlig überzeugt, er habe sie selbst gemacht; wie er mir, in dem vertrauteren Verhältnis,
25 worin ich mit ihm stand, jederzeit aufrichtig behauptete. Da ich nun solchen Irrtum und Wahnsinn offenbar vor mir sah, fiel es mir eines Tages aufs Herz, ob ich mich vielleicht selbst in dem Falle befände, ob nicht jene Gedichte wirklich besser seien als die meinigen, und ob ich
30 nicht mit Recht jenen Knaben eben so toll als sie mir

vorkommen möchte? Dieses beunruhigte mich sehr und lange Zeit: denn es war mir durchaus unmöglich, ein äußeres Kennzeichen der Wahrheit zu finden; ja, ich stockte sogar in meinen Hervorbringungen, bis mich endlich Leichtsinn und Selbstgefühl und zuletzt eine Probearbeit beruhigten, die uns Lehrer und Eltern, welche auf unsere Scherze aufmerksam geworden, aus dem Stegreif aufgaben, wobei ich gut bestand und allgemeines Lob davontrug.

Man hatte zu der Zeit noch keine Bibliotheken für Kinder veranstaltet. Die Alten hatten selbst noch kindliche Gesinnungen und fanden es bequem, ihre eigene Bildung der Nachkommenschaft mitzuteilen. Außer dem Orbis pictus des Amos Comenius kam uns kein Buch dieser Art in die Hände; aber die große Foliobibel, mit Kupfern von Merian, ward häufig von uns durchblättert; Gottfrieds Chronik, mit Kupfern desselben Meisters, belehrte uns von den merkwürdigsten Fällen der Weltgeschichte; die Acerra philologica that noch allerlei Fabeln, Mythologieen und Seltsamkeiten hinzu; und da ich gar bald die Ovidischen Verwandlungen gewahr wurde und besonders die ersten Bücher fleißig studierte, so war mein junges Gehirn schnell genug mit einer Masse von Bildern und Begebenheiten, von bedeutenden und wunderbaren Gestalten und Ereignissen angefüllt, und ich konnte niemals lange Weile haben, indem ich mich immerfort beschäftigte, diesen Erwerb zu verarbeiten, zu wiederholen, wieder hervorzubringen.

Einen frömmern, sittlichern Effekt, als jene mitunter rohen und gefährlichen Altertümlichkeiten, machte Fene-

lons Telemach, den ich erst nur in der Neukirchischen Übersetzung kennen lernte, und der, auch so unvollkommen überliefert, eine gar süße und wohlthätige Wirkung auf mein Gemüt äußerte. Daß Robinson Crusoe sich
5 zeitig angeschlossen, liegt wohl in der Natur der Sache; daß die Insel Felsenburg nicht gefehlt habe, läßt sich denken. Lord Ansons Reise um die Welt verband das Würdige der Wahrheit mit dem Phantasiereichen des Märchens, und indem wir diesen trefflichen Seemann
10 mit den Gedanken begleiteten, wurden wir weit in alle Welt hinausgeführt und versuchten, ihm mit unsern Fingern auf dem Globus zu folgen. Nun sollte mir auch noch eine reichlichere Ernte bevorstehen, indem ich an eine Masse Schriften geriet, die zwar in ihrer gegen-
15 wärtigen Gestalt nicht vortrefflich genannt werden können, deren Inhalt jedoch uns manches Verdienst voriger Zeiten in einer unschuldigen Weise näher bringt.

Der Verlag oder vielmehr die Fabrik jener Bücher, welche in der folgenden Zeit unter dem Titel: Volks-
20 schriften, Volksbücher, bekannt und sogar berühmt geworden, war in Frankfurt selbst, und sie wurden wegen des großen Abgangs mit stehenden Lettern auf das schrecklichste Löschpapier fast unleserlich gedruckt. Wir Kinder hatten also das Glück, diese schätzbaren Überreste
25 der Mittelzeit auf einem Tischchen vor der Hausthüre eines Büchertrödlers täglich zu finden und sie uns für ein paar Kreuzer zuzueignen. Der Eulenspiegel, die vier Haimonskinder, die schöne Melusine, der Kaiser Oktavian, die schöne Magelone, Fortunatus mit der
30 ganzen Sippschaft bis auf den ewigen Juden, alles stand

uns zu Diensten, sobald uns gelüstete, nach diesen Werken, anstatt nach irgend einer Näscherei zu greifen.

* * * * * *

Es versteht sich von selbst, daß wir Kinder, neben den übrigen Lehrstunden, auch eines fortwährenden und fortschreitenden Religionsunterrichts genossen. Doch war der kirchliche Protestantismus, den man uns überlieferte, eigentlich nur eine Art von trockner Moral: an einen geistreichen Vortrag ward nicht gedacht, und die Lehre konnte weder der Seele noch dem Herzen zusagen. Deswegen ergaben sich gar mancherlei Absonderungen von der gesetzlichen Kirche. Es entstanden die Separatisten, Pietisten, Herrnhuter, die Stillen im Lande, und wie man sie sonst zu nennen und zu bezeichnen pflegte, die aber alle bloß die Absicht hatten, sich der Gottheit, besonders durch Christum, mehr zu nähern, als es ihnen unter der Form der öffentlichen Religion möglich zu sein schien.

Der Knabe hörte von diesen Meinungen und Gesinnungen unaufhörlich sprechen: denn die Geistlichkeit sowohl als die Laien teilten sich in das Für und Wider. Die mehr oder weniger Abgesonderten waren immer die Minderzahl; aber ihre Sinnesweise zog an durch Originalität, Herzlichkeit, Beharren und Selbständigkeit. Man erzählte von diesen Tugenden und ihren Äußerungen allerlei Geschichten. Besonders ward die Antwort eines frommen Klempnermeisters bekannt, den einer seiner Zunftgenossen durch die Frage zu beschämen gedachte: wer denn eigentlich sein Beichtvater sei? Mit Heiterkeit und Vertrauen auf seine gute Sache erwiderte jener: Ich habe einen sehr vornehmen; es ist niemand Geringeres als der Beichtvater des Königs David.

Dieses und dergleichen mag wohl Eindruck auf den Knaben gemacht und ihn zu ähnlichen Gesinnungen aufgefordert haben. Genug, er kam auf den Gedanken, sich dem großen Gotte der Natur, dem Schöpfer und Erhalter Himmels und der Erden, dessen frühere Zornäußerungen schon lange über die Schönheit der Welt und das mannigfaltige Gute, das uns darin zu teil wird, vergessen waren, unmittelbar zu nähern; der Weg dazu aber war sehr sonderbar.

Der Knabe hatte sich überhaupt an den ersten Glaubensartikel gehalten. Der Gott, der mit der Natur in unmittelbarer Verbindung stehe, sie als sein Werk anerkenne und liebe, dieser schien ihm der eigentliche Gott, der ja wohl auch mit dem Menschen wie mit allem übrigen in ein genaueres Verhältnis treten könne und für denselben eben so wie für die Bewegung der Sterne, für Tages- und Jahrszeiten, für Pflanzen und Tiere Sorge tragen werde. Einige Stellen des Evangeliums besagten dieses ausdrücklich. Eine Gestalt konnte der Knabe diesem Wesen nicht verleihen; er suchte ihn also in seinen Werken auf und wollte ihm auf gut alttestamentliche Weise einen Altar errichten. Naturprodukte sollten die Welt im Gleichnis vorstellen, über diesen sollte eine Flamme brennen und das zu seinem Schöpfer sich aufsehnende Gemüt des Menschen bedeuten. Nun wurden aus der vorhandnen und zufällig vermehrten Naturaliensammlung die besten Stufen und Exemplare herausgesucht; allein, wie solche zu schichten und aufzubauen sein möchten, das war nun die Schwierigkeit. Der Vater hatte einen schönen rotlackierten goldgeblümten Musikpult, in Gestalt einer vierseitigen Pyramide mit verschiedenen Abstufungen, den man zu Quartetten sehr bequem fand, ob er gleich in der letzten Zeit nur 5 wenig gebraucht wurde. Dessen bemächtigte sich der Knabe und baute nun stufenweise die Abgeordneten der Natur über einander, so daß es recht heiter und zugleich bedeutend genug aussah. Nun sollte bei einem frühen Sonnenaufgang die erste Gottesverehrung angestellt 10 werden; nur war der junge Priester nicht mit sich einig, auf welche Weise er eine Flamme hervorbringen sollte, die doch auch zu gleicher Zeit einen guten Geruch von sich geben müsse. Endlich gelang ihm ein Einfall, beides zu verbinden, indem er Räucherkerzchen besaß, welche, 15 wo nicht flammend, doch glimmend den angenehmsten Geruch verbreiteten. Ja, dieses gelinde Verbrennen und Verdampfen schien noch mehr das, was im Gemüte vorgeht, auszudrücken, als eine offene Flamme. Die Sonne war schon längst aufgegangen, aber Nachbar- 20 häuser verdeckten den Osten. Endlich erschien sie über den Dächern; sogleich ward ein Brennglas zur Hand genommen und die in einer schönen Porzellanschale auf dem Gipfel stehenden Räucherkerzen angezündet. Alles gelang nach Wunsch, und die Andacht war vollkommen. 25 Der Altar blieb als eine besondre Zierde des Zimmers, das man ihm im neuen Hause eingeräumt hatte, stehen. Jedermann sah darin nur eine wohl aufgeputzte Naturaliensammlung; der Knabe hingegen wußte besser, was er verschwieg. Er sehnte sich nach der Wiederholung 30

jener Feierlichkeit. Unglücklicherweise war eben, als die gelegenste Sonne hervorstieg, die Porzellantasse nicht bei der Hand; er stellte die Räucherkerzchen unmittelbar auf die obere Fläche des Musikpultes; sie wurden an-
5 gezündet, und die Andacht war so groß, daß der Priester nicht merkte, welchen Schaden sein Opfer anrichtete, als bis ihm nicht mehr abzuhelfen war. Die Kerzchen hatten sich nämlich in den roten Lack und in die schönen goldnen Blumen auf eine schmähliche Weise eingebrannt und,
10 gleich als wäre ein böser Geist verschwunden, ihre schwarzen, unauslöschlichen Fußstapfen zurückgelassen. Hierüber kam der junge Priester in die äußerste Verlegenheit. Zwar wußte er den Schaden durch die größesten Prachtstufen zu bedecken, allein der Mut zu neuen Opfern
15 war ihm vergangen; und fast möchte man diesen Zufall als eine Andeutung und Warnung betrachten, wie gefährlich es überhaupt sei, sich Gott auf dergleichen Wegen nähern zu wollen.

Zweites Buch.

Alles bisher Vorgetragene deutet auf jenen glücklichen und gemächlichen Zustand, in welchem sich die Länder während eines langen Friedens befinden. Nirgends aber genießt man eine solche schöne Zeit wohl mit größerem Behagen, als in Städten, die nach ihren eigenen Gesetzen leben, die groß genug sind, eine ansehnliche Menge Bürger zu fassen, und wohl gelegen, um sie durch Handel und Wandel zu bereichern. Fremde finden ihren Gewinn, da aus- und einzuziehen, und sind genötigt, Vorteil zu bringen, um Vorteil zu erlangen. Beherrschen solche Städte auch kein weites Gebiet, so können sie desto mehr im Innern Wohlhäbigkeit bewirken, weil ihre Verhältnisse nach außen sie nicht zu kostspieligen Unternehmungen oder Teilnahmen verpflichten.

Auf diese Weise verfloß den Frankfurtern während meiner Kindheit eine Reihe glücklicher Jahre. Aber kaum hatte ich am 28. August 1756 mein siebentes Jahr zurückgelegt, als gleich darauf jener weltbekannte Krieg ausbrach, welcher auf die nächsten sieben Jahre meines Lebens auch großen Einfluß haben sollte. Friedrich der Zweite, König von Preußen, war mit 60,000 Mann in Sachsen eingefallen, und statt einer vorgängigen Kriegserklärung folgte ein Manifest, wie man sagte, von ihm selbst verfaßt, welches die Ursachen enthielt, die ihn zu einem solchen ungeheuren Schritt bewogen und berechtigt. Die Welt, die sich nicht nur als Zuschauer, sondern auch als Richter aufgefordert fand, spaltete sich sogleich in zwei Parteien, und unsere Familie war ein Bild des großen Ganzen.

5 Mein Großvater, der als Schöff von Frankfurt über Franz dem Ersten den Krönungshimmel getragen und von der Kaiserin eine gewichtige goldene Kette mit ihrem Bildnis erhalten hatte, war mit einigen Schwiegersöhnen und Töchtern auf österreichischer Seite. Mein 10 Vater, von Karl dem Siebenten zum kaiserlichen Rat ernannt und an dem Schicksale dieses unglücklichen Monarchen gemütlich teilnehmend, neigte sich mit der kleinern Familienhälfte gegen Preußen. Gar bald wurden unsere Zusammenkünfte, die man seit mehreren Jahren 15 Sonntags ununterbrochen fortgesetzt hatte, gestört. Die unter Verschwägerten gewöhnlichen Mißhelligkeiten fanden nun erst eine Form, in der sie sich aussprechen konnten. Man stritt, man überwarf sich, man schwieg, man brach los. Der Großvater, sonst ein heitrer, 20 ruhiger und bequemer Mann, ward ungeduldig. Die Frauen suchten vergebens das Feuer zu tüschen, und nach einigen unangenehmen Szenen blieb mein Vater zuerst aus der Gesellschaft. Nun freuten wir uns ungestört zu Hause der preußischen Siege, welche gewöhnlich durch 25 jene leidenschaftliche Tante mit großem Jubel verkündigt wurden. Alles andere Interesse mußte diesem weichen, und wir brachten den Überrest des Jahres in beständiger Agitation zu. Die Besitznahme von Dresden, die anfängliche Mäßigung des Königs, die zwar langsamen, 30 aber sichern Fortschritte, der Sieg bei Lowositz, die Ge-

fangennehmung der Sachsen, waren für unsere Partei eben so viele Triumphe. Alles, was zum Vorteil der Gegner angeführt werden konnte, wurde geleugnet oder verkleinert; und da die entgegengesetzten Familienglieder das Gleiche thaten, so konnten sie einander nicht auf der Straße begegnen, ohne daß es Händel setzte, wie in Romeo und Julie.

Und so war ich denn auch preußisch, oder um richtiger zu reden, Fritzisch gesinnt: denn was ging uns Preußen an! Es war die Persönlichkeit des großen Königs, die auf alle Gemüter wirkte. Ich freute mich mit dem Vater unserer Siege, schrieb sehr gern die Siegeslieder ab und fast noch lieber die Spottlieder auf die Gegenpartei, so platt die Reime auch sein mochten.

Als ältester Enkel und Pate hatte ich seit meiner Kindheit jeden Sonntag bei den Großeltern gespeist: es waren meine vergnügtesten Stunden der ganzen Woche. Aber nun wollte mir kein Bissen mehr schmecken: denn ich mußte meinen Helden aufs greulichste verleumden hören. Hier wehte ein anderer Wind, hier klang ein anderer Ton, als zu Hause. Die Neigung, ja die Verehrung für meine Großeltern nahm ab. Bei den Eltern durfte ich nichts davon erwähnen; ich unterließ es aus eigenem Gefühl und auch, weil die Mutter mich gewarnt hatte. Dadurch war ich auf mich selbst zurückgewiesen, und wie mir in meinem sechsten Jahre, nach dem Erdbeben von Lissabon, die Güte Gottes einigermaßen verdächtig geworden war, so fing ich nun, wegen Friedrichs des Zweiten, die Gerechtigkeit des Publikums zu bezweifeln an. Mein Gemüt war von Natur zur Ehrerbietung geneigt, und es gehörte eine große Erschütterung dazu, um meinen Glauben an irgend ein Ehrwürdiges wanken zu machen. Leider hatte man uns die guten Sitten, ein anständiges Betragen, nicht um ihrer 5 selbst, sondern um der Leute willen, anempfohlen: was die Leute sagen würden, hieß es immer, und ich dachte, die Leute müßten auch rechte Leute sein, würden auch alles und jedes zu schätzen wissen. Nun aber erfuhr ich das Gegenteil. Die größten und augenfälligsten Ver- 10 dienste wurden geschmäht und angefeindet, die höchsten Thaten, wo nicht geleugnet, doch wenigstens entstellt und verkleinert; und ein so schnödes Unrecht geschah dem einzigen, offenbar über alle seine Zeitgenossen erhabenen Manne, der täglich bewies und darthat, was er ver- 15 möge; und dies nicht etwa vom Pöbel, sondern von vorzüglichen Männern, wofür ich doch meinen Großvater und meine Oheime zu halten hatte. Daß es Parteien geben könne, ja, daß er selbst zu einer Partei gehörte, davon hatte der Knabe keinen Begriff. Er glaubte 20 um so viel mehr Recht zu haben und seine Gesinnung für die bessere erklären zu dürfen, da er und die Gleichgesinnten Marien Theresien, ihre Schönheit und übrigen guten Eigenschaften ja gelten ließen und dem Kaiser Franz seine Juwelen- und Geldliebhaberei weiter auch 25 nicht verargten; daß Graf Daun manchmal eine Schlafmütze geheißen wurde, glaubten sie verantworten zu können.

Bedenke ich es aber jetzt genauer, so finde ich hier den Keim der Nichtachtung, ja der Verachtung des Pub- 30 likums, die mir eine ganze Zeit meines Lebens anhing und nur spät durch Einsicht und Bildung ins Gleiche gebracht werden konnte. Genug, schon damals war das Gewahrwerden parteiischer Ungerechtigkeit dem Knaben sehr unangenehm, ja schädlich, indem es ihn gewöhnte, sich von geliebten und geschätzten Personen zu entfernen. 5 Die immer auf einander folgenden Kriegsthaten und Begebenheiten ließen den Parteien weder Ruhe noch Rast. Wir fanden ein verdrießliches Behagen, jene eingebildeten Übel und willkürlichen Händel immer von frischem wieder zu erregen und zu schärfen, und so 10 fuhren wir fort, uns unter einander zu quälen, bis einige Jahre darauf die Franzosen Frankfurt besetzten und uns wahre Unbequemlichkeit in die Häuser brachten.

Ob nun gleich die meisten sich dieser wichtigen, in der Ferne vorgehenden Ereignisse nur zu einer leidenschaft- 15 lichen Unterhaltung bedienten, so waren doch auch andre, welche den Ernst dieser Zeiten wohl einsahen und befürchteten, daß bei einer Teilnahme Frankreichs der Kriegsschauplatz sich auch in unsern Gegenden aufthun könne. Man hielt uns Kinder mehr als bisher zu Hause 20 und suchte uns auf mancherlei Weise zu beschäftigen und zu unterhalten. Zu solchem Ende hatte man das von der Großmutter hinterlassene Puppenspiel wieder aufgestellt, und zwar dergestalt eingerichtet, daß die Zuschauer in meinem Giebelzimmer sitzen, die spielenden 25 und dirigierenden Personen aber, so wie das Theater selbst vom Proszenium an, in einem Nebenzimmer Platz und Raum fanden. Durch die besondere Vergünstigung, bald diesen, bald jenen Knaben als Zuschauer einzulassen, erwarb ich mir anfangs viele Freunde; allein die 30

Unruhe, die in den Kindern steckt, ließ sie nicht lange geduldige Zuschauer bleiben. Sie störten das Spiel, und wir mußten uns ein jüngeres Publikum aussuchen, das noch allenfalls durch Ammen und Mägde in der Ord-
5 nung gehalten werden konnte. Wir hatten das ursprüngliche Hauptdrama, worauf die Puppengesellschaft eigentlich eingerichtet war, auswendig gelernt und führten es anfangs auch ausschließlich auf; allein dies ermüdete uns bald, wir veränderten die Garderobe, die Dekora-
10 tionen, und wagten uns an verschiedene Stücke, die freilich für einen so kleinen Schauplatz zu weitläufig waren. Ob wir uns nun gleich durch diese Anmaßung dasjenige, was wir wirklich hätten leisten können, verkümmerten und zuletzt gar zerstörten, so hat doch diese kindliche
15 Unterhaltung und Beschäftigung auf sehr mannigfaltige Weise bei mir das Erfindungs- und Darstellungsvermögen, die Einbildungskraft und eine gewisse Technik geübt und befördert, wie es vielleicht auf keinem andern Wege, in so kurzer Zeit, in einem so engen Raume, mit
20 so wenigem Aufwand hätte geschehen können.

Ich hatte früh gelernt, mit Zirkel und Lineal umzugehen, indem ich den ganzen Unterricht, den man uns in der Geometrie erteilte, sogleich in das Thätige verwandte, und Pappenarbeiten konnten mich höchlich be-
25 schäftigen. Doch blieb ich nicht bei geometrischen Körpern, bei Kästchen und solchen Dingen stehen, sondern ersann mir artige Lusthäuser, welche mit Pilastern, Freitreppen und flachen Dächern ausgeschmückt wurden; wovon jedoch wenig zustande kam.

30 Weit beharrlicher hingegen war ich, mit Hilfe unsers

Bedienten, eines Schneiders von Profession, eine Rüstkammer auszustatten, welche zu unsern Schau- und Trauerspielen dienen sollte, die wir, nachdem wir den Puppen über den Kopf gewachsen waren, selbst aufzuführen Lust hatten. Meine Gespielen verfertigten sich zwar auch solche Rüstungen und hielten sie für eben so schön und gut, als die meinigen; allein ich hatte es nicht bei den Bedürfnissen einer Person bewenden lassen, sondern konnte mehrere des kleinen Heeres mit allerlei Requisiten ausstatten, und machte mich daher unserm kleinen Kreise immer notwendiger. Daß solche Spiele auf Parteiungen, Gefechte und Schläge hinwiesen und gewöhnlich auch mit Händeln und Verdruß ein schreckliches Ende nahmen, läßt sich denken. In solchen Fällen hielten gewöhnlich gewisse bestimmte Gespielen an mir, andre auf der Gegenseite, ob es gleich öfter manchen Parteiwechsel gab. Ein einziger Knabe, den ich Pylades nennen will, verließ nur ein einzigmal, von den andern aufgehetzt, meine Partei, konnte es aber kaum eine Minute aushalten, mir feindselig gegenüberzustehen; wir versöhnten uns unter vielen Thränen und haben eine ganze Weile treulich zusammengehalten.

Diesen sowie andre Wohlwollende konnte ich sehr glücklich machen, wenn ich ihnen Märchen erzählte, und besonders liebten sie, wenn ich in eigner Person sprach, und hatten eine große Freude, daß mir, als ihrem Gespielen, so wunderliche Dinge könnten begegnet sein, und dabei gar kein Arges, wie ich Zeit und Raum zu solchen Abenteuern finden können, da sie doch ziemlich wußten, wie ich beschäftigt war und wo ich aus- und einging.

Nicht weniger waren zu solchen Begebenheiten Lokalitäten, wo nicht aus einer andern Welt, doch gewiß aus einer andern Gegend nötig, und alles war doch erst heut oder gestern geschehen. Sie mußten sich daher mehr
5 selbst betrügen, als ich sie zum besten haben konnte. Und wenn ich nicht nach und nach, meinem Naturell gemäß, diese Luftgestalten und Windbeuteleien zu kunstmäßigen Darstellungen hätte verarbeiten lernen, so wären solche aufschneiderische Anfänge gewiß nicht ohne
10 schlimme Folgen für mich geblieben.

Betrachtet man diesen Trieb recht genau, so möchte man in ihm diejenige Anmaßung erkennen, womit der Dichter selbst das Unwahrscheinlichste gebieterisch ausspricht und von einem jeden fordert, er solle dasjenige
15 für wirklich erkennen, was ihm, dem Erfinder, auf irgend eine Weise als wahr erscheinen konnte.

* * * * * * *

Der ruhige Bürger steht zu den großen Weltereignissen in einem wunderbaren Verhältnis. Schon aus der
20 Ferne regen sie ihn auf und beunruhigen ihn, und er kann sich, selbst wenn sie ihn nicht berühren, eines Urteils, einer Teilnahme nicht enthalten. Schnell ergreift er eine Partei, nachdem ihn sein Charakter oder äußere Anlässe bestimmen. Rücken so große Schicksale, so be-
25 deutende Veränderungen näher, dann bleibt ihm bei manchen äußern Unbequemlichkeiten noch immer jenes innre Mißbehagen, verdoppelt und schärft das Übel meistenteils und zerstört das noch mögliche Gute. Dann hat er von Freunden und Feinden wirklich zu leiden, oft
30 mehr von jenen als von diesen, und er weiß weder wie er seine Neigung, noch wie er seinen Vorteil wahren und erhalten soll.

Das Jahr 1757, das wir noch in völlig bürgerlicher Ruhe verbrachten, wurde dessen ungeachtet in großer Gemütsbewegung verlebt. Reicher an Begebenheiten als dieses war vielleicht kein anderes. Die Siege, die Großthaten, die Unglücksfälle, die Wiederherstellungen folgten auf einander, verschlangen sich und schienen sich aufzuheben; immer aber schwebte die Gestalt Friedrichs, sein Name, sein Ruhm in kurzem wieder oben. Der Enthusiasmus seiner Verehrer ward immer größer und belebter, der Haß seiner Feinde bitterer, und die Verschiedenheit der Ansichten, welche selbst Familien zerspaltete, trug nicht wenig dazu bei, die ohnehin schon auf mancherlei Weise von einander getrennten Bürger noch mehr zu isolieren. Denn in einer Stadt wie Frankfurt, wo drei Religionen die Einwohner in drei ungleiche Massen teilen, wo nur wenige Männer, selbst von der herrschenden, zum Regiment gelangen können, muß es gar manchen Wohlhabenden und Unterrichteten geben, der sich auf sich zurückzieht und durch Studien und Liebhabereien sich eine eigne und abgeschlossene Existenz bildet. Von solchen wird gegenwärtig und auch künftig die Rede sein müssen, wenn man sich die Eigenheiten eines Frankfurter Bürgers aus jener Zeit vergegenwärtigen soll.

Mein Vater hatte, sobald er von Reisen zurückgekommen, nach seiner eigenen Sinnesart den Gedanken gefaßt, daß er, um sich zum Dienste der Stadt fähig zu machen, eins der subalternen Ämter übernehmen und solches ohne Emolumente führen wolle, wenn man es ihm ohne Ballotage übergäbe. Er glaubte nach seiner

Sinnesart, nach dem Begriffe, den er von sich selbst hatte, im Gefühl seines guten Willens, eine solche Auszeichnung zu verdienen, die freilich weder gesetzlich noch herkömmlich war. Daher, als ihm sein Gesuch abgeschlagen wurde, geriet er in Ärger und Mißmut, verschwur, jemals irgend eine Stelle anzunehmen, und um es unmöglich zu machen, verschaffte er sich den Charakter eines kaiserlichen Rats, den der Schultheiß und die ältesten Schöffen als einen besondern Ehrentitel tragen. Dadurch hatte er sich zum Gleichen der Obersten gemacht und konnte nicht mehr von unten anfangen. Derselbe Beweggrund führte ihn auch dazu, um die älteste Tochter des Schultheißen zu werben, wodurch er auch auf dieser Seite von dem Rate ausgeschlossen ward. Er gehörte nun unter die Zurückgezogenen, welche niemals unter sich eine Societät machen. Sie stehen so isoliert gegen einander wie gegen das Ganze, und um so mehr, als sich in dieser Abgeschiedenheit das Eigentümliche der Charakter immer schroffer ausbildet. Mein Vater mochte sich auf Reisen und in der freien Welt, die er gesehen, von einer elegantern und liberalern Lebensweise einen Begriff gemacht haben, als sie vielleicht unter seinen Mitbürgern gewöhnlich war. Zwar fand er darin Vorgänger und Gesellen.

Der Name von Uffenbach ist bekannt. Ein Schöff von Uffenbach lebte damals in gutem Ansehen. Er war in Italien gewesen, hatte sich besonders auf Musik gelegt, sang einen angenehmen Tenor, und da er eine schöne Sammlung von Musikalien mitgebracht hatte, wurden Konzerte und Oratorien bei ihm aufgeführt.

Weil er nun dabei selbst sang und die Musiker begünstigte, so fand man es nicht ganz seiner Würde gemäß, und die eingeladenen Gäste sowohl als die übrigen Landsleute erlaubten sich darüber manche lustige Anmerkung. 5

Ferner erinnere ich mich eines Barons von Häckel, eines reichen Edelmanns, der, verheiratet, aber kinderlos, ein schönes Haus in der Antoniusgasse bewohnte, mit allem Zubehör eines anständigen Lebens ausgestattet. Auch besaß er gute Gemälde, Kupferstiche, Antiken und manches andre, wie es bei Sammlern und Liebhabern zusammenfließt. Von Zeit zu Zeit lud er die Honoratioren zum Mittagessen und war auf eine eigne achtsame Weise wohlthätig, indem er in seinem Hause die Armen kleidete, ihre alten Lumpen aber zurückbehielt und ihnen nur unter der Bedingung ein wöchentliches Almosen reichte, daß sie in jenen geschenkten Kleidern sich ihm jedesmal sauber und ordentlich vorstellten. Ich erinnere mich seiner nur dunkel als eines freundlichen, wohlgebildeten Mannes; desto deutlicher aber seiner Auktion, der ich vom Anfang bis zum Ende beiwohnte und teils auf Befehl meines Vaters, teils aus eigenem Antrieb manches erstand, was sich noch unter meinen Sammlungen befindet. * * * 10 15 20

Eines vortrefflichen Mannes, Doktor Orth, will ich hier nur dem Namen nach gedenken, indem ich verdienten Frankfurtern hier nicht sowohl ein Denkmal zu errichten habe, vielmehr derselben nur insofern erwähne, als ihr Ruf oder ihre Persönlichkeit auf mich in den frühsten Jahren einigen Einfluß gehabt. Doktor Orth war ein 25 30 reicher Mann und gehörte auch unter die, welche niemals teil am Regimente genommen, ob ihn gleich seine Kenntnisse und Einsichten wohl dazu berechtigt hätten. Die deutschen und besonders die Frankfurtischen Altertümer sind ihm sehr viel schuldig geworden; er gab die Anmerkungen zu der sogenannten Frankfurter Reformation heraus, ein Werk, in welchem die Statuten der Reichsstadt gesammelt sind. Die historischen Kapitel desselben habe ich in meinen Jünglingsjahren fleißig studiert.

Von Ochsenstein, der ältere jener drei Brüder, deren ich oben als unserer Nachbarn gedacht, war, bei seiner eingezogenen Art zu sein, während seines Lebens nicht merkwürdig geworden, desto merkwürdiger aber nach seinem Tode, indem er eine Verordnung hinterließ, daß er morgens früh, ganz im stillen und ohne Begleitung und Gefolg, von Handwerksleuten zu Grabe gebracht sein wolle. Es geschah, und diese Handlung erregte in der Stadt, wo man an prunkhafte Leichenbegängnisse gewöhnt war, großes Aufsehn. Alle diejenigen, die bei solchen Gelegenheiten einen herkömmlichen Verdienst hatten, erhuben sich gegen die Neuerung. Allein der wackre Patrizier fand Nachfolger in allen Ständen, und ob man schon dergleichen Begängnisse spottweise Ochsenleichen nannte, so nahmen sie doch zum Besten mancher wenig bemittelten Familien überhand, und die Prunkbegängnisse verloren sich immer mehr. Ich führe diesen Umstand an, weil er eins der frühern Symptome jener Gesinnungen von Demut und Gleichstellung darbietet, die sich in der zweiten Hälfte des vorigen Jahrhunderts von oben herein auf so manche Weise gezeigt haben und in so unerwartete Wirkungen ausgeschlagen sind.

Auch fehlte es nicht an Liebhabern des Altertums. Es fanden sich Gemäldekabinette, Kupferstichsammlungen, besonders aber wurden vaterländische Merkwürdigkeiten 5 mit Eifer gesucht und aufgehoben. Die älteren Verordnungen und Mandate der Reichsstadt, von denen keine Sammlung veranstaltet war, wurden in Druck und Schrift sorgfältig aufgesucht, nach der Zeitfolge geordnet und als ein Schatz vaterländischer Rechte und Herkom- 10 men mit Ehrfurcht verwahrt. Auch die Bildnisse von Frankfurtern, die in großer Anzahl existierten, wurden zusammengebracht und machten eine besondre Abteilung der Kabinette.

Solche Männer scheint mein Vater sich überhaupt 15 zum Muster genommen zu haben. Ihm fehlte keine der Eigenschaften, die zu einem rechtlichen und angesehenen Bürger gehören. Auch brachte er, nachdem er sein Haus erbaut, seine Besitzungen von jeder Art in Ordnung. Eine vortreffliche Landkartensammlung der 20 Schenkischen und anderer damals vorzüglicher geographischen Blätter, jene oberwähnten Verordnungen und Mandate, jene Bildnisse, ein Schrank alter Gewehre, ein Schrank merkwürdiger venezianischer Gläser, Becher und Pokale, Naturalien, Elfenbeinarbeiten, Bronzen und 25 hundert andere Dinge wurden gesondert und aufgestellt, und ich verfehlte nicht, bei vorfallenden Auktionen mir jederzeit einige Aufträge zu Vermehrung des Vorhandenen zu erbitten. * * *

Aus der Ferne machte jedoch der Name Klopstock auch schon auf uns eine große Wirkung. Im Anfang wunderte man sich, wie ein so vortrefflicher Mann so wunderlich heißen könne; doch gewöhnte man sich bald
5 daran und dachte nicht mehr an die Bedeutung dieser Silben. In meines Vaters Bibliothek hatte ich bisher nur die früheren, besonders die zu seiner Zeit nach und nach heraufgekommenen und gerühmten Dichter gefunden. Alle diese hatten gereimt, und mein Vater hielt den
10 Reim für poetische Werke unerläßlich. Canitz, Hagedorn, Drollinger, Gellert, Creuz, Haller standen in schönen Franzbänden in einer Reihe. An diese schlossen sich Neukirchs Telemach, Koppens befreites Jerusalem und andre Übersetzungen. Ich hatte
15 diese sämtlichen Bände von Kindheit auf fleißig durchgelesen und teilweise memoriert, weshalb ich denn zur Unterhaltung der Gesellschaft öfters aufgerufen wurde. Eine verdrießliche Epoche im Gegenteil eröffnete sich für meinen Vater, als durch Klopstocks Messias Verse, die
20 ihm keine Verse schienen, ein Gegenstand der öffentlichen Bewunderung wurden. Er selbst hatte sich wohl gehütet, dieses Werk anzuschaffen; aber unser Hausfreund, Rat Schneider, schwärzte es ein und steckte es der Mutter und den Kindern zu.

25 Auf diesen geschäftsthätigen Mann, welcher wenig las, hatte der Messias gleich bei seiner Erscheinung einen mächtigen Eindruck gemacht. Diese so natürlich ausgedrückten und doch so schön veredelten frommen Gefühle, diese gefällige Sprache, wenn man sie auch nur
30 für harmonische Prosa gelten ließ, hatten den übrigens

trocknen Geschäftsmann so gewonnen, daß er die zehn ersten Gesänge, denn von diesen ist eigentlich die Rede, als das herrlichste Erbauungsbuch betrachtete und solches alle Jahre einmal in der Karwoche, in welcher er sich von allen Geschäften zu entbinden wußte, für sich im 5 stillen durchlas und sich daran fürs ganze Jahr erquickte. Anfangs dachte er seine Empfindungen seinem alten Freunde mitzuteilen; allein er fand sich sehr bestürzt, als er eine unheilbare Abneigung vor einem Werke von so köstlichem Gehalt, wegen einer, wie es ihm schien, gleich- 10 gültigen äußern Form, gewahr werden mußte. Es fehlte, wie sich leicht denken läßt, nicht an Wiederholung des Gesprächs über diesen Gegenstand; aber beide Teile entfernten sich immer weiter von einander, es gab heftige Szenen, und der nachgiebige Mann ließ sich endlich ge- 15 fallen, von seinem Lieblingswerke zu schweigen, damit er nicht zugleich einen Jugendfreund und eine gute Sonntagssuppe verlöre.

Proselyten zu machen ist der natürlichste Wunsch eines jeden Menschen, und wie sehr fand sich unser 20 Freund im stillen belohnt, als er in der übrigen Familie für seinen Heiligen so offen gesinnte Gemüter entdeckte. Das Exemplar, das er jährlich nur eine Woche brauchte, war uns für die übrige Zeit gewidmet. Die Mutter hielt es heimlich, und wir Geschwister bemächtigten uns 25 desselben, wann wir konnten, um in Freistunden, in irgend einem Winkel verborgen, die auffallendsten Stellen auswendig zu lernen und besonders die zartesten und heftigsten so geschwind als möglich ins Gedächtnis zu fassen. 30

Portias Traum rezitierten wir um die Wette, und in das wilde verzweifelnde Gespräch zwischen Satan und Adramelech, welche ins Tote Meer gestürzt worden, hatten wir uns geteilt. Die erste Rolle, als die gewalt-
5 samste, war auf mein Teil gekommen; die andere, um ein wenig kläglicher, übernahm meine Schwester. Die wech-
selseitigen, zwar gräßlichen, aber doch wohlklingenden Verwünschungen flossen nur so vom Munde, und wir ergriffen jede Gelegenheit, uns mit diesen höllischen
10 Redensarten zu begrüßen.

Es war ein Samstagsabend im Winter — der Vater ließ sich immer bei Licht rasieren, um Sonntags früh sich zur Kirche bequemlich anziehen zu können — wir saßen auf einem Schemel hinter dem Ofen und murmelten,
15 während der Barbier einseifte, unsere herkömmlichen Flüche ziemlich leise. Nun hatte aber Adramelech den Satan mit eisernen Händen zu fassen; meine Schwester packte mich gewaltig an und rezitierte, zwar leise genug, aber doch mit steigender Leidenschaft:

20 Hilf mir! ich flehe dich an, ich bete, wenn du es forderst,
Ungeheuer, dich an!... Verworfner, schwarzer Verbrecher,
Hilf mir! ich leide die Pein des rächenden ewigen Todes!
Vormals konnt' ich mit heißem, mit grimmigem Hasse dich hassen!
Jetzt vermag ich's nicht mehr! Auch dies ist stechender Jammer!

25 Bisher war alles leidlich gegangen; aber laut, mit fürchterlicher Stimme, rief sie die folgenden Worte:

O wie bin ich zermalmt!...

Der gute Chirurgus erschrak und goß dem Vater das

Seifenbecken in die Brust. Da gab es einen großen Aufstand, und eine strenge Untersuchung ward gehalten, besonders in Betracht des Unglücks, das hätte entstehen können, wenn man schon im Rasieren begriffen gewesen wäre. Um allen Verdacht des Mutwillens von uns ab- 5 zulehnen, bekannten wir uns zu unsern teuflischen Rollen, und das Unglück, das die Hexameter angerichtet hatten, war zu offenbar, als daß man sie nicht aufs neue hätte verrufen und verbannen sollen.

So pflegen Kinder und Volk das Große, das Erha- 10 bene in ein Spiel, ja in eine Posse zu verwandeln; und wie sollten sie auch sonst im Stande sein, es auszuhalten und zu ertragen!

Drittes Buch.

Der Neujahrstag ward zu jener Zeit durch den allgemeinen Umlauf von persönlichen Glückwünschungen für die Stadt sehr belebend. Wer sonst nicht leicht aus dem Hause kam, warf sich in seine besten Kleider, um Gönnern und Freunden einen Augenblick freundlich und höflich zu sein. Für uns Kinder war besonders die Festlichkeit in dem Hause des Großvaters an diesem Tage ein höchst erwünschter Genuß. Mit dem frühsten Morgen waren die Enkel schon daselbst versammelt, um die Trommeln, die Hoboen und Klarinetten, die Posaunen und Zinken, wie sie das Militär, die Stadtmusici und wer sonst alles ertönen ließ, zu vernehmen. Die versiegelten und überschriebenen Neujahrsgeschenke wurden von den Kindern unter die geringern Gratulanten ausgeteilt, und wie der Tag wuchs, so vermehrte sich die Anzahl der Honoratioren. Erst erschienen die Vertrauten und Verwandten, dann die untern Staatsbeamten; die Herren vom Rate selbst verfehlten nicht, ihren Schultheiß zu begrüßen, und eine auserwählte Anzahl wurde abends in Zimmern bewirtet, welche das ganze Jahr über kaum sich öffneten. Die Torten, Biskuitkuchen, Marzipane, der süße Wein übte den größten Reiz auf die Kinder aus, wozu noch kam, daß der Schultheiß so wie die beiden Burgemeister aus einigen Stiftungen jährlich etwas Silberzeug erhielten, welches denn den Enkeln und Paten nach einer gewissen Abstufung verehrt ward; genug, es fehlte diesem Feste im kleinen an nichts, was die größten zu verherrlichen pflegt.

Der Neujahrstag 1759 kam heran, für uns Kinder erwünscht und vergnüglich wie die vorigen, aber den ältern Personen bedenklich und ahnungsvoll. Die 5 Durchmärsche der Franzosen war man zwar gewohnt, und sie ereigneten sich öfters und häufig, aber doch am häufigsten in den letzten Tagen des vergangenen Jahres. Nach alter reichsstädtischer Sitte posaunte der Türmer des Hauptturms, so oft Truppen heranrückten, und an 10 diesem Neujahrstage wollte er gar nicht aufhören, welches ein Zeichen war, daß größere Heereszüge von mehreren Seiten in Bewegung seien. Wirklich zogen sie auch in größeren Massen an diesem Tage durch die Stadt; man lief, sie vorbeipassieren zu sehen. Sonst 15 war man gewohnt, daß sie nur in kleinen Partieen durchmarschierten; diese aber vergrößerten sich nach und nach, ohne daß man es verhindern konnte oder wollte. Genug, am 2. Januar, nachdem eine Kolonne durch Sachsenhausen über die Brücke durch die Fahrgasse bis an die 20 Konstablerwache gelangt war, machte sie Halt, überwältigte das kleine, sie durchführende Kommando, nahm Besitz von gedachter Wache, zog die Zeile hinunter, und nach einem geringen Widerstand mußte sich auch die Hauptwache ergeben. Augenblicks waren die friedlichen 25 Straßen in einen Kriegsschauplatz verwandelt. Dort verharrten und bivouakierten die Truppen, bis durch regelmäßige Einquartierung für ihr Unterkommen gesorgt wäre.

Diese unerwartete, seit vielen Jahren unerhörte Last 30

drückte die behaglichen Bürger gewaltig, und niemanden konnte sie beschwerlicher sein als dem Vater, der in sein kaum vollendetes Haus fremde militärische Bewohner aufnehmen, ihnen seine wohlaufgeputzten und meist verschlossenen Staatszimmer einräumen und das, was er so genau zu ordnen und zu regieren pflegte, fremder Willkür preisgeben sollte; er, ohnehin preußisch gesinnt, sollte sich nun von Franzosen in seinen Zimmern belagert sehen: es war das Traurigste, was ihm nach seiner Denkweise begegnen konnte. Wäre es ihm jedoch möglich gewesen, die Sache leichter zu nehmen, da er gut französisch sprach und im Leben sich wohl mit Würde und Anmut betragen konnte, so hätte er sich und uns manche trübe Stunde ersparen mögen; denn man quartierte bei uns den Königsleutnant, der, obgleich Militärperson, doch nur die Civilvorfälle, die Streitigkeiten zwischen Soldaten und Bürgern, Schuldensachen und Händel zu schlichten hatte. Es war Graf Thorane, von Grasse in der Provence, unweit Antibes, gebürtig, eine lange, hagre, ernste Gestalt, das Gesicht durch die Blattern sehr entstellt, mit schwarzen feurigen Augen und von einem würdigen zusammengenommenen Betragen. Gleich sein Eintritt war für den Hausbewohner günstig. Man sprach von den verschiedenen Zimmern, welche teils abgegeben werden, teils der Familie verbleiben sollten, und als der Graf ein Gemäldezimmer erwähnen hörte, so erbat er sich gleich, ob es schon Nacht war, mit Kerzen die Bilder wenigstens flüchtig zu besehen. Er hatte an diesen Dingen eine übergroße Freude, bezeigte sich gegen den ihn begleitenden Vater auf das verbindlichste, und als er vernahm, daß die meisten Künstler noch lebten, sich in Frankfurt und in der Nachbarschaft aufhielten, so versicherte er, daß er nichts mehr wünsche, als sie baldigst kennen zu lernen und sie zu beschäftigen. 5

Aber auch diese Annäherung von Seiten der Kunst vermochte nicht die Gesinnung meines Vaters zu ändern, noch seinen Charakter zu beugen. Er ließ geschehen was er nicht verhindern konnte, hielt sich aber in unwirksamer Entfernung, und das Außerordentliche, was nun um ihn 10 vorging, war ihm bis auf die geringste Kleinigkeit unerträglich.

Graf Thorane indessen betrug sich musterhaft. Nicht einmal seine Landkarten wollte er an die Wände genagelt haben, um die neuen Tapeten nicht zu verderben. 15 Seine Leute waren gewandt, still und ordentlich; aber freilich, da den ganzen Tag und einen Teil der Nacht nicht Ruhe bei ihm ward, da ein Klagender dem andern folgte, Arrestanten gebracht und fortgeführt, alle Offiziere und Adjutanten vorgelassen wurden, da der Graf 20 noch überdies täglich offne Tafel hielt: so gab es in dem mäßig großen, nur für eine Familie eingerichteten Hause, das nur eine durch alle Stockwerke unverschlossen durchgehende Treppe hatte, eine Bewegung und ein Gesumme wie in einem Bienenkorbe, obgleich alles sehr gemäßigt, 25 ernsthaft und streng zuging.

Zum Vermittler zwischen einem verdrießlichen, täglich mehr sich hypochondrisch quälenden Hausherrn und einem zwar wohlwollenden, aber sehr ernsten und genauen Militärgast fand sich glücklicherweise ein behag- 30

licher Dolmetscher, ein schöner, wohlbeleibter, heitrer Mann, der Bürger von Frankfurt war und gut französisch sprach, sich in alles zu schicken wußte, und mit mancherlei kleinen Unannehmlichkeiten nur seinen Spaß
5 trieb. Durch diesen hatte meine Mutter dem Grafen ihre Lage bei dem Gemütszustande ihres Gatten vorstellen lassen; er hatte die Sache so klüglich ausgemalt, das neue, noch nicht einmal ganz eingerichtete Haus, die natürliche Zurückgezogenheit des Besitzers, die Beschäf-
10 tigung mit der Erziehung seiner Familie, und was sich alles sonst noch sagen ließ, zu bedenken gegeben; so daß der Graf, der an seiner Stelle auf die höchste Gerechtigkeit, Unbestechlichkeit und ehrenvollen Wandel den größten Stolz setzte, auch hier sich als Einquartierter muster-
15 haft zu betragen vornahm und es wirklich die einigen Jahre seines Dableibens unter mancherlei Umständen unverbrüchlich gehalten hat.

Meine Mutter besaß einige Kenntnis des Italienischen, welche Sprache überhaupt niemanden von der
20 Familie fremd war; sie entschloß sich daher sogleich, Französisch zu lernen, zu welchem Zweck der Dolmetscher, dem sie unter diesen stürmischen Ereignissen ein Kind aus der Taufe gehoben hatte, und der nun auch als Gevatter zu dem Hause eine doppelte Neigung spürte, seiner
25 Gevatterin jeden abgemüßigten Augenblick schenkte (denn er wohnte gerade gegenüber) und ihr vor allen Dingen diejenigen Phrasen einlernte, welche sie persönlich dem Grafen vorzutragen habe; welches denn zum besten geriet. Der Graf war geschmeichelt von der Mühe, welche
30 die Hausfrau sich in ihren Jahren gab, und weil er einen

heitern geistreichen Zug in seinem Charakter hatte, auch eine gewisse trockne Galanterie gern ausübte, so entstand daraus das beste Verhältnis, und die verbündeten Gevattern konnten erlangen was sie wollten.

Wäre es, wie schon gesagt, möglich gewesen, den Vater 5 zu erheitern, so hätte dieser veränderte Zustand wenig Drückendes gehabt. Der Graf übte die strengste Uneigennützigkeit; selbst Gaben, die seiner Stellung gebührten, lehnte er ab; das Geringste, was einer Bestechung hätte ähnlich sehen können, wurde mit Zorn, 10 ja mit Strafe weggewiesen; seinen Leuten war aufs strengste befohlen, dem Hausbesitzer nicht die mindesten Unkosten zu machen. Dagegen wurde uns Kindern reichlich vom Nachtische mitgeteilt. Bei dieser Gelegenheit muß ich, um von der Unschuld jener Zeiten einen Begriff 15 zu geben, anführen, daß die Mutter uns eines Tages höchlich betrübte, indem sie das Gefrorene, das man uns von der Tafel sendete, weggoß, weil es ihr unmöglich vorkam, daß der Magen ein wahrhaftes Eis, wenn es auch noch so durchzuckert sei, vertragen könne. 20

Außer diesen Leckereien, die wir denn doch allmählich ganz gut genießen und vertragen lernten, deuchte es uns Kindern auch noch gar behaglich, von genauen Lehrstunden und strenger Zucht einigermaßen entbunden zu sein. Des Vaters üble Laune nahm zu, er konnte sich 25 nicht in das Unvermeidliche ergeben. Wie sehr quälte er sich, die Mutter und den Gevatter, die Ratsherren, alle seine Freunde, nur um den Grafen los zu werden! Vergebens stellte man ihm vor, daß die Gegenwart eines solchen Mannes im Hause, unter den gegebenen Um- 30

ständen, eine wahre Wohlthat sei, daß ein ewiger Wech=
sel, es sei nun von Offizieren oder Gemeinen, auf die
Umquartierung des Grafen folgen würde. Keins von
diesen Argumenten wollte bei ihm greifen. Das Gegen=
5 wärtige schien ihm so unerträglich, daß ihn sein Unmut
ein Schlimmeres, das folgen könnte, nicht gewahr werden
ließ.

Auf diese Weise ward seine Thätigkeit gelähmt, die er
sonst hauptsächlich auf uns zu wenden gewohnt war.
10 Das, was er uns aufgab, forderte er nicht mehr mit der
sonstigen Genauigkeit, und wir suchten, wie es nur mög=
lich schien, unsere Neugierde an militärischen und andern
öffentlichen Dingen zu befriedigen, nicht allein im Hause,
sondern auch auf den Straßen, welches um so leichter
15 anging, da die Tag und Nacht unverschlossene Hausthüre
von Schildwachen besetzt war, die sich um das Hin= und
Wiederlaufen unruhiger Kinder nicht bekümmerten.

Die mancherlei Angelegenheiten, die vor dem Richter=
stuhle des Königsleutnants geschlichtet wurden, hatten
20 dadurch noch einen ganz besondern Reiz, daß er einen
eigenen Wert darauf legte, seine Entscheidungen zugleich
mit einer witzigen, geistreichen, heitern Wendung zu be=
gleiten. Was er befahl, war streng gerecht; die Art, wie
er es ausdrückte, war launig und pikant. Er schien sich
25 den Herzog von Ossuna zum Vorbilde genommen zu
haben. Es verging kaum ein Tag, daß der Dolmetscher
nicht eine oder die andere solche Anekdote uns und der
Mutter zur Aufheiterung erzählte. Es hatte dieser
muntere Mann eine kleine Sammlung solcher Salomo=
30 nischen Entscheidungen gemacht; ich erinnere mich aber

nur des Eindrucks im allgemeinen, ohne im Gedächtnis ein Besonderes wiederzufinden.

Den wunderbaren Charakter des Grafen lernte man nach und nach immer mehr kennen. Dieser Mann war sich selbst seiner Eigenheiten aufs deutlichste bewußt, und weil er gewisse Zeiten haben mochte, wo ihn eine Art von Unmut, Hypochondrie, oder wie man den bösen Dämon nennen soll, überfiel, so zog er sich in solchen Stunden, die sich manchmal zu Tagen verlängerten, in sein Zimmer zurück, sah niemanden als seinen Kammerdiener, und war selbst in dringenden Fällen nicht zu bewegen, daß er Audienz gegeben hätte. Sobald aber der böse Geist von ihm gewichen war, erschien er nach wie vor mild, heiter und thätig. Aus den Reden seines Kammerdieners, Saint Jean, eines kleinen hagern Mannes von muntrer Gutmütigkeit, konnte man schließen, daß er in frühern Jahren, von solcher Stimmung überwältigt, großes Unglück angerichtet und sich nun vor ähnlichen Abwegen, bei einer so wichtigen, den Blicken aller Welt ausgesetzten Stelle, zu hüten ernstlich vornehme.

Gleich in den ersten Tagen der Anwesenheit des Grafen wurden die sämtlichen Frankfurter Maler, als Hirt, Schütz, Trautmann, Nothnagel, Juncker, zu ihm berufen. Sie zeigten ihre fertigen Gemälde vor, und der Graf eignete sich das Verkäufliche zu. Ihm wurde mein hübsches helles Giebelzimmer in der Mansarde eingeräumt und sogleich in ein Kabinett und Atelier umgewandelt: denn er war willens, die sämtlichen Künstler, vor allen aber Seekatz in Darmstadt, dessen Pinsel ihm

besonders bei natürlichen und unschuldigen Vorstellungen höchlich gefiel, für eine ganze Zeit in Arbeit zu setzen. Er ließ daher von Grasse, wo sein älterer Bruder ein schönes Gebäude besitzen mochte, die sämtlichen Maße
5 aller Zimmer und Kabinette herbeikommen, überlegte sodann mit den Künstlern die Wandabteilungen und bestimmte die Größe der hiernach zu verfertigenden ansehnlichen Ölbilder, welche nicht in Rahmen eingefaßt, sondern als Tapetenteile auf die Wand befestigt werden
10 sollten. Hier ging nun die Arbeit eifrig an. Seekatz übernahm ländliche Szenen, worin die Greise und Kinder, unmittelbar nach der Natur gemalt, ganz herrlich glückten; die Jünglinge wollten ihm nicht ebenso geraten, sie waren meist zu hager; und die Frauen miß-
15 fielen aus der entgegengesetzten Ursache. Denn da er eine kleine dicke, gute, aber unangenehme Person zur Frau hatte, die ihm außer sich selbst nicht wohl ein Modell zuließ, so wollte nichts Gefälliges zu Stande kommen. Zudem war er genötigt gewesen, über das
20 Maß seiner Figuren hinaus zu gehen. Seine Bäume hatten Wahrheit, aber ein kleinliches Blätterwerk. Er war ein Schüler von Brinckmann, dessen Pinsel in Staffeleigemälden nicht zu schelten ist.

Schütz, der Landschaftmaler, fand sich vielleicht am
25 besten in die Sache. Die Rheingegenden hatte er ganz in seiner Gewalt, sowie den sonnigen Ton, der sie in der schönen Jahreszeit belebt. Er war nicht ganz ungewohnt, in einem größern Maßstabe zu arbeiten, und auch da ließ er es an Ausführung und Haltung nicht
30 fehlen. Er lieferte sehr heitere Bilder.

Trautmann rembrandtisierte einige Auferweckungs-wunder des Neuen Testaments, und zündete nebenher Dörfer und Mühlen an. Auch ihm war, wie ich aus den Aufrissen der Zimmer bemerken konnte, ein eigenes Kabinett zugeteilt worden. Hirt malte einige gute Eichen- und Buchenwälder. Seine Herden waren lo-benswert. Juncker, an die Nachahmung der ausführ-lichsten Niederländer gewöhnt, konnte sich am wenigsten in diesen Tapetenstil finden; jedoch bequemte er sich, für gute Zahlung, mit Blumen und Früchten manche Ab-teilung zu verzieren.

Da ich alle diese Männer von meiner frühsten Jugend an gekannt und sie oft in ihren Werkstätten besucht hatte, auch der Graf mich gern um sich leiden mochte, so war ich bei den Aufgaben, Beratschlagungen und Bestellun-gen, wie auch bei den Ablieferungen gegenwärtig und nahm mir, zumal wenn Skizzen und Entwürfe einge-reicht wurden, meine Meinung zu eröffnen gar wohl heraus. Ich hatte mir schon früher bei Gemäldelieb-habern, besonders aber auf Auktionen, denen ich fleißig beiwohnte, den Ruhm erworben, daß ich gleich zu sagen wisse, was irgend ein historisches Bild vorstelle, es sei nun aus der biblischen oder der Profangeschichte oder aus der Mythologie genommen; und wenn ich auch den Sinn der allegorischen Bilder nicht immer traf, so war doch selten jemand gegenwärtig, der es besser verstand als ich. So hatte ich auch öfters die Künstler vermocht, diesen oder jenen Gegenstand vorzustellen, und solcher Vorteile bediente ich mich gegenwärtig mit Lust und Liebe. Ich erinnere mich noch, daß ich einen umständlichen Aufsatz verfertigte, worin ich zwölf Bilder beschrieb, welche die Geschichte Josephs darstellen sollten: einige davon wurden ausgeführt.

Nach diesen, für einen Knaben allerdings löblichen 5 Verrichtungen, will ich auch einer kleinen Beschämung, die mir innerhalb dieses Künstlerkreises begegnete, Erwähnung thun. Ich war nämlich mit allen Bildern wohl bekannt, welche man nach und nach in jenes Zimmer gebracht hatte. Meine jugendliche Neugierde ließ 10 nichts ungesehen und ununtersucht. Einst fand ich hinter dem Ofen ein schwarzes Kästchen; ich ermangelte nicht, zu forschen, was darin verborgen sei, und ohne mich lange zu besinnen, zog ich den Schieber weg. Das darin enthaltene Gemälde war freilich von der Art, die man 15 den Augen nicht auszustellen pflegt, und ob ich es gleich alsobald wieder zuzuschieben Anstalt machte, so konnte ich doch nicht geschwind genug damit fertig werden. Der Graf trat herein und ertappte mich. — „Wer hat Euch erlaubt, dieses Kästchen zu eröffnen?“ sagte er mit seiner 20 Königsleutnantsmiene. Ich hatte nicht viel darauf zu antworten, und er sprach sogleich die Strafe sehr ernsthaft aus: „Ihr werdet in acht Tagen,“ sagte er, „dieses Zimmer nicht betreten.“— Ich machte eine Verbeugung und ging hinaus. Auch gehorchte ich diesem Gebot aufs 25 pünktlichste, so daß es dem guten Seekatz, der eben in dem Zimmer arbeitete, sehr verdrießlich war, denn er hatte mich gern um sich; und ich trieb aus einer kleinen Tücke den Gehorsam so weit, daß ich Seekatzen seinen Kaffee, den ich ihm gewöhnlich brachte, auf die Schwelle 30 setzte; da er denn von seiner Arbeit aufstehen und ihn holen mußte, welches er so übel empfand, daß er mir fast gram geworden wäre.

Nun aber scheint es nötig, umständlicher anzuzeigen und begreiflich zu machen, wie ich mir in solchen Fällen in der französischen Sprache, die ich doch nicht gelernt, 5 mit mehr oder weniger Bequemlichkeit durchgeholfen. Auch hier kam mir die angeborne Gabe zu statten, daß ich leicht den Schall und Klang einer Sprache, ihre Bewegung, ihren Accent, den Ton und was sonst von äußern Eigentümlichkeiten, fassen konnte. Aus dem 10 Lateinischen waren mir viele Worte bekannt; das Italienische vermittelte noch mehr, und so horchte ich in kurzer Zeit von Bedienten und Soldaten, Schildwachen und Besuchen so viel heraus, daß ich mich, wo nicht ins Gespräch mischen, doch wenigstens einzelne Fragen und 15 Antworten bestehen konnte. Aber dieses war alles nur wenig gegen den Vorteil, den mir das Theater brachte. Von meinem Großvater hatte ich ein Freibillet erhalten, dessen ich mich, mit Widerwillen meines Vaters, unter dem Beistand meiner Mutter, täglich bediente. Hier 20 saß ich nun im Parterre vor einer fremden Bühne und paßte um so mehr auf Bewegung, mimischen und Redeausdruck, als ich wenig oder nichts von dem verstand, was da oben gesprochen wurde, und also meine Unterhaltung nur vom Gebärdenspiel und Sprachton nehmen 25 konnte. Von der Komödie verstand ich am wenigsten, weil sie geschwind gesprochen wurde und sich auf Dinge des gemeinen Lebens bezog, deren Ausdrücke mir gar nicht bekannt waren. Die Tragödie kam seltner vor, und der gemessene Schritt, das Taktartige der Alexan- 30

driner, das Allgemeine des Ausdrucks machten sie mir in jedem Sinne faßlicher. Es dauerte nicht lange, so nahm ich den Racine, den ich in meines Vaters Bibliothek antraf, zur Hand und deklamierte mir die Stücke nach
5 theatralischer Art und Weise, wie sie das Organ meines Ohrs und das ihm so genau verwandte Sprachorgan gefaßt hatte, mit großer Lebhaftigkeit, ohne daß ich noch eine ganze Rede im Zusammenhang hätte verstehen können. Ja, ich lernte ganze Stellen auswendig und rezi-
10 tierte sie, wie ein eingelernter Sprachvogel; welches mir um so leichter ward, als ich früher die für ein Kind meist unverständlichen biblischen Stellen auswendig gelernt und sie in dem Ton der protestantischen Prediger zu rezitieren mich gewöhnt hatte.

15 Das versifizierte französische Lustspiel war damals sehr beliebt; die Stücke von Destouches, Marivaux, La Chaussée kamen häufig vor, und ich erinnere mich noch deutlich mancher charakteristischer Figuren. Von den Molièreschen ist mir weniger
20 im Sinn geblieben. Was am meisten Eindruck auf mich machte, war die Hypermnestra von Lemierre, die als ein neues Stück mit Sorgfalt aufgeführt und wiederholt gegeben wurde. Höchst anmutig war der Eindruck, den der Devin du Village, Rose et Colas, Annette
25 et Lubin auf mich machten. Ich kann mir die bebänderten Buben und Mädchen und ihre Bewegungen noch jetzt zurückrufen. Es dauerte nicht lange, so regte sich der Wunsch bei mir, mich auf dem Theater selbst umzusehen, wozu sich mir so mancherlei Gelegenheit darbot.
30 Denn da ich nicht immer die ganzen Stücke auszuhören

Geduld hatte und manche Zeit in den Korridors, auch wohl bei gelinderer Jahreszeit vor der Thür, mit andern Kindern meines Alters allerlei Spiele trieb, so gesellte sich ein schöner munterer Knabe zu uns, der zum Theater gehörte und den ich in manchen kleinen Rollen, obwohl nur beiläufig, gesehen hatte. Mit mir konnte er sich am besten verständigen, indem ich mein Französisch bei ihm geltend zu machen wußte; und er knüpfte sich um so mehr an mich, als kein Knabe seines Alters und seiner Nation beim Theater oder sonst in der Nähe war. Wir gingen auch außer der Theaterzeit zusammen, und selbst während der Vorstellung ließ er mich selten in Ruhe. Er war ein allerliebster kleiner Aufschneider, schwatzte scharmant und unaufhörlich, und wußte so viel von seinen Abenteuern, Händeln und andern Sonderbarkeiten zu erzählen, daß er mich außerordentlich unterhielt, und ich von ihm, was Sprache und Mitteilung durch dieselbe betrifft, in vier Wochen mehr lernte, als man sich hätte vorstellen können; so daß niemand wußte, wie ich auf einmal, gleichsam durch Inspiration, zu der fremden Sprache gelangt war. * * * * * *

Was mir meine Besuche auf dem Theater sehr erleichterte, war, daß mir mein Freibillet, als aus den Händen des Schultheißen, den Weg zu allen Plätzen eröffnete und also auch zu den Sitzen im Proszenium. Dieses war nach französischer Art sehr tief und an beiden Seiten mit Sitzen eingefaßt, die, durch eine niedrige Barriere beschränkt, sich in mehreren Reihen hinter einander aufbauten und zwar dergestalt, daß die ersten Sitze nur wenig über die Bühne erhoben waren. Das Ganze galt für einen besondern Ehrenplatz; nur Offiziere bedienten sich gewöhnlich desselben, obgleich die Nähe der Schauspieler, ich will nicht sagen jede Illusion, sondern gewissermaßen jedes Gefallen aufhob. Sogar jenen Gebrauch oder Mißbrauch, über den sich Voltaire so sehr beschwert, habe ich noch erlebt und mit Augen gesehen. Wenn bei sehr vollem Hause und etwa zur Zeit von Durchmärschen angesehene Offiziere nach jenem Ehrenplatz strebten, der aber gewöhnlich schon besetzt war, so stellte man noch einige Reihen Bänke und Stühle ins Proszenium auf die Bühne selbst, und es blieb den Helden und Heldinnen nichts übrig, als in einem sehr mäßigen Raume zwischen den Uniformen und Orden ihre Geheimnisse zu enthüllen. Ich habe die Hype[illegible]mestra selbst unter solchen Umständen aufführen sehen.

Der Vorhang fiel nicht zwischen den Akten; und ich erwähne noch eines seltsamen Gebrauchs, den ich sehr auffallend finden mußte, da mir, als einem guten deutschen Knaben, das Kunstwidrige daran ganz unerträglich war. Das Theater nämlich ward als das größte Heiligtum betrachtet, und eine vorfallende Störung auf demselben hätte als das größte Verbrechen gegen die Majestät des Publikums sogleich müssen gerügt werden. Zwei Grenadiere, das Gewehr beim Fuß, standen daher in allen Lustspielen ganz öffentlich zu beiden Seiten des hintersten Vorhangs und waren Zeugen von allem was im Innersten der Familie vorging. Da, wie gesagt, zwischen den Akten der Vorhang nicht niedergelassen wurde, so lösten bei einfallender Musik zwei andere dergestalt ab, daß sie aus den Kulissen ganz strack vor jene hintraten, welche sich dann eben so gemessentlich zurückzogen. Wenn nun eine solche Anstalt recht dazu geeignet war, alles, was man beim Theater Illusion nennt, aufzuheben, so fällt es um so mehr auf, daß dieses zu einer Zeit geschah, wo nach Diderots Grundsätzen und Beispielen die natürlichste Natürlichkeit auf der Bühne gefordert und eine vollkommene Täuschung als das eigentliche Ziel der theatralischen Kunst angegeben wurde. Von einer solchen militärischen Polizeianstalt war jedoch die Tragödie entbunden, und die Helden des Altertums hatten das Recht, sich selbst zu bewachen; die gedachten Grenadiere standen indes nahe genug hinter den Kulissen.

So will ich denn auch noch anführen, daß ich Diderots Hausvater und die Philosophen von Palissot gesehen habe, und mich im letztern Stück der Figur des Philosophen, der auf allen Vieren geht und in ein rohes Salathaupt beißt, noch wohl erinnere.

Alle diese theatralische Mannigfaltigkeit konnte jedoch uns Kinder nicht immer im Schauspielhause festhalten. Wir spielten bei schönem Wetter vor demselben und in der Nähe und begingen allerlei Thorheiten, welche besonders an Sonn- und Festtagen keineswegs zu unsrem Äußeren paßten: denn ich und meinesgleichen erschienen alsdann, angezogen, wie man mich in jenem Märchen gesehen, den Hut unterm Arm, mit einem kleinen Degen, dessen Bügel mit einer großen seidenen Bandschleife geziert war. Einst, als wir eine ganze Zeit unser Wesen getrieben und Derones sich unter uns gemischt hatte, fiel es diesem ein, mir zu beteuern, ich hätte ihn beleidigt und müsse ihm Satisfaktion geben. Ich begriff zwar nicht, was ihm Anlaß geben konnte, ließ mir aber seine Ausforderung gefallen und wollte ziehen. Er versicherte mir aber, es sei in solchen Fällen gebräuchlich, daß man 5 an einsame Örter gehe, um die Sache desto bequemer ausmachen zu können. Wir verfügten uns deshalb hinter einige Scheunen und stellten uns in gehörige Positur. Der Zweikampf erfolgte auf eine etwas theatralische Weise, die Klingen klirrten, und die Stöße 10 gingen nebenaus; doch im Feuer der Aktion blieb er mit der Spitze seines Degens an der Bandschleife meines Bügels hangen. Sie ward durchbohrt, und er versicherte mir, daß er nun die vollkommenste Satisfaktion habe, umarmte mich sodann, gleichfalls recht theatralisch, 15 und wir gingen in das nächste Kaffeehaus, um uns mit einem Glase Mandelmilch von unserer Gemütsbewegung zu erholen und den alten Freundschaftsbund nur desto fester zu schließen. * * *

Der Aufenthalt des Königsleutnants in unserm Hause 20 verschaffte uns den Vorteil, alle bedeutenden Personen der französischen Armee nach und nach zu sehen, und besonders die ersten, deren Name schon durch den Ruf zu uns gekommen war, in der Nähe zu betrachten. * * * Vor allen erinnere ich mich des Prinzen Soubise 25 als eines schönen leutseligen Herrn; am deutlichsten aber des Marschalls von Broglio als eines jüngern, nicht großen, aber wohlgebauten, lebhaften, geistreich um sich blickenden, behenden Mannes.

Er kam mehrmals zum Königsleutnant, und man 30 merkte wohl, daß von wichtigen Dingen die Rede war.

Wir hatten uns im ersten Vierteljahr der Einquartierung kaum in diesen neuen Zustand gefunden, als schon die Nachricht sich dunkel verbreitete: die Alliierten seien im Anmarsch, und Herzog Ferdinand von Braunschweig komme, die Franzosen vom Main zu vertreiben. 5 Man hatte von diesen, die sich keines besondern Kriegsglückes rühmen konnten, nicht die größte Vorstellung, und seit der Schlacht von Roßbach glaubte man sie verachten zu dürfen; auf den Herzog Ferdinand setzte man das größte Vertrauen, und alle preußisch Gesinnten er- 10 warteten mit Sehnsucht ihre Befreiung von der bisherigen Last. Mein Vater war etwas heiterer, meine Mutter in Sorgen. Sie war klug genug einzusehen, daß ein gegenwärtiges geringes Übel leicht mit einem großen Ungemach vertauscht werden könne: denn es 15 zeigte sich nur allzu deutlich, daß man dem Herzog nicht entgegengehen, sondern einen Angriff in der Nähe der Stadt abwarten werde. Eine Niederlage der Franzosen, eine Flucht, eine Verteidigung der Stadt, wäre es auch nur um den Rückzug zu decken und um die Brücke zu 20 behalten, ein Bombardement, eine Plünderung, alles stellte sich der erregten Einbildungskraft dar und machte beiden Parteien Sorge. Meine Mutter, welche alles, nur nicht die Sorge ertragen konnte, ließ durch den Dolmetscher ihre Furcht bei dem Grafen anbringen; 25 worauf sie die in solchen Fällen gebräuchliche Antwort erhielt: sie solle ganz ruhig sein, es sei nichts zu befürchten, sich übrigens still halten und mit niemand von der Sache sprechen.

Mehrere Truppen zogen durch die Stadt; man er- 30

fuhr, daß sie bei Bergen Halt machten. Das Kommen und Gehen, das Reiten und Laufen vermehrte sich immer, und unser Haus war Tag und Nacht in Aufruhr. In dieser Zeit habe ich den Marschall Broglio öfter ge-
5 sehen, immer heiter, ein wie das andre Mal an Gebärden und Betragen völlig gleich, und es hat mich auch nachher gefreut, den Mann, dessen Gestalt einen so guten und dauerhaften Eindruck gemacht hatte, in der Geschichte rühmlich erwähnt zu finden.

10 So kam denn endlich, nach einer unruhigen Karwoche, 1759 der Karfreitag heran. Eine große Stille verkündigte den nahen Sturm. Uns Kindern war verboten, aus dem Hause zu gehen; der Vater hatte keine Ruhe und ging aus. Die Schlacht begann; ich stieg auf den
15 obersten Boden, wo ich zwar die Gegend zu sehen gehindert war, aber den Donner der Kanonen und das Massenfeuer des kleinen Gewehrs recht gut vernehmen konnte. Nach einigen Stunden sahen wir die ersten Zeichen der Schlacht an einer Reihe Wagen, auf welchen
20 Verwundete in mancherlei traurigen Verstümmelungen und Gebärden sachte bei uns vorbeigefahren wurden, um in das zum Lazarett umgewandelte Liebfrauenkloster gebracht zu werden. Sogleich regte sich die Barmherzigkeit der Bürger. Bier, Wein, Brot, Geld ward den-
25 jenigen hingereicht, die noch etwas empfangen konnten. Als man aber einige Zeit darauf blessierte und gefangene Deutsche unter diesem Zug gewahr wurde, fand das Mitleid keine Grenze, und es schien als wollte jeder sich von allem entblößen, was er nur Bewegliches besaß, um
30 seinen bedrängten Landsleuten beizustehen.

Diese Gefangenen waren jedoch Anzeichen einer für die Alliierten unglücklichen Schlacht. Mein Vater, in seiner Parteilichkeit ganz sicher, daß diese gewinnen würden, hatte die leidenschaftliche Verwegenheit, den gehofften Siegern entgegenzugehen, ohne zu bedenken, daß 5 die geschlagene Partei erst über ihn wegfliehen müßte. Erst begab er sich in seinen Garten vor dem Friedberger Thore, wo er alles einsam und ruhig fand; dann wagte er sich auf die Bornheimer Heide, wo er aber bald verschiedene zerstreute Nachzügler und Troßknechte ansichtig 10 ward, die sich den Spaß machten, nach den Grenzsteinen zu schießen, so daß dem neugierigen Wandrer das abprallende Blei um den Kopf sauste. Er hielt es deshalb doch für geratner, zurückzugehen, und erfuhr bei einiger Nachfrage, was ihm schon der Schall des Feuerns hätte 15 klar machen sollen, daß alles für die Franzosen gut stehe und an kein Weichen zu denken sei. Nach Hause gekommen, voll Unmut, geriet er beim Erblicken der verwundeten und gefangenen Landsleute ganz aus der gewöhnlichen Fassung. Auch er ließ den Vorbeiziehen- 20 den mancherlei Spende reichen; aber nur die Deutschen sollten sie erhalten, welches nicht immer möglich war, weil das Schicksal Freunde und Feinde zusammen aufgepackt hatte.

Die Mutter und wir Kinder, die wir schon früher auf 25 des Grafen Wort gebaut und deshalb einen ziemlich beruhigten Tag hingebracht hatten, waren höchlich erfreut und die Mutter doppelt getröstet, da sie des Morgens, als sie das Orakel ihres Schatzkästleins durch einen Nadelstich befragt, eine für die Gegenwart sowohl als 30 für die Zukunft sehr tröstliche Antwort erhalten hatte. Wir wünschten unserm Vater gleichen Glauben und gleiche Gesinnung, wir schmeichelten ihm was wir konnten, wir baten ihn, etwas Speise zu sich zu nehmen, 5 die er den ganzen Tag entbehrt hatte; er verweigerte unsre Liebkosungen und jeden Genuß und begab sich auf sein Zimmer. Unsre Freude ward indessen nicht gestört; die Sache war entschieden; der Königsleutnant, der diesen Tag gegen seine Gewohnheit zu Pferde gewesen, kehrte 10 endlich zurück; seine Gegenwart zu Hause war nötiger als je. Wir sprangen ihm entgegen, küßten seine Hände und bezeugten ihm unsre Freude. Es schien ihm sehr zu gefallen. „Wohl!“ sagte er freundlicher als sonst, „ich bin auch um euertwillen vergnügt, liebe Kinder!“ Er 15 befahl sogleich, uns Zuckerwerk, süßen Wein, überhaupt das Beste zu reichen, und ging auf sein Zimmer, schon von einer großen Masse Dringender, Fordernder und Bittender umgeben.

Wir hielten nun eine köstliche Kollation, bedauerten 20 den guten Vater, der nicht teil daran nehmen mochte, und drangen in die Mutter, ihn herbeizurufen; sie aber, klüger als wir, wußte wohl wie unerfreulich ihm solche Gaben sein würden. Indessen hatte sie etwas Abend-brot zurecht gemacht und hätte ihm gern eine Portion 25 auf das Zimmer geschickt; aber eine solche Unordnung litt er nie, auch nicht in den äußersten Fällen; und nach-dem man die süßen Gaben beiseite geschafft, suchte man ihn zu bereden, herab in das gewöhnliche Speisezimmer zu kommen. Endlich ließ er sich bewegen, ungern, und 30 wir ahneten nicht, welches Unheil wir ihm und uns bereiteten. Die Treppe lief frei durchs ganze Haus an allen Vorsälen vorbei. Der Vater mußte, indem er herabstieg, unmittelbar an des Grafen Zimmer vorübergehen. Sein Vorsaal stand so voller Leute, daß der Graf sich entschloß, um mehreres auf einmal abzuthun, herauszutreten; und dies geschah leider in dem Augenblick als der Vater herabkam. Der Graf ging ihm heiter entgegen, begrüßte ihn und sagte: „Ihr werdet uns und euch Glück wünschen, daß diese gefährliche Sache so glücklich abgelaufen ist.“ — Keineswegs! versetzte mein Vater mit Ingrimm; ich wollte sie hätten euch zum Teufel gejagt, und wenn ich hätte mitfahren sollen. — Der Graf hielt einen Augenblick inne, dann aber fuhr er mit Wut auf: „Dieses sollt Ihr büßen!“ rief er; „Ihr sollt nicht umsonst der gerechten Sache und mir eine solche Beleidigung zugefügt haben!“

Der Vater war indes gelassen heruntergestiegen, setzte sich zu uns, schien heiterer als bisher, und fing an zu essen. Wir freuten uns darüber und wußten nicht, auf welche bedenkliche Weise er sich den Stein vom Herzen gewälzt hatte. Kurz darauf wurde die Mutter herausgerufen, und wir hatten große Lust, dem Vater auszuplaudern, was uns der Graf für Süßigkeiten verehrt habe. Die Mutter kam nicht zurück. Endlich trat der Dolmetscher herein. Auf seinen Wink schickte man uns zu Bette; es war schon spät, und wir gehorchten gern. Nach einer ruhig durchschlafenen Nacht erfuhren wir die gewaltsame Bewegung, die gestern Abend das Haus erschüttert hatte. Der Königsleutnant hatte sogleich befohlen, den Vater auf die Wache zu führen. Die Sub-

alternen wußten wohl, daß ihm niemals zu widersprechen war; doch hatten sie sich manchmal Dank verdient, wenn sie mit der Ausführung zauderten. Diese Gesinnung wußte der Gevatter Dolmetsch, den die Geistesgegenwart
5 niemals verließ, aufs lebhafteste bei ihnen rege zu machen. Der Tumult war ohnehin so groß, daß eine Zögerung sich von selbst versteckte und entschuldigte. Er hatte meine Mutter herausgerufen und ihr den Adjutanten gleichsam in die Hände gegeben, daß sie durch
10 Bitten und Vorstellungen nur einigen Aufschub erlangen möchte. Er selbst eilte schnell hinauf zum Grafen, der sich bei der großen Beherrschung seiner selbst sogleich ins innere Zimmer zurückgezogen hatte und das dringendste Geschäft lieber einen Augenblick stocken ließ, als daß er
15 den einmal in ihm erregten bösen Mut an einem Unschuldigen gekühlt und eine seiner Würde nachteilige Entscheidung gegeben hätte.

Die Anrede des Dolmetschers an den Grafen, die Führung des ganzen Gesprächs, hat uns der dicke Ge-
20 vatter, der sich auf den glücklichen Erfolg nicht wenig zu gute that, oft genug wiederholt, so daß ich sie aus dem Gedächtnis wohl noch aufzeichnen kann.

Der Dolmetsch hatte gewagt das Kabinett zu eröffnen und hineinzutreten, eine Handlung die höchst verpönt
25 war. „Was wollt Ihr?" rief ihm der Graf zornig entgegen. „Hinaus mit Euch! Hier hat niemand das Recht hereinzutreten als Saint Jean."

So haltet mich einen Augenblick für Saint Jean, versetzte der Dolmetsch.

30 „Dazu gehört eine gute Einbildungskraft. Seiner

zwei machen noch nicht einen, wie Ihr seid. Entfernt Euch!"

Herr Graf, Ihr habt eine große Gabe vom Himmel empfangen, und an die appelliere ich.

„Ihr denkt mir zu schmeicheln! Glaubt nicht, daß es Euch gelingen werde." 5

Ihr habt die große Gabe, Herr Graf, auch in Augenblicken der Leidenschaft, in Augenblicken des Zorns die Gesinnungen anderer anzuhören.

„Wohl, wohl! Von Gesinnungen ist eben die Rede, 10 die ich zu lange angehört habe. Ich weiß nur zu gut, daß man uns hier nicht liebt, daß uns diese Bürger scheel ansehn."

Nicht alle!

„Sehr viele! Was! diese Städter, Reichsstädter 15 wollen sie sein? Ihren Kaiser haben sie wählen und krönen sehen, und wenn dieser, ungerecht angegriffen, seine Länder zu verlieren und einem Usurpator zu unterliegen Gefahr läuft, wenn er glücklicherweise getreue Alliierte findet, die ihr Geld, ihr Blut zu seinem Vorteil 20 verwenden, so wollen sie die geringe Last nicht tragen, die zu ihrem Teil sie trifft, daß der Reichsfeind gedemütigt werde."

Freilich kennt Ihr diese Gesinnungen schon lange und habt sie als ein weiser Mann geduldet; auch ist es nur 25 die geringere Zahl. Wenige, verblendet durch die glänzenden Eigenschaften des Feindes, den Ihr ja selbst als einen außerordentlichen Mann schätzt, wenige nur, Ihr wißt es!

„Ja wohl! zu lange habe ich es gewußt und geduldet, 30

sonst hätte dieser sich nicht unterstanden, mir in den bedeutendsten Augenblicken solche Beleidigungen ins Gesicht zu sagen. Es mögen sein so viel ihrer wollen, sie sollen in diesem ihrem kühnen Repräsentanten gestraft werden und sich merken was sie zu erwarten haben."

Nur Aufschub, Herr Graf!

„In gewissen Dingen kann man nicht zu geschwind verfahren."

Nur einen kurzen Aufschub!

„Nachbar! Ihr denkt mich zu einem falschen Schritt zu verleiten; es soll Euch nicht gelingen."

Weder verleiten will ich Euch zu einem falschen Schritt, noch von einem falschen zurückhalten; Euer Entschluß ist gerecht: er geziemt dem Franzosen, dem Königsleutnant; aber bedenkt, daß Ihr auch Graf Thorane seid.

„Der hat hier nicht mitzusprechen."

Man sollte den braven Mann doch auch hören.

„Nun, was würde er denn sagen?"

Herr Königsleutnant! würde er sagen, Ihr habt so lange mit so viel dunkeln, unwilligen, ungeschickten Menschen Geduld gehabt, wenn sie es Euch nur nicht gar zu arg machten. Dieser hat's freilich sehr arg gemacht; aber gewinnt es über Euch, Herr Königsleutnant! und jedermann wird Euch deswegen loben und preisen.

„Ihr wißt, daß ich Eure Possen manchmal leiden kann; aber mißbraucht nicht mein Wohlwollen. Diese Menschen, sind sie denn ganz verblendet? Hätten wir die Schlacht verloren, in diesem Augenblick, was würde ihr Schicksal sein? Wir schlagen uns bis vor die

Thore, wir sperren die Stadt, wir halten, wir verteidigen uns, um unsere Retirade über die Brücke zu decken. Glaubt Ihr, daß der Feind die Hände in den Schoß gelegt hätte? Er wirft Granaten und was er bei der Hand hat, und sie zünden wo sie können. Dieser Hausbesitzer da, was will er? In diesen Zimmern hier platzte jetzt wohl eine Feuerkugel, und eine andere folgte hinterdrein; in diesen Zimmern, deren vermaledeite Pekingtapeten ich geschont, mich geniert habe, meine Landkarten nicht aufzunageln! Den ganzen Tag hätten sie auf den Knieen liegen sollen."

Wie viele haben das gethan!

„Sie hätten sollen den Segen für uns erflehen, den Generalen und Offizieren mit Ehren- und Freudenzeichen, den ermatteten Gemeinen mit Erquickung entgegengehen. Anstatt dessen verdirbt mir der Gift dieses Parteigeistes die schönsten, glücklichsten, durch so viel Sorgen und Anstrengungen erworbenen Augenblicke meines Lebens!"

Es ist ein Parteigeist; aber Ihr werdet ihn durch die Bestrafung dieses Mannes nur vermehren. Die mit ihm Gleichgesinnten werden Euch als einen Tyrannen, als einen Barbaren ausschreien; sie werden ihn als einen Märtyrer betrachten, der für die gute Sache gelitten hat; und selbst die anders Gesinnten, die jetzt seine Gegner sind, werden in ihm nur den Mitbürger sehen, werden ihn bedauern, und, indem sie Euch recht geben, dennoch finden, daß Ihr zu hart verfahren seid.

„Ich habe Euch schon zu lange angehört: macht, daß Ihr fortkommt!"

So hört nur noch dieses! Bedenkt, daß es das Unerhörteste ist, was diesem Manne, was dieser Familie begegnen könnte. Ihr hattet nicht Ursache, von dem guten Willen des Hausherrn erbaut zu sein; aber die
5 Hausfrau ist allen Euren Wünschen zuvorgekommen, und die Kinder haben Euch als ihren Oheim betrachtet. Mit diesem einzigen Schlag werdet Ihr den Frieden und das Glück dieser Wohnung auf ewig zerstören. Ja, ich kann wohl sagen, eine Bombe, die ins Haus gefallen
10 wäre, würde nicht größere Verwüstungen darin angerichtet haben. Ich habe Euch so oft über Eure Fassung bewundert, Herr Graf; gebt mir diesmal Gelegenheit, Euch anzubeten. Ein Krieger ist ehrwürdig, der sich selbst in Feindes Haus als einen Gastfreund betrachtet;
15 hier ist kein Feind, nur ein Verirrter. Gewinnt es über Euch, und es wird Euch zu ewigem Ruhme gereichen!

„Das müßte wunderlich zugehen," versetzte der Graf mit einem Lächeln.

Nur ganz natürlich, erwiderte der Dolmetscher. Ich
20 habe die Frau, die Kinder nicht zu Euren Füßen geschickt, denn ich weiß, daß Euch solche Szenen verdrießlich sind; aber ich will Euch die Frau, die Kinder schildern, wie sie Euch danken; ich will sie Euch schildern, wie sie sich zeitlebens von dem Tage der Schlacht bei Bergen und
25 von Eurer Großmut an diesem Tage unterhalten, wie sie es Kindern und Kindeskindern erzählen und auch Fremden ihr Interesse für Euch einzuflößen wissen: eine Handlung dieser Art kann nicht untergehen!

„Ihr trefft meine schwache Seite nicht, Dolmetscher.
30 An den Nachruhm pfleg' ich nicht zu denken, der ist für

andere, nicht für mich; aber im Augenblick recht zu thun, meine Pflicht nicht zu versäumen, meiner Ehre nichts zu vergeben, das ist meine Sorge. Wir haben schon zu viel Worte gemacht; jetzt geht hin — und laßt Euch von den Undankbaren danken, die ich verschone!" 5

Der Dolmetsch, durch diesen unerwartet glücklichen Ausgang überrascht und bewegt, konnte sich der Thränen nicht enthalten und wollte dem Grafen die Hände küssen; der Graf wies ihn ab und sagte streng und ernst: Ihr wißt, daß ich dergleichen nicht leiden kann! Und mit 10 diesen Worten trat er auf den Vorsaal, um die andringenden Geschäfte zu besorgen und das Begehren so vieler wartenden Menschen zu vernehmen. So ward die Sache beigelegt, und wir feierten den andern Morgen, bei den Überbleibseln der gestrigen Zuckergeschenke, das 15 Vorübergehen eines Übels, dessen Androhen wir glücklich verschlafen hatten.

Ob der Dolmetsch wirklich so weise gesprochen, oder ob er sich die Szene nur so ausgemalt, wie man es wohl nach einer guten und glücklichen Handlung zu thun pflegt, 20 will ich nicht entscheiden; wenigstens hat er bei Wiedererzählung derselben niemals variiert. Genug, dieser Tag dünkte ihm, so wie der sorgenvollste, so auch der glorreichste seines Lebens.

Wie sehr übrigens der Graf alles falsche Zeremoniell 25 abgelehnt, keinen Titel, der ihm nicht gebührte, jemals angenommen, und wie er in seinen heiteren Stunden immer geistreich gewesen, davon soll eine kleine Begebenheit ein Zeugnis ablegen.

Ein vornehmer Mann, der aber auch unter die ab- 30

strusen einsamen Frankfurter gehörte, glaubte sich über seine Einquartierung beklagen zu müssen. Er kam persönlich, und der Dolmetsch bot ihm seine Dienste an; jener aber meinte derselben nicht zu bedürfen. Er trat
5 vor den Grafen mit einer anständigen Verbeugung und sagte: Exzellenz! Der Graf gab ihm die Verbeugung zurück, sowie die Exzellenz. Betroffen von dieser Ehrenbezeigung, nicht anders glaubend als der Titel sei zu gering, bückte er sich tiefer und sagte: Monseigneur! —
10 „Mein Herr," sagte der Graf ganz ernsthaft, „wir wollen nicht weiter gehen, denn sonst könnten wir es leicht bis zur Majestät bringen." — Der andere war äußerst verlegen und wußte kein Wort zu sagen. Der Dolmetsch, in einiger Entfernung stehend und von der
15 ganzen Sache unterrichtet, war boshaft genug, sich nicht zu rühren; der Graf aber, mit großer Heiterkeit, fuhr fort: „Zum Beispiel, mein Herr, wie heißen Sie?" — Spangenberg, versetzte jener. — „Und ich," sagte der Graf, „heiße Thorane. Spangenberg, was wollt Ihr
20 von Thorane? Und nun setzen wir uns, die Sache soll gleich abgethan sein."

Und so wurde die Sache auch gleich zu großer Zufriedenheit desjenigen abgethan, den ich hier Spangenberg genannt habe, und die Geschichte noch an selbigem
25 Abend von dem schadenfrohen Dolmetsch in unserm Familienkreise nicht nur erzählt, sondern mit allen Umständen und Gebärden aufgeführt.

Nach solchen Verwirrungen, Unruhen und Bedrängnissen fand sich gar bald die vorige Sicherheit und der
30 Leichtsinn wieder, mit welchem besonders die Jugend

von Tage zu Tag lebt, wenn es nur einigermaßen angehen will. Meine Leidenschaft zu dem französischen Theater wuchs mit jeder Vorstellung; ich versäumte keinen Abend, ob ich gleich jedesmal, wenn ich nach dem Schauspiel mich zur speisenden Familie an den Tisch 5 setzte und mich gar oft nur mit einigen Resten begnügte, die steten Vorwürfe des Vaters zu dulden hatte: das Theater sei zu gar nichts nütze und könne zu gar nichts führen. Ich rief in solchem Falle gewöhnlich alle und jede Argumente hervor, welche den Verteidigern des 10 Schauspiels zur Hand sind, wenn sie in eine gleiche Not wie die meinige geraten. Das Laster im Glück, die Tugend im Unglück wurden zuletzt durch die poetische Gerechtigkeit wieder ins Gleichgewicht gebracht. Die schönen Beispiele von bestraften Vergehungen, Miß 15 Sara Sampson und der Kaufmann von London, wurden sehr lebhaft von mir hervorgehoben; aber ich zog dagegen öfters den kürzern, wenn die Schelmstreiche Scapins und dergleichen auf dem Zettel standen und ich mir das Behagen mußte vorwerfen lassen, das man über die Be- 20 trügereien ränkevoller Knechte und über den guten Erfolg der Thorheiten ausgelassener Jünglinge im Publikum empfinde. Beide Parteien überzeugten einander nicht; doch wurde mein Vater sehr bald mit der Bühne ausgesöhnt, als er sah, daß ich mit unglaublicher Schnellig- 25 keit in der französischen Sprache zunahm.

Die Menschen sind nun einmal so, daß jeder, was er thun sieht, lieber selbst vornähme, er habe nun Geschick dazu oder nicht. Ich hatte nun bald den ganzen Kursus der französischen Bühne durchgemacht; mehrere Stücke 30 kamen schon zum zweiten und drittenmal; von der würdigsten Tragödie bis zum leichtfertigsten Nachspiel war mir alles vor Augen und Geist vorbeigegangen; und wie ich als Kind den Terenz nachzuahmen wagte, so verfehlte ich nunmehr nicht als Knabe, bei einem viel lebhafter dringenden Anlaß, auch die französischen Formen nach meinem Vermögen und Unvermögen zu wiederholen. Es wurden damals einige halb mythologische, halb allegorische Stücke im Geschmack des Piron gegeben; sie hatten etwas von der Parodie und gefielen sehr. Diese Vorstellungen zogen mich besonders an: die goldnen Flügelchen eines heitern Merkur, der Donnerkeil des verkappten Jupiter, eine galante Danae, oder wie eine von Göttern besuchte Schöne heißen mochte, wenn es nicht gar eine Schäferin oder Jägerin war, zu der sie sich herunterließen. Und da mir dergleichen Elemente aus Ovids Verwandlungen und Pomeys Pantheon Mythicum sehr häufig im Kopfe herum summten, so hatte ich bald ein solches Stückchen in meiner Phantasie zusammengestellt, wovon ich nur so viel zu sagen weiß, daß die Szene ländlich war, daß es aber doch darin weder an Königstöchtern, noch Prinzen, noch Göttern fehlte. Der Merkur besonders war mir dabei so lebhaft im Sinne, daß ich noch schwören wollte, ich hätte ihn mit Augen gesehen.

Eine von mir selbst sehr reinlich gefertigte Abschrift legte ich meinem Freunde Derones vor, welcher sie mit ganz besonderem Anstand und einer wahrhaften Gönnermiene aufnahm, das Manuskript flüchtig durchsah, mir einige Sprachfehler nachwies, einige Reden zu lang fand und zuletzt versprach, das Werk bei gehöriger Muße näher zu betrachten und zu beurteilen. Auf meine bescheidene Frage, ob das Stück wohl aufgeführt werden könne, versicherte er mir, daß es gar nicht unmöglich sei. Sehr vieles komme beim Theater auf Gunst an, und er beschütze mich von ganzem Herzen; nur müsse man die Sache geheim halten; denn er habe selbst einmal mit einem von ihm verfertigten Stück die Direktion überrascht, und es wäre gewiß aufgeführt worden, wenn man nicht zu früh entdeckt hätte, daß er der Verfasser sei. Ich versprach ihm alles mögliche Stillschweigen und sah schon im Geist den Titel meiner Piece an den Ecken der Straßen und Plätze mit großen Buchstaben angeschlagen.

So leichtsinnig übrigens der Freund war, so schien ihm doch die Gelegenheit, den Meister zu spielen, allzu erwünscht. Er las das Stück mit Aufmerksamkeit durch, und indem er sich mit mir hinsetzte, um einige Kleinigkeiten zu ändern, kehrte er im Laufe der Unterhaltung das ganze Stück um und um, so daß auch kein Stein auf dem andern blieb. Er strich aus, setzte zu, nahm eine Person weg, substituierte eine andere, genug, er verfuhr mit der tollsten Willkür von der Welt, daß mir die Haare zu Berge standen. Mein Vorurteil, daß er es doch verstehen müsse, ließ ihn gewähren: denn er hatte mir schon öfter von den drei Einheiten des Aristoteles, von der Regelmäßigkeit der französischen Bühne, von der Wahrscheinlichkeit, von der Harmonie der Verse und allem was daran hängt, so viel vorerzählt, daß ich ihn nicht nur für unterrichtet, sondern auch für begründet halten mußte. Er schalt auf die Engländer und verachtete die Deutschen; genug, er trug mir die ganze dramaturgische Litanei vor, die ich in meinem Leben so oft mußte wiederholen hören.

Ich nahm, wie der Knabe in der Fabel, meine zersetzte Geburt mit nach Hause und suchte sie wieder her-
5 zustellen, aber vergebens. Weil ich sie jedoch nicht ganz aufgeben wollte, so ließ ich aus meinem ersten Manuskript, nach wenigen Veränderungen, eine saubere Abschrift durch unsern Schreibenden anfertigen, die ich denn meinem Vater überreichte und dadurch so viel erlangte,
10 daß er mich nach vollendetem Schauspiel meine Abendkost eine Zeit lang ruhig verzehren ließ.

Dieser mißlungene Versuch hatte mich nachdenklich gemacht, und ich wollte nunmehr diese Theorieen, diese Gesetze, auf die sich jedermann berief und die mir beson-
15 ders durch die Unart meines anmaßlichen Meisters verdächtig geworden waren, unmittelbar an den Quellen kennen lernen, welches mir zwar nicht schwer, doch mühsam wurde. Ich las zunächst Corneilles Abhandlung über die drei Einheiten, und ersah wohl daraus, wie man
20 es haben wollte; warum man es aber so verlangte, ward mir keineswegs deutlich, und was das Schlimmste war ich geriet sogleich in noch größere Verwirrung, indem ich mich mit den Händeln über den Cid bekannt machte und die Vorreden las, in welchen Corneille und Racine sich
25 gegen Kritiker und Publikum zu verteidigen genötigt sind. Hier sah ich wenigstens auf das deutlichste, daß kein Mensch wußte was er wollte, daß ein Stück wie Cid, das die herrlichste Wirkung hervorgebracht, auf Befehl eines allmächtigen Kardinals absolut solle für
30 schlecht erklärt werden, daß Racine, der Abgott der zu

meiner Zeit lebenden Franzosen, der nun auch mein Abgott geworden war (denn ich hatte ihn näher kennen lernen, als Schöff von Olenschlager durch uns Kinder den Britannicus aufführen ließ, worin mir die Rolle des Nero zu teil ward), daß Racine, sage ich, auch zu seiner Zeit weder mit Liebhabern noch Kunstrichtern fertig werden können. Durch alles dieses ward ich verworrner als jemals, und nachdem ich mich lange mit diesem Hin- und Herreden, mit dieser theoretischen Salbaderei des vorigen Jahrhunderts gequält hatte, schüttete ich das Kind mit dem Bade aus und warf den ganzen Plunder desto entschiedener von mir, je mehr ich zu bemerken glaubte, daß die Autoren selbst, welche vortreffliche Sachen hervorbrachten, wenn sie darüber zu reden anfingen, wenn sie den Grund ihres Handelns angaben, wenn sie sich verteidigen, entschuldigen, beschönigen wollten, doch auch nicht immer den rechten Fleck zu treffen wußten. Ich eilte daher wieder zu dem lebendig Vorhandenen, besuchte das Schauspiel weit eifriger, las gewissenhafter und ununterbrochner, so daß ich in dieser Zeit Racine und Molière ganz und von Corneille einen großen Teil durchzuarbeiten die Anhaltsamkeit hatte.

Der Königsleutnant wohnte noch immer in unserm Hause. Er hatte sein Betragen in nichts geändert, besonders gegen uns; allein es war merklich, und der Gevatter Dolmetsch wußte es uns noch deutlicher zu machen, daß er sein Amt nicht mehr mit der Heiterkeit, nicht mehr mit dem Eifer verwaltete wie anfangs, obgleich immer mit derselben Rechtschaffenheit und Treue. Sein Wesen und Betragen, das eher einen Spanier als einen Franzosen ankündigte, seine Launen, die doch mitunter Einfluß auf ein Geschäft hatten, seine Unbiegsamkeit gegen die Umstände, seine Reizbarkeit gegen alles was seine 5 Person oder Charakter berührte, dieses zusammen mochte ihn doch zuweilen mit seinen Vorgesetzten in Konflikt bringen. Hiezu kam noch, daß er in einem Duell, welches sich im Schauspiel entsponnen hatte, verwundet wurde und man dem Königsleutnant übel nahm, daß er 10 selbst eine verpönte Handlung als oberster Polizeimeister begangen. Alles dieses mochte, wie gesagt, dazu beitragen, daß er in sich gezogner lebte und hier und da vielleicht weniger energisch verfuhr.

Indessen war nun schon eine ansehnliche Partie der 15 bestellten Gemälde abgeliefert. Graf Thorane brachte seine Freistunden mit der Betrachtung derselben zu, indem er sie in gedachtem Giebelzimmer Bahne für Bahne, breiter und schmäler, neben einander und, weil es an Platz mangelte, sogar über einander nageln, wieder 20 abnehmen und aufrollen ließ. Immer wurden die Arbeiten aufs neue untersucht, man erfreute sich wiederholt an den Stellen, die man für die gelungensten hielt; aber es fehlte auch nicht an Wünschen, dieses oder jenes anders geleistet zu sehen.

25 Hieraus entsprang eine neue und ganz wundersame Operation. Da nämlich der eine Maler Figuren, der andere die Mittelgründe und Fernen, der dritte die Bäume, der vierte die Blumen am besten arbeitete, so kam der Graf auf den Gedanken, ob man nicht diese 30 Talente in den Bildern vereinigen und auf diesem Weg

vollkommene Werke hervorbringen könne. Der Anfang ward sogleich damit gemacht, daß man z. B. in eine fertige Landschaft noch schöne Herden hineinmalen ließ. Weil nun aber nicht immer der gehörige Platz dazu da war, es auch dem Tiermaler auf ein paar Schafe mehr 5 oder weniger nicht ankam, so war endlich die weiteste Landschaft zu enge. Nun hatte der Menschenmaler auch noch die Hirten und einige Wanderer hineinzubringen; diese nahmen sich wiederum einander gleichsam die Luft, und man war verwundert, wie sie nicht sämtlich in der 10 freiesten Gegend erstickten. Man konnte niemals voraussehen, was aus der Sache werden würde, und wenn sie fertig war, befriedigte sie nicht. Die Maler wurden verdrießlich. Bei den ersten Bestellungen hatten sie gewonnen, bei diesen Nacharbeiten verloren sie, obgleich 15 der Graf auch diese sehr großmütig bezahlte. Und da die von mehreren auf einem Bilde durch einander gearbeiteten Teile, bei aller Mühe, keinen guten Effekt hervorbrachten, so glaubte zuletzt ein jeder, daß seine Arbeit durch die Arbeiten der andern verdorben und ver- 20 nichtet worden; daher wenig fehlte, die Künstler hätten sich hierüber entzweit und wären in unversöhnliche Feindschaft geraten. Dergleichen Veränderungen oder vielmehr Zuthaten wurden in gedachtem Atelier, wo ich mit den Künstlern ganz allein blieb, ausgefertiget; und 25 es unterhielt mich, aus den Studien, besonders der Tiere, dieses und jenes einzelne, diese oder jene Gruppe auszusuchen und sie für die Nähe oder die Ferne in Vorschlag zu bringen; worin man mir denn manchmal aus Überzeugung oder Geneigtheit zu willfahren pflegte. 30

Die Teilnehmenden an diesem Geschäft wurden also höchst mutlos, besonders Seekatz, ein sehr hypochondrischer und in sich gezogner Mann, der zwar unter Freunden durch eine unvergleichlich heitre Laune sich als
5 den besten Gesellschafter bewies, aber wenn er arbeitete, allein, in sich gekehrt und völlig frei wirken wollte. Dieser sollte nun, wenn er schwere Aufgaben gelöst, sie mit dem größten Fleiß und der wärmsten Liebe, deren er immer fähig war, vollendet hatte, zu wiederholten
10 Malen von Darmstadt nach Frankfurt reisen, um entweder an seinen eigenen Bildern etwas zu verändern, oder fremde zu staffieren, oder gar unter seinem Beistand durch einen dritten seine Bilder ins Buntscheckige arbeiten zu lassen. Sein Mißmut nahm zu, sein Wider-
15 stand entschied sich, und es brauchte großer Bemühungen von unserer Seite, um diesen Gevatter — denn auch er war's geworden — nach des Grafen Wünschen zu lenken. Ich erinnere mich noch, daß, als schon die Kasten bereit standen, um die sämtlichen Bilder in der Ordnung ein-
20 zupacken, in welcher sie an dem Ort ihrer Bestimmung der Tapezierer ohne weiteres aufheften konnte, daß, sage ich, nur eine kleine, doch unumgängliche Nacharbeit erfordert wurde, Seekatz aber nicht zu bewegen war, herüberzukommen. Er hatte freilich noch zu guter Letzt
25 das Beste gethan, was er vermochte, indem er die vier Elemente in Kindern und Knaben, nach dem Leben, in Thürstücken dargestellt und nicht allein auf die Figuren, sondern auch auf die Beiwerke den größten Fleiß gewendet hatte. Diese waren abgeliefert, bezahlt, und er
30 glaubte auf immer aus der Sache geschieden zu sein;

nun aber sollte er wieder herüber, um einige Bilder, deren Maße etwas zu klein genommen worden, mit wenigen Pinselzügen zu erweitern. Ein anderer, glaubte er, könne das auch thun; er hatte sich schon zu neuer Arbeit eingerichtet; kurz, er wollte nicht kommen. Die 5 Absendung war vor der Thüre, trocknen sollte es auch noch, jeder Verzug war mißlich; der Graf, in Verzweiflung, wollte ihn militärisch abholen lassen. Wir alle wünschten, die Bilder endlich fort zu sehen, und fanden zuletzt keine Auskunft als daß der Gevatter Dol- 10 metsch sich in einen Wagen setzte und den Widerspenstigen mit Frau und Kind herüberholte, der dann von dem Grafen freundlich empfangen, wohl gepflegt und zuletzt reichlich beschenkt entlassen wurde.

Nach den fortgeschafften Bildern zeigte sich ein großer 15 Friede im Hause. Das Giebelzimmer im Mansard wurde gereinigt und mir übergeben, und mein Vater, wie er die Kasten fortschaffen sah, konnte sich des Wunsches nicht erwehren, den Grafen hinterdrein zu schicken. Denn wie sehr die Neigung des Grafen auch mit der 20 seinigen übereinstimmte; wie sehr es den Vater freuen mußte, seinen Grundsatz, für lebende Meister zu sorgen, durch einen Reicheren so fruchtbar befolgt zu sehen; wie sehr es ihm schmeicheln konnte, daß seine Sammlung Anlaß gegeben, einer Anzahl braver Künstler in be- 25 drängter Zeit einen so ansehnlichen Erwerb zu verschaffen: so fühlte er doch eine solche Abneigung gegen den Fremden, der in sein Haus eingedrungen, daß ihm an dessen Handlungen nichts recht dünken konnte. Man solle Künstler beschäftigen, aber nicht zu Tapetenmalern 30

erniedrigen; man solle mit dem, was sie nach ihrer Überzeugung und Fähigkeit geleistet, wenn es einem auch
nicht durchgängig behage, zufrieden sein und nicht immer
daran markten und mäkeln: genug, es gab, ungeachtet
5 des Grafen eigner liberaler Bemühung, ein für allemal
kein Verhältnis. Mein Vater besuchte jenes Zimmer
bloß, wenn sich der Graf bei Tafel befand, und ich erinnere mich nur ein einziges Mal, als Seekatz sich selbst
übertroffen hatte und das Verlangen, diese Bilder zu
10 sehen, das ganze Haus herbeitrieb, daß mein Vater und
der Graf zusammentretend an diesen Kunstwerken ein
gemeinsames Gefallen bezeigten, das sie an einander selbst
nicht finden konnten.

Kaum hatten also die Kisten und Kasten das Haus ge-
15 räumt, als der früher eingeleitete, aber unterbrochne Betrieb, den Grafen zu entfernen, wieder angeknüpft wurde.
Man suchte durch Vorstellungen die Gerechtigkeit, die
Billigkeit durch Bitten, durch Einfluß die Neigung zu
gewinnen und brachte es endlich dahin, daß die Quartier-
20 herren den Beschluß faßten, es solle der Graf umlogiert
und unser Haus, in Betracht der seit einigen Jahren
unausgesetzt Tag und Nacht getragnen Last, künftig mit
Einquartierung verschont werden. Damit sich aber
hierzu ein scheinbarer Vorwand finde, so solle man in
25 eben den ersten Stock, den bisher der Königsleutnant
besetzt gehabt, Mietleute einnehmen und dadurch eine
neue Bequartierung gleichsam unmöglich machen. Der
Graf, der nach der Trennung von seinen geliebten Gemälden kein besonderes Interesse mehr am Hause fand,
30 auch ohnehin bald abgerufen und versetzt zu werden

hoffte, ließ es sich ohne Widerrede gefallen, eine andere gute Wohnung zu beziehen, und schied von uns in Frieden und gutem Willen. Auch verließ er bald darauf die Stadt und erhielt stufenweise noch verschiedene Chargen, doch, wie man hörte, nicht zu seiner Zu- 5 friedenheit. Er hatte indes das Vergnügen, jene so emsig von ihm besorgten Gemälde in dem Schlosse seines Bruders glücklich angebracht zu sehen; schrieb einige Male, sendete Maße, und ließ von den mehr genannten Künstlern verschiedenes nacharbeiten. Endlich vernah- 10 men wir nichts weiter von ihm, außer daß man uns nach mehreren Jahren versichern wollte, er sei in Westindien, auf einer der französischen Kolonieen, als Gouverneur gestorben.

Fünftes Buch.

Für alle Vögel giebt es Lockspeisen, und jeder Mensch wird auf seine eigene Art geleitet und verleitet. Natur, Erziehung, Umgebung, Gewohnheit hielten mich von allem Rohen abgesondert, und ob ich gleich mit den
5 untern Volksklassen, besonders den Handwerkern, öfters in Berührung kam, so entstand doch daraus kein näheres Verhältnis. Etwas Ungewöhnliches, vielleicht Gefährliches zu unternehmen, hatte ich zwar Verwegenheit genug und fühlte mich wohl manchmal dazu aufgelegt;
10 allein es mangelte mir die Handhabe, es anzugreifen und zu fassen.

Indessen wurde ich auf eine völlig unerwartete Weise in Verhältnisse verwickelt, die mich ganz nahe an große Gefahr und, wenigstens für eine Zeit lang, in Verlegen-
15 heit und Not brachten. Mein früheres gutes Verhältnis zu jenem Knaben, den ich oben Pylades genannt, hatte sich bis ins Jünglingsalter fortgesetzt. Zwar sahen wir uns seltner, weil unsre Eltern nicht zum besten mit einander standen; wo wir uns aber trafen,
20 sprang immer sogleich der alte freundschaftliche Jubel hervor. Einst begegneten wir uns in den Alleen, die zwischen dem innern und äußern Sankt-Gallenthor einen sehr angenehmen Spaziergang darboten. Wir hatten uns kaum begrüßt, als er zu mir sagte: „Es
25 geht mir mit deinen Versen noch immer wie sonst. Diejenigen, die du mir neulich mitteiltest, habe ich einigen

lustigen Gesellen vorgelesen, und keiner will glauben, daß du sie gemacht habest." — Laß es gut sein, versetzte ich; wir wollen sie machen, uns daran ergötzen, und die andern mögen davon denken und sagen, was sie wollen. 5

„Da kommt eben der Ungläubige!" sagte mein Freund. — Wir wollen nicht davon reden, war meine Antwort. Was hilft's, man bekehrt sie doch nicht. — „Mit nichten," sagte der Freund; „ich kann es ihm nicht so hingehen lassen." 10

Nach einer kurzen gleichgültigen Unterhaltung konnte es der für mich nur allzu wohlgesinnte junge Gesell nicht lassen und sagte mit einiger Empfindlichkeit gegen jenen: „Hier ist nun der Freund, der die hübschen Verse gemacht hat, und die Ihr ihm nicht zutrauen 15 wollt." — Er wird es gewiß nicht übel nehmen, versetzte jener; denn es ist ja eine Ehre, die wir ihm erweisen, wenn wir glauben, daß weit mehr Gelehrsamkeit dazu gehöre, solche Verse zu machen, als er bei seiner Jugend besitzen kann. — Ich erwiderte etwas 20 Gleichgültiges; mein Freund aber fuhr fort: „Es wird nicht viel Mühe kosten, Euch zu überzeugen. Gebt ihm irgend ein Thema auf, und er macht Euch ein Gedicht aus dem Stegreif." — Ich ließ es mir gefallen, wir wurden einig, und der dritte fragte mich: ob ich mich 25 wohl getraue, einen recht artigen Liebesbrief in Versen aufzusetzen, den ein verschämtes junges Mädchen an einen Jüngling schriebe, um ihre Neigung zu offenbaren. — Nichts ist leichter als das, versetzte ich, wenn wir nur ein Schreibzeug hätten. — Jener brachte seinen 30

Taschenkalender hervor, worin sich weiße Blätter in Menge befanden, und ich setzte mich auf eine Bank, zu schreiben. Sie gingen indes auf und ab und ließen mich nicht aus den Augen. Sogleich faßte ich die Situation in den Sinn und dachte mir, wie artig es sein müßte, wenn irgend ein hübsches Kind mir wirklich gewogen wäre und es mir in Prosa oder in Versen entdecken wollte. Ich begann daher ohne Anstand meine Erklärung und führte sie in einem zwischen dem Knüttelvers und Madrigal schwebenden Silbenmaße mit möglichster Naivität in kurzer Zeit dergestalt aus, daß, als ich dies Gedichtchen den beiden vorlas, der Zweifler in Verwunderung und mein Freund in Entzücken versetzt wurde. Jenem konnte ich auf sein Verlangen das Gedicht um so weniger verweigern, als es in seinen Kalender geschrieben war und ich das Dokument meiner Fähigkeiten gern in seinen Händen sah. Er schied unter vielen Versicherungen von Bewunderung und Neigung und wünschte nichts mehr, als uns öfters zu begegnen, und wir machten aus, bald zusammen aufs Land zu gehen.

Unsre Partie kam zustande, zu der sich noch mehrere junge Leute von jenem Schlage gesellten. Es waren Menschen aus dem mittlern, ja, wenn man will, aus dem niedern Stande, denen es an Kopf nicht fehlte und die auch, weil sie durch die Schule gelaufen, manche Kenntnis und eine gewisse Bildung hatten. In einer großen reichen Stadt gibt es vielerlei Erwerbzweige. Sie halfen sich durch, indem sie für die Advokaten schrieben, Kinder der geringern Klasse durch Hausunterricht etwas weiter brachten, als es in Trivialschulen zu geschehen pflegt. Mit erwachsenern Kindern, welche konfirmiert werden sollten, repetierten sie den Religionsunterricht, liefen dann wieder den Mäklern oder Kaufleuten einige Wege und thaten sich abends, besonders 5 aber an Sonn- und Feiertagen, auf eine frugale Weise etwas zu gute.

Indem sie nun unterwegs meine Liebesepistel auf das beste herausstrichen, gestanden sie mir, daß sie einen sehr lustigen Gebrauch davon gemacht hätten: 10 sie sei nämlich mit verstellter Hand abgeschrieben und mit einigen nähern Beziehungen einem eingebildeten jungen Manne zugeschoben worden, der nun in der festen Überzeugung stehe, ein Frauenzimmer, dem er von fern den Hof gemacht, sei in ihn aufs äußerste ver- 15 liebt und suche Gelegenheit, ihm näher bekannt zu werden. Sie vertrauten mir dabei, er wünsche nichts mehr, als ihr auch in Versen antworten zu können; aber weder bei ihm noch bei ihnen finde sich Geschick dazu, weshalb sie mich inständig bäten, die gewünschte Ant- 20 wort selbst zu verfassen.

Mystifikationen sind und bleiben eine Unterhaltung für müßige, mehr oder weniger geistreiche Menschen. Eine läßliche Bosheit, eine selbstgefällige Schadenfreude sind ein Genuß für diejenigen, die sich weder mit 25 sich selbst beschäftigen, noch nach außen heilsam wirken können. Kein Alter ist ganz frei von einem solchen Kitzel. Wir hatten uns in unsern Knabenjahren einander oft angeführt; viele Spiele beruhen auf solchen Mystifikationen und Attrapen; der gegenwärtige Scherz 30 schien mir nicht weiter zu gehen: ich willigte ein; sie teilten mir manches Besondere mit, was der Brief enthalten sollte, und wir brachten ihn schon fertig mit nach Hause.

5 Kurze Zeit darauf wurde ich durch meinen Freund dringend eingeladen, an einem Abendfeste jener Gesellschaft teilzunehmen. Der Liebhaber wolle es diesmal ausstatten und verlange dabei ausdrücklich, dem Freunde zu danken, der sich so vortrefflich als poetischer Sekre-
10 tär erwiesen.

Wir kamen spät genug zusammen, die Mahlzeit war die frugalste, der Wein trinkbar; und was die Unterhaltung betraf, so drehte sie sich fast gänzlich um die Verhöhnung des gegenwärtigen, freilich nicht sehr auf-
15 geweckten Menschen, der nach wiederholter Lesung des Briefes nicht weit davon war, zu glauben, er habe ihn selbst geschrieben.

Meine natürliche Gutmütigkeit ließ mich an einer solchen boshaften Verstellung wenig Freude finden, und
20 die Wiederholung desselben Themas ekelte mich bald an. Gewiß, ich brachte einen verdrießlichen Abend hin, wenn nicht eine unerwartete Erscheinung mich wieder belebt hätte. Bei unserer Ankunft stand bereits der Tisch reinlich und ordentlich gedeckt, hinreichender Wein
25 aufgestellt; wir setzten uns und blieben allein, ohne Bedienung nötig zu haben. Als es aber doch zuletzt an Wein gebrach, rief einer nach der Magd; allein statt derselben trat ein Mädchen herein von ungemeiner und, wenn man sie in ihrer Umgebung sah, von unglaub-
30 licher Schönheit. — „Was verlangt ihr?“ sagte sie,

nachdem sie auf eine freundliche Weise guten Abend geboten; „die Magd ist krank und zu Bette. Kann ich euch dienen?“ — Es fehlt an Wein, sagte der eine. Wenn du uns ein paar Flaschen holtest, so wäre es sehr hübsch. — Thu' es, Gretchen, sagte der andere; es 5 ist ja nur ein Katzensprung. — „Warum nicht!“ versetzte sie, nahm ein paar leere Flaschen vom Tisch und eilte fort. Ihre Gestalt war von der Rückseite fast noch zierlicher. Das Häubchen saß so nett auf dem kleinen Kopfe, den ein schlanker Hals gar anmutig mit Nacken 10 und Schultern verband. Alles an ihr schien auserlesen, und man konnte der ganzen Gestalt um so ruhiger folgen, als die Aufmerksamkeit nicht mehr durch die stillen treuen Augen und den lieblichen Mund allein angezogen und gefesselt wurde. Ich machte den Gesellen Vor- 15 würfe, daß sie das Kind in der Nacht allein ausschickten; sie lachten mich aus, und ich war bald getröstet, als sie schon wiederkam: denn der Schenkwirt wohnte nur über die Straße. — Setze dich dafür auch zu uns, sagte der eine. Sie that es, aber leider kam sie nicht 20 neben mich. Sie trank ein Glas auf unsre Gesundheit und entfernte sich bald, indem sie uns riet, nicht gar lange beisammen zu bleiben und überhaupt nicht so laut zu werden: denn die Mutter wolle sich eben zu Bette legen. Es war nicht ihre Mutter, sondern die unserer 25 Wirte.

Die Gestalt dieses Mädchens verfolgte mich von dem Augenblick an auf allen Wegen und Stegen; es war der erste bleibende Eindruck, den ein weibliches Wesen auf mich gemacht hatte; und da ich einen Vorwand, sie 30

im Hause zu sehen, weder finden konnte, noch suchen mochte, ging ich ihr zuliebe in die Kirche und hatte bald ausgespürt, wo sie saß; und so konnte ich während des langen protestantischen Gottesdienstes mich wohl satt
5 an ihr sehen. Beim Herausgehen getraute ich mich nicht, sie anzureden, noch weniger sie zu begleiten, und war schon selig, wenn sie mich bemerkt und gegen einen Gruß genickt zu haben schien. Doch ich sollte das Glück, mich ihr zu nähern, nicht lange entbehren. Man hatte
10 jenen Liebenden, dessen poetischer Sekretär ich geworden war, glauben gemacht, der in seinem Namen geschriebene Brief sei wirklich an das Frauenzimmer abgegeben worden, und zugleich seine Erwartung aufs äußerste gespannt, daß nun bald eine Antwort darauf erfolgen
15 müsse. Auch diese sollte ich schreiben, und die schalkische Gesellschaft ließ mich durch Pylades aufs inständigste ersuchen, allen meinen Witz aufzubieten und alle meine Kunst zu verwenden, daß dieses Stück recht zierlich und vollkommen werde.

20 In Hoffnung, meine Schöne wiederzusehen, machte ich mich sogleich ans Werk und dachte mir nun alles, was mir höchst wohlgefällig sein würde, wenn Gretchen es mir schriebe. Ich glaubte alles so aus ihrer Gestalt, ihrem Wesen, ihrer Art, ihrem Sinn herausgeschrieben
25 zu haben, daß ich mich des Wunsches nicht enthalten konnte, es möchte wirklich so sein, und mich in Entzücken verlor, nur zu denken, daß etwas Ähnliches von ihr an mich könnte gerichtet werden. So mystifizierte ich mich selbst, indem ich meinte, einen andern zum besten zu
30 haben, und es sollte mir daraus noch manche Freude

und manches Ungemach entspringen. Als ich abermals gemahnt wurde, war ich fertig, versprach zu kommen und fehlte nicht zur bestimmten Stunde. Es war nur einer von den jungen Leuten zu Hause; Gretchen saß am Fenster und spann; die Mutter ging ab und zu. 5 Der junge Mensch verlangte, daß ich's ihm vorlesen sollte; ich that es und las nicht ohne Rührung, indem ich über das Blatt weg nach dem schönen Kinde hinschielte, und da ich eine gewisse Unruhe ihres Wesens, eine leichte Röte ihrer Wangen zu bemerken glaubte, 10 drückte ich nur besser und lebhafter aus, was ich von ihr zu vernehmen wünschte. Der Vetter, der mich oft durch Lobeserhebungen unterbrochen hatte, ersuchte mich zuletzt um einige Abänderungen. Sie betrafen einige Stellen, die freilich mehr auf Gretchens Zustand, als 15 auf den jenes Frauenzimmers paßten, das von gutem Hause, wohlhabend, in der Stadt bekannt und angesehen war. Nachdem der junge Mann mir die gewünschten Änderungen artikuliert und ein Schreibzeug herbeigeholt hatte, sich aber wegen eines Geschäfts auf 20 kurze Zeit beurlaubte, blieb ich auf der Wandbank hinter dem großen Tische sitzen und probierte die zu machenden Veränderungen auf der großen, fast den ganzen Tisch einnehmenden Schieferplatte mit einem Griffel, der stets im Fenster lag, weil man auf dieser 25 Steinfläche oft rechnete, sich mancherlei notierte, ja die Gehenden und Kommenden sich sogar Notizen dadurch mitteilten.

Ich hatte eine Zeit lang verschiedenes geschrieben und wieder ausgelöscht, als ich ungeduldig ausrief: Es will 30

nicht gehen! — „Desto besser!“ sagte das liebe Mädchen mit einem gesetzten Tone: „ich wünschte, es ginge
gar nicht. Sie sollten sich mit solchen Händeln nicht
befassen.“ — Sie stand vom Spinnrocken auf, und zu
5 mir an den Tisch tretend, hielt sie mir mit viel Verstand
und Freundlichkeit eine Strafpredigt. „Die Sache
scheint ein unschuldiger Scherz; es ist ein Scherz, aber
nicht unschuldig. Ich habe schon mehrere Fälle erlebt,
wo unsere jungen Leute wegen eines solchen Frevels in
10 große Verlegenheit kamen.“ — Was soll ich aber thun?
versetzte ich; der Brief ist geschrieben, und sie verlassen
sich drauf, daß ich ihn umändern werde. — „Glauben
Sie mir,“ versetzte sie, „und ändern ihn nicht um; ja,
nehmen Sie ihn zurück, stecken Sie ihn ein; gehen Sie
15 fort und suchen die Sache durch ihren Freund ins
Gleiche zu bringen. Ich will auch ein Wörtchen mit
drein reden: denn, sehen Sie, so ein armes Mädchen,
als ich bin, und abhängig von diesen Verwandten, die
zwar nichts Böses thun, aber doch oft um der Lust und
20 des Gewinns willen manches Wagehalsige vornehmen,
ich habe widerstanden und den ersten Brief nicht abgeschrieben, wie man von mir verlangte; sie haben ihn
mit verstellter Hand kopiert, und so mögen sie auch,
wenn es nicht anders ist, mit diesem thun. Und Sie,
25 ein junger Mann aus gutem Hause, wohlhabend, unabhängig, warum wollen Sie sich zum Werkzeug in
einer Sache gebrauchen lassen, aus der gewiß nichts
Gutes und vielleicht manches Unangenehme für Sie
entspringen kann?“ — Ich war glücklich, sie in einer
30 Folge reden zu hören; denn sonst gab sie nur wenige

Worte in das Gespräch. Meine Neigung wuchs unglaublich, ich war nicht Herr von mir selbst und erwiderte: Ich bin so unabhängig nicht, als Sie glauben, und was hilft mir, wohlhabend zu sein, da mir das Köstlichste fehlt, was ich wünschen dürfte! 5

Sie hatte mein Konzept der poetischen Epistel vor sich hingezogen und las es halb laut, gar hold und anmutig. „Das ist recht hübsch,“ sagte sie, indem sie bei einer Art naiver Pointe innehielt; „nur schade, daß es nicht zu einem bessern, zu einem wahren Gebrauch be- 10 stimmt ist.“ — Das wäre freilich sehr wünschenswert, rief ich aus; wie glücklich müßte der sein, der von einem Mädchen, das er unendlich liebt, eine solche Versicherung ihrer Neigung erhielte! — „Es gehört freilich viel dazu,“ versetzte sie, „und doch wird manches möglich.“ 15 — Zum Beispiel, fuhr ich fort, wenn jemand, der Sie kennt, schätzt, verehrt und anbetet, Ihnen ein solches Blatt vorlegte und Sie recht dringend, recht herzlich und freundlich bäte, was würden Sie thun? — Ich schob ihr das Blatt näher hin, das sie schon wieder mir 20 zugeschoben hatte. Sie lächelte, besann sich einen Augenblick, nahm die Feder und unterschrieb. Ich kannte mich nicht vor Entzücken, sprang auf und wollte sie umarmen. — „Nicht küssen!“ sagte sie, „das ist so was Gemeines; aber lieben, wenn's möglich ist.“ Ich 25 hatte das Blatt zu mir genommen und eingesteckt. Niemand soll es erhalten, sagte ich, und die Sache ist abgethan! Sie haben mich gerettet. — „Nun vollenden Sie die Rettung,“ rief sie aus, „und eilen fort, ehe die andern kommen und Sie in Pein und Verlegenheit ge- 30 raten.“ Ich konnte mich nicht von ihr losreißen; sie aber bat mich so freundlich, indem sie mit beiden Händen meine Rechte nahm und liebevoll drückte. Die Thränen waren mir nicht weit: ich glaubte ihre Augen 5 feucht zu sehen; ich drückte mein Gesicht auf ihre Hände und eilte fort. In meinem Leben hatte ich mich nicht in einer solchen Verwirrung befunden.

Die ersten Liebesneigungen einer unverdorbenen Jugend nehmen durchaus eine geistige Wendung. Die 10 Natur scheint zu wollen, daß ein Geschlecht in dem andern das Gute und Schöne sinnlich gewahr werde. Und so war auch mir durch den Anblick dieses Mädchens, durch meine Neigung zu ihr eine neue Welt des Schönen und Vortrefflichen aufgegangen. Ich las 15 meine poetische Epistel hundertmal durch, beschaute die Unterschrift, küßte sie, drückte sie an mein Herz und freute mich dieses liebenswürdigen Bekenntnisses. Je mehr sich aber mein Entzücken steigerte, desto weher that es mir, sie nicht unmittelbar besuchen, sie nicht wie-20 der sehen und sprechen zu können; denn ich fürchtete die Vorwürfe der Vettern und ihre Zudringlichkeit. Den guten Pylades, der die Sache vermitteln konnte, wußte ich nicht anzutreffen. Ich machte mich daher den nächsten Sonntag auf nach Niederrad, wohin jene Gesellen 25 gewöhnlich zu gehen pflegten, und fand sie auch wirklich. Sehr verwundert war ich jedoch, da sie mir, anstatt verdrießlich und fremd zu thun, mit frohem Gesicht entgegen kamen. Der Jüngste besonders war sehr freundlich, nahm mich bei der Hand und sagte: „Ihr 30 habt uns neulich einen schelmischen Streich gespielt, und wir waren auf Euch recht böse; doch hat uns Euer Entweichen und das Entwenden der poetischen Epistel auf einen guten Gedanken gebracht, der uns vielleicht sonst niemals aufgegangen wäre. Zur Versöhnung möget Ihr uns heute bewirten, und dabei sollt Ihr erfahren, 5 was es denn ist, worauf wir uns etwas einbilden, und was Euch gewiß auch Freude machen wird.“ Diese Anrede setzte mich in nicht geringe Verlegenheit: denn ich hatte ungefähr so viel Geld bei mir, um mir selbst und einem Freunde etwas zu gute zu thun; aber eine 10 Gesellschaft, und besonders eine solche, die nicht immer zur rechten Zeit ihre Grenzen fand, zu gastieren, war ich keineswegs eingerichtet; ja, dieser Antrag verwunderte mich um so mehr, als sie sonst durchaus sehr ehrenvoll darauf hielten, daß jeder nur seine Zeche be- 15 zahlte. Sie lächelten über meine Verlegenheit, und der Jüngere fuhr fort: „Laßt uns erst in der Laube sitzen, und dann sollt ihr das Weitre erfahren.“ Wir saßen, und er sagte: „Als Ihr die Liebesepistel neulich mitgenommen hattet, sprachen wir die ganze Sache noch 20 einmal durch und machten die Betrachtung, daß wir so ganz umsonst, andern zum Verdruß und uns zur Gefahr, aus bloßer leidiger Schadenfreude, Euer Talent mißbrauchen, da wir es doch zu unser aller Vorteil benutzen könnten. Seht, ich habe hier eine Bestellung auf ein 25 Hochzeitgedicht, sowie auf ein Leichencarmen. Das zweite muß gleich fertig sein, das erste hat noch acht Tage Zeit. Mögt Ihr sie machen, welches Euch ein Leichtes ist, so traktiert ihr uns zweimal, und wir bleiben auf lange Zeit Eure Schuldner.“—Dieser Vorschlag 30 gefiel mir von allen Seiten: denn ich hatte schon von Jugend auf die Gelegenheitsgedichte, deren damals in jeder Woche mehrere zirkulierten, ja besonders bei ansehnlichen Verheiratungen dutzendweise zum Vorschein kamen, mit einem gewissen Neid betrachtet, weil ich solche Dinge eben so gut, ja noch besser zu machen glaubte. Nun ward mir die Gelegenheit angeboten, mich zu zeigen, und besonders, mich gedruckt zu sehen. Ich erwies mich nicht abgeneigt. Man machte mich mit den Personalien, mit den Verhältnissen der Familie bekannt; ich ging etwas abseits, machte meinen Entwurf und führte einige Strophen aus. Da ich mich jedoch wieder zur Gesellschaft begab und der Wein nicht geschont wurde, so fing das Gedicht an zu stocken, und ich konnte es diesen Abend nicht abliefern. „Es hat noch bis morgen Abend Zeit,“ sagten sie, „und wir wollen Euch nur gestehen, das Honorar, welches wir für das Leichencarmen erhalten, reicht hin, uns morgen noch einen lustigen Abend zu verschaffen. Kommt zu uns: denn es ist billig, daß Gretchen auch mit genieße, die uns eigentlich auf diesen Einfall gebracht hat.“ — Meine Freude war unsäglich. Auf dem Heimwege hatte ich mir die noch fehlenden Strophen im Sinne, schrieb das Ganze noch vor Schlafengehen nieder und den andern Morgen sehr sauber ins Reine. Der Tag ward mir unendlich lang, und kaum war es dunkel geworden, so fand ich mich wieder in der kleinen engen Wohnung neben dem allerliebsten Mädchen. * * *

Das liebe Mädchen zu sehen und neben ihr zu sein, war nun bald eine unerläßliche Bedingung meines

Wesens. Jene hatten sich ebenso an mich gewöhnt, und wir waren fast täglich zusammen, als wenn es nicht anders sein könnte. Pylades hatte indessen seine Schöne auch in das Haus gebracht, und dieses Paar verlebte manchen Abend mit uns. Sie, als Brautleute, 5 obgleich noch sehr im Keime, verbargen doch nicht ihre Zärtlichkeit; Gretchens Betragen gegen mich war nur geschickt, mich in Entfernung zu halten. Sie gab niemanden die Hand, auch nicht mir; sie litt keine Berührung, nur setzte sie sich manchmal neben mich, besonders 10 wenn ich schrieb oder vorlas, und dann legte sie mir vertraulich den Arm auf die Schulter, sah mir ins Buch oder aufs Blatt; wollte ich mir aber eine ähnliche Freiheit gegen sie herausnehmen, so wich sie und kam so bald nicht wieder. Doch wiederholte sie oft diese Stel- 15 lung, so wie alle ihre Gesten und Bewegungen sehr einförmig waren, aber immer gleich gehörig, schön und reizend. Allein jene Vertraulichkeit habe ich sie gegen niemanden weiter ausüben sehen.

Eine der unschuldigsten und zugleich unterhaltendsten 20 Lustpartieen, die ich mit verschiedenen Gesellschaften junger Leute unternahm, war, daß wir uns in das Höchster Marktschiff setzten, die darin eingepackten seltsamen Passagiere beobachteten und uns bald mit diesem, bald mit jenem, wie uns Lust oder Mutwille trieb, 25 scherzhaft und neckend einließen. Zu Höchst stiegen wir aus, wo zu gleicher Zeit das Marktschiff von Mainz eintraf. In einem Gasthofe fand man eine gut besetzte Tafel, wo die Besseren der Auf- und Abfahrenden miteinander speisten und alsdann jeder seine Fahrt weiter 30 fortsetzte; denn beide Schiffe gingen wieder zurück. Wir fuhren dann jedesmal nach eingenommenem Mittagsessen hinauf nach Frankfurt und hatten in sehr großer Gesellschaft die wohlfeilste Wasserfahrt gemacht, 5 die nur möglich war. Einmal hatte ich auch mit Gretchens Vettern diesen Zug unternommen, als am Tisch in Höchst sich ein junger Mann zu uns gesellte, der etwas älter als wir sein mochte. Jene kannten ihn, und er ließ sich mir vorstellen. Er hatte in seinem Wesen 10 etwas sehr Gefälliges, ohne sonst ausgezeichnet zu sein. Von Mainz heraufgekommen, fuhr er nun mit uns nach Frankfurt zurück und unterhielt sich mit mir von allerlei Dingen, welche das innere Stadtwesen, die Ämter und Stellen betrafen, worin er mir ganz wohl unter-15 richtet schien. Als wir uns trennten, empfahl er sich mir und fügte hinzu: er wünsche, daß ich gut von ihm denken möge, weil er sich gelegentlich meiner Empfehlung zu erfreuen hoffe Ich wußte nicht, was er damit sagen wollte, aber die Vettern klärten mich nach einigen 20 Tagen auf; sie sprachen Gutes von ihm und ersuchten mich um ein Fürwort bei meinem Großvater, da jetzt eben eine mittlere Stelle offen sei, zu welcher dieser Freund gerne gelangen möchte. Ich entschuldigte mich anfangs, weil ich mich niemals in dergleichen Dinge 25 gemischt hatte; allein sie setzten mir so lange zu, bis ich mich es zu thun entschloß. Hatte ich doch schon manchmal bemerkt, daß bei solchen Ämtervergebungen, welche leider oft als Gnadensachen betrachtet werden, die Vorsprache der Großmutter oder einer Tante nicht ohne 30 Wirkung gewesen. Ich war so weit herangewachsen, um mir auch einigen Einfluß anzumaßen. Deshalb überwand ich meinen Freunden zulieb, welche sich auf alle Weise für eine solche Gefälligkeit verbunden erklärten, die Schüchternheit eines Enkels und übernahm es, ein Bittschreiben, das mir eingehändigt wurde, zu überreichen. 5

Eines Sonntags nach Tische, als der Großvater in seinem Garten beschäftigt war, um so mehr als der Herbst herannahte und ich ihm allenthalben behülflich zu sein suchte, rückte ich nach einigem Zögern mit meinem Anliegen und dem Bittschreiben hervor. 10 Er sah es an und fragte mich, ob ich den jungen Menschen kenne. Ich erzählte ihm im allgemeinen, was zu sagen war, und er ließ es dabei bewenden. „Wenn er Verdienst und sonst ein gutes Zeugnis hat, so will ich ihm 15 um seinet- und deinetwillen günstig sein.“ Mehr sagte er nicht, und ich erfuhr lange nichts von der Sache.

Seit einiger Zeit hatte ich bemerkt, daß Gretchen nicht mehr spann und sich dagegen mit Nähen beschäftigte, und zwar mit sehr feiner Arbeit, welches mich um 20 so mehr wunderte, da die Tage schon abgenommen hatten und der Winter herankam. Ich dachte darüber nicht weiter nach, nur beunruhigte es mich, daß ich sie einigemal des Morgens nicht wie sonst zu Hause fand und ohne Zudringlichkeit nicht erfahren konnte, wo sie 25 hingegangen sei. Doch sollte ich eines Tages sehr wunderlich überrascht werden. Meine Schwester, die sich zu einem Balle vorbereitete, bat mich, ihr bei einer Galanteriehändlerin sogenannte italienische Blumen zu holen. Sie wurden in Klöstern gemacht, waren klein 30

und niedlich. Myrten besonders, Zwergröslein und dergleichen fielen gar schön und natürlich aus. Ich that ihr die Liebe und ging in den Laden, in welchem ich schon öfter mit ihr gewesen war. Kaum war ich
5 hineingetreten und hatte die Eigentümerin begrüßt, als ich im Fenster ein Frauenzimmer sitzen sah, das mir unter einem Spitzenhäubchen gar jung und hübsch und unter einer seidnen Mantille sehr wohl gebaut schien. Ich konnte leicht an ihr eine Gehülfin erkennen, denn sie war
10 beschäftigt, Band und Federn auf ein Hütchen zu stecken. Die Putzhändlerin zeigte mir den langen Kasten mit einzelnen mannigfaltigen Blumen vor; ich besah sie und blickte, indem ich wählte, wieder nach dem Frauenzimmerchen im Fenster: aber wie groß war mein Erstau-
15 nen, als ich eine unglaubliche Ähnlichkeit mit Gretchen gewahr wurde, ja zuletzt mich überzeugen mußte, es sei Gretchen selbst. Auch blieb mir kein Zweifel übrig, als sie mir mit den Augen winkte und ein Zeichen gab, daß ich unsre Bekanntschaft nicht verraten sollte. Nun
20 brachte ich mit Wählen und Verwerfen die Putzhänd-lerin in Verzweiflung, mehr als ein Frauenzimmer selbst hätte thun können. Ich hatte wirklich keine Wahl; denn ich war aufs äußerste verwirrt, und zugleich liebte ich mein Zaudern, weil es mich in der Nähe des Kindes
25 hielt, dessen Maske mich verdroß und das mir doch in dieser Maske reizender vorkam als jemals. Endlich mochte die Putzhändlerin alle Geduld verlieren und suchte mir eigenhändig einen ganzen Pappenkasten voll Blumen aus, den ich meiner Schwester vorstellen und
30 sie selbst sollte wählen lassen. So wurde ich zum Laden

gleichsam hinausgetrieben, indem sie den Kasten durch ihr Mädchen vorausschickte.

Kaum war ich zu Hause angekommen, als mein Vater mich berufen ließ und mir die Eröffnung that, es sei nun ganz gewiß, daß der Erzherzog Joseph zum Römischen König gewählt und gekrönt werden solle. Ein so höchst bedeutendes Ereignis müsse man nicht unvorbereitet erwarten und etwa nur gaffend und staunend an sich vorbeigehen lassen. Er wolle daher die Wahl- und Krönungsdiarien der beiden letzten Krönungen mit mir durchgehen, nicht weniger die letzten Wahlkapitulationen, um alsdann zu bemerken, was für neue Bedingungen man im gegenwärtigen Falle hinzufügen werde. Die Diarien wurden aufgeschlagen, und wir beschäftigten uns den ganzen Tag damit bis tief in die Nacht, indessen mir das hübsche Mädchen, bald in ihrem alten Hauskleide, bald in ihrem neuen Kostüm, immer zwischen den höchsten Gegenständen des heiligen Römischen Reichs hin und wider schwebte. Für diesen Abend war es unmöglich, sie zu sehen, und ich durchwachte eine sehr unruhige Nacht. Das gestrige Studium wurde den andern Tag eifrig fortgesetzt, und nur gegen Abend machte ich es möglich, meine Schöne zu besuchen, die ich wieder in ihrem gewöhnlichen Hauskleide fand. Sie lächelte, indem sie mich ansah, aber ich getraute mich nicht, vor den andern etwas zu erwähnen. Als die ganze Gesellschaft wieder ruhig zusammensaß, fing sie an und sagte: „Es ist unbillig, daß ihr unserm Freunde nicht vertrauet, was in diesen Tagen von uns beschlossen worden.“ Sie fuhr darauf fort zu erzählen, daß nach unsrer neulichen Unterhaltung, wo die Rede war, wie ein jeder sich in der Welt wolle geltend machen, auch unter ihnen zur Sprache gekommen, auf welche Art ein weibliches Wesen seine Talente und Arbeiten steigern 5 und seine Zeit vorteilhaft anwenden könne. Darauf habe der Vetter vorgeschlagen, sie solle es bei einer Putzmacherin versuchen, die jetzt eben eine Gehülfin brauche. Man sei mit der Frau einig geworden, sie gehe täglich so viele Stunden hin, werde gut gelohnt; 10 nur müsse sie dort um des Anstands willen sich zu einem gewissen Anputz bequemen, den sie aber jederzeit zurücklasse, weil er zu ihrem übrigen Leben und Wesen sich gar nicht schicken wolle. Durch diese Erklärung war ich zwar beruhigt, nur wollte es mir nicht recht gefallen, 15 das hübsche Kind in einem öffentlichen Laden und an einem Orte zu wissen, wo die galante Welt gelegentlich ihren Sammelplatz hatte. Doch ließ ich mir nichts merken und suchte meine eifersüchtige Sorge im stillen bei mir zu verarbeiten. * * *

20 Mit jenem großen staatsrechtlichen Gegenstande, der Wahl und Krönung eines Römischen Königs, wollte es nun immer mehr Ernst werden. Der anfänglich auf Augsburg im Oktober 1763 ausgeschriebene kurfürstliche Kollegialtag ward nun nach Frankfurt verlegt, und so- 25 wohl zu Ende dieses Jahrs als zu Anfang des folgenden regten sich die Vorbereitungen, welche dieses wichtige Geschäft einleiten sollten. Den Anfang machte ein von uns noch nie gesehener Aufzug. Eine unserer Kanzleipersonen zu Pferde, von vier gleichfalls berittenen 30 Trompetern begleitet und von einer Fußwache umge-

ben, verlas mit lauter und vernehmlicher Stimme an allen Ecken der Stadt ein weitläufiges Edikt, das uns von dem Bevorstehenden benachrichtigte und den Bürgern ein geziemendes und den Umständen angemessenes Betragen einschärfte. Bei Rat wurden große Über- 5 legungen gepflogen, und es dauerte nicht lange, so zeigte sich der Reichsquartiermeister, vom Erbmarschall abgesendet, um die Wohnungen der Gesandten und ihres Gefolges nach altem Herkommen anzuordnen und zu bezeichnen. Unser Haus lag im kurpfälzischen Sprengel, 10 und wir hatten uns einer neuen, obgleich erfreulichern Einquartierung zu versehen. Der mittlere Stock, welchen ehmals Graf Thorane innegehabt, wurde einem kurpfälzischen Kavalier eingeräumt, und da Baron von Königsthal, Nürnbergischer Geschäftsträger, 15 den obern Stock eingenommen hatte, so waren wir noch mehr als zur Zeit der Franzosen zusammengedrängt. Dieses diente mir zu einem neuen Vorwand, außer dem Hause zu sein und die meiste Zeit des Tages auf der Straße zuzubringen, um das, was öffentlich zu sehen 20 war, ins Auge zu fassen.

* * * * * *

In diesen Tagen kam ich nicht zu mir selbst. Zu Hause gab es zu schreiben und zu kopieren; sehen wollte und sollte man alles, und so ging der März zu Ende, dessen zweite Hälfte für uns so festreich gewesen war. 25 Von dem, was zuletzt vorgegangen und was am Krönungstag zu erwarten sei, hatte ich Gretchen eine treuliche und ausführliche Belehrung versprochen. Der große Tag nahte heran; ich hatte mehr im Sinne, wie

ich es ihr sagen wollte, als was eigentlich zu sagen sei; ich verarbeitete alles, was mir unter die Augen und unter die Kanzleifeder kam, nur geschwind zu diesem nächsten und einzigen Gebrauch. Endlich erreichte ich
5 noch eines Abends ziemlich spät ihre Wohnung und that mir schon im voraus nicht wenig darauf zu gute, wie mein diesmaliger Vortrag noch viel besser als der erste unvorbereitete gelingen sollte. Allein gar oft bringt uns selbst, und andern durch uns, ein augenblick-
10 licher Anlaß mehr Freude als der entschiedenste Vorsatz nicht gewähren kann. Zwar fand ich ziemlich dieselbe Gesellschaft, allein es waren einige Unbekannte darunter. Sie setzten sich hin, zu spielen; nur Gretchen und der jüngere Vetter hielten sich zu mir und der
15 Schiefertafel. Das liebe Mädchen äußerte gar anmutig ihr Behagen, daß sie, als eine Fremde, am Wahltage für eine Bürgerin gegolten habe und ihr dieses einzige Schauspiel zu teil geworden sei. Sie dankte mir aufs verbindlichste, daß ich für sie zu sorgen gewußt und ihr
20 zeither durch Pylades allerlei Einlässe mittelst Billette, Anweisungen, Freunde und Fürsprache zu verschaffen die Aufmerksamkeit gehabt.

Von den Reichskleinodien hörte sie gern erzählen. Ich versprach ihr, daß wir diese wo möglich zusammen
25 sehen wollten. Sie machte einige scherzhafte Anmerkungen, als sie erfuhr, daß man Gewänder und Krone dem jungen König anprobiert habe. Ich wußte, wo sie den Feierlichkeiten des Krönungstages zusehen würde, und machte sie aufmerksam auf alles, was bevorstand
30 und was besonders von ihrem Platze genau beobachtet werden konnte.

So vergaßen wir, an die Zeit zu denken; es war schon über Mitternacht geworden, und ich fand, daß ich unglücklicherweise den Hausschlüssel nicht bei mir hatte. Ohne das größte Aufsehen zu erregen, konnte ich nicht ins Haus. Ich teilte ihr meine Verlegenheit mit. „Am 5 Ende," sagte sie, „ist es das Beste, die Gesellschaft bleibt zusammen." Die Vettern und jene Fremden hatten schon den Gedanken gehabt, weil man nicht wußte, wo man diese für die Nacht unterbringen sollte. Die Sache war bald entschieden; Gretchen ging, um 10 Kaffee zu kochen, nachdem sie, weil die Lichter auszubrennen drohten, eine große messingene Familienlampe mit Docht und Öl versehen und angezündet hereingebracht hatte.

Der Kaffee diente für einige Stunden zur Ermun- 15 terung; nach und nach aber ermattete das Spiel, das Gespräch ging aus, die Mutter schlief im großen Sessel, die Fremden, von der Reise müde, nickten da und dort, Pylades und seine Schöne saßen in einer Ecke. Sie hatte ihren Kopf auf seine Schulter gelegt und schlief; 20 auch er wachte nicht lange. Der jüngere Vetter, gegen uns über am Schiefertische sitzend, hatte seine Arme vor sich über einander geschlagen und schlief mit aufliegendem Gesichte. Ich saß in der Fensterecke hinter dem Tische und Gretchen neben mir. Wir unterhielten uns 25 leise; aber endlich übermannte auch sie der Schlaf, sie lehnte ihr Köpfchen an meine Schulter und war gleich eingeschlummert. So saß ich nun allein, wachend, in der wunderlichsten Lage, in der auch mich der freundliche Bruder des Todes zu beruhigen wußte. Ich 30

schlief ein, und als ich wieder erwachte, war es schon
heller Tag. Gretchen stand vor dem Spiegel und
rückte ihr Häubchen zurechte; sie war liebenswürdiger
als je und drückte mir, als ich schied, gar herzlich die
5 Hände. Ich schlich durch einen Umweg nach unserm
Hause: denn an der Seite nach dem kleinen Hirschgraben zu hatte sich mein Vater in der Mauer ein
kleines Guckfenster, nicht ohne Widerspruch des Nachbarn, angelegt. Diese Seite vermieden wir, wenn wir
10 nach Hause kommend von ihm nicht bemerkt sein wollten. Meine Mutter, deren Vermittelung uns immer
zu gute kam, hatte meine Abwesenheit des Morgens
beim Thee durch ein frühzeitiges Ausgehen meiner zu
beschönigen gesucht, und ich empfand also von dieser
15 unschuldigen Nacht keine unangenehmen Folgen. * * *

Der Krönungstag brach endlich an, den 3. April
1764; das Wetter war günstig und alle Menschen in
Bewegung. Man hatte mir, nebst mehrern Verwandten und Freunden, in dem Römer selbst, in einer
20 der obern Etagen einen guten Platz angewiesen, wo
wir das Ganze vollkommen übersehen konnten. Mit
dem frühesten begaben wir uns an Ort und Stelle und
beschauten nunmehr von oben, wie in der Vogelperspek-
tive, die Anstalten, die wir tags vorher in nähern
25 Augenschein genommen hatten. Da war der neuerrich-
tete Springbrunnen mit zwei großen Kufen rechts und
links, in welche der Doppeladler auf dem Ständer
weißen Wein hüben und roten Wein drüben aus seinen
zwei Schnäbeln ausgießen sollte. Aufgeschüttet zu
30 einem Haufen lag dort der Haber, hier stand die große

Bretterhütte, in der man schon einige Tage den ganzen fetten Ochsen an einem ungeheuren Spieße bei Kohlenfeuer braten und schmoren sah. Alle Zugänge, die vom Römer aus dahin und von anderen Straßen nach dem Römer führen, waren zu beiden Seiten durch Schranken und Wachen gesichert. Der große Platz füllte sich nach und nach, und das Wogen und Drängen ward immer stärker und bewegter, weil die Menge wo möglich immer nach der Gegend hinstrebte, wo ein neuer Auftritt erschien und etwas Besonderes angekündigt wurde.

Bei alle dem herrschte eine ziemliche Stille, und als die Sturmglocke geläutet wurde, schien das ganze Volk von Schauer und Erstaunen ergriffen. Was nun zuerst die Aufmerksamkeit aller, die von oben herab den Platz übersehen konnten, erregte, war der Zug, in welchem die Herren von Aachen und Nürnberg die Reichskleinodien nach dem Dome brachten. Diese hatten als Schutzheiligtümer den ersten Platz im Wagen eingenommen, und die Deputierten saßen vor ihnen in anständiger Verehrung auf dem Rücksitz. Nunmehr begeben sich die drei Kurfürsten in den Dom. Nach Überreichung der Insignien an Kur-Mainz werden Krone und Schwert sogleich nach dem kaiserlichen Quartier gebracht. Die weiteren Anstalten und mancherlei Zeremoniell beschäftigen mittlerweile die Hauptpersonen sowie die Zuschauer in der Kirche, wie wir andern Unterrichteten uns wohl denken konnten.

Vor unsern Augen fuhren indessen die Gesandten auf den Römer, aus welchem der Baldachin von Unteroffizieren in das kaiserliche Quartier getragen wird.

Sogleich besteigt der Erbmarschall Graf von Pappenheim sein Pferd, ein sehr schöner schlankgebildeter Herr, den die spanische Tracht, das reiche Wams, der goldne Mantel, der hohe Federhut und die gestrählten fliegen-
5 den Haare sehr wohl kleideten. Er setzt sich in Bewegung, und unter dem Geläute aller Glocken folgen ihm zu Pferde die Gesandten nach dem kaiserlichen Quartier in noch größerer Pracht als am Wahltage. Dort hätte man auch sein mögen, wie man sich an diesem Tage
10 durchaus zu vervielfältigen wünschte. Wir erzählten einander indessen, was dort vorgehe. Nun zieht der Kaiser seinen Hausornat an, sagten wir, eine neue Bekleidung nach dem Muster der alten karolingischen verfertigt. Die Erbämter erhalten die Reichsinsignien
15 und setzen sich damit zu Pferde. Der Kaiser im Ornat, der Römische König im spanischen Habit besteigen gleichfalls ihre Rosse, und indem dieses geschieht, hat sie uns der vorausgeschrittene unendliche Zug bereits angemeldet.

20 Das Auge war schon ermüdet durch die Menge der reich gekleideten Dienerschaft und der übrigen Behörden, durch den stattlich einherwandelnden Adel; und als nunmehr die Wahlbotschafter, die Erbämter und zuletzt unter dem reichgestickten, von zwölf Schöffen und Rats-
25 herrn getragenen Baldachin der Kaiser in romantischer Kleidung, zur Linken, etwas hinter ihm, sein Sohn in spanischer Tracht langsam auf prächtig geschmückten Pferden einherschwebten, war das Auge nicht mehr sich selbst genug. Man hätte gewünscht, durch eine Zauber-
30 formel die Erscheinung nur einen Augenblick zu fesseln;

aber die Herrlichkeit zog unaufhaltsam vorbei, und der kaum verlassenen Raum erfüllte sogleich wieder das hereinwogende Volk.

Nun aber entstand ein neues Gedränge: denn es mußte ein anderer Zugang von dem Markte her nach 5 der Römerthür eröffnet und ein Bretterweg aufgebrückt werden, welchen der aus dem Dom zurückkehrende Zug beschreiten sollte.

Was in dem Dome vorgegangen, die unendlichen Zeremonien, welche die Salbung, die Krönung, den 10 Ritterschlag vorbereiten und begleiten, alles dieses ließen wir uns in der Folge gar gern von denen erzählen, die manches andere aufgeopfert hatten, um in der Kirche gegenwärtig zu sein.

Wir andern verzehrten mittlerweile auf unsern 15 Plätzen eine frugale Mahlzeit: denn wir mußten an dem festlichsten Tage, den wir erlebten, mit kalter Küche vorlieb nehmen. Dagegen aber war der beste und älteste Wein aus allen Familienkellern herangebracht worden, so daß wir von dieser Seite wenigstens dies 20 altertümliche Fest altertümlich feierten.

Auf dem Platze war jetzt das Sehenswürdigste die fertig gewordene und mit rotgelb- und weißem Tuch überlegte Brücke, und wir sollten den Kaiser, den wir zuerst im Wagen, dann zu Pferde sitzend angestaunt, 25 nun auch zu Fuße wandelnd bewundern; und sonderbar genug, auf das letzte freuten wir uns am meisten; denn uns deuchte diese Weise, sich darzustellen, so wie die natürlichste, so auch die würdigste.

Ältere Personen, welche der Krönung Franz des Ersten beigewohnt, erzählten: Maria Theresia, über die Maßen schön, habe jener Feierlichkeit an einem Balkonfenster des Hauses Frauenstein, gleich neben dem
5 Römer, zugesehen. Als nun ihr Gemahl in der seltsamen Verkleidung aus dem Dome zurückgekommen und sich ihr so zu sagen als ein Gespenst Karls des Großen dargestellt, habe er wie zum Scherz beide Hände erhoben und ihr den Reichsapfel, den Zepter und die
10 wundersamen Handschuh hingewiesen, worüber sie in ein unendliches Lachen ausgebrochen, welches dem ganzen zuschauenden Volke zur größten Freude und Erbauung gedient, indem es darin das gute und natürliche Ehgattenverhältnis des allerhöchsten Paares der
15 Christenheit mit Augen zu sehen gewürdiget worden. Als aber die Kaiserin, ihren Gemahl zu begrüßen, das Schnupftuch geschwungen und ihm selbst ein lautes Vivat zugerufen, sei der Enthusiasmus und der Jubel des Volks aufs höchste gestiegen, so daß das Freuden-
20 geschrei gar kein Ende finden können.

Nun verkündigte der Glockenschall und nun die Vordersten des langen Zuges, welche über die bunte Brücke ganz sachte einherschritten, daß alles gethan sei. Die Aufmerksamkeit war größer denn je, der Zug deutlicher
25 als vorher, besonders für uns, da er jetzt gerade nach uns zuging. Wir sahen ihn sowie den ganzen volkserfüllten Platz beinah im Grundriß. Nur zu sehr drängte sich am Ende die Pracht; denn die Gesandten, die Erbämter, Kaiser und König unter dem Baldachin,
30 die drei geistlichen Kurfürsten, die sich anschlossen, die

schwarz gekleideten Schöffen und Ratsherren, der goldgestickte Himmel, alles schien nur eine Masse zu sein, die nur von einem Willen bewegt, prächtig harmonisch und soeben unter dem Geläute der Glocken aus dem Tempel tretend, als ein Heiliges uns entgegenstrahlte. * * * Der von dem Markt her ertönende Jubel verbreitete sich nun auch über den großen Platz, und ein ungestümes Vivat erscholl aus tausend und aber tausend Kehlen, und gewiß auch aus den Herzen. Denn dieses große Fest sollte ja das Pfand eines dauerhaften Friedens werden, der auch wirklich lange Jahre hindurch Deutschland beglückte.

Mehrere Tage vorher war durch öffentlichen Ausruf bekannt gemacht, daß weder die Brücke noch der Adler über dem Brunnen preisgegeben und also nicht vom Volke wie sonst angetastet werden solle. Es geschah dies, um manches bei solchem Anstürmen unvermeidliche Unglück zu verhüten. Allein um doch einigermaßen dem Genius des Pöbels zu opfern, gingen eigens bestellte Personen hinter dem Zuge her, lösten das Tuch von der Brücke, wickelten es bahnenweise zusammen und warfen es in die Luft. Hiedurch entstand nun zwar kein Unglück, aber ein lächerliches Unheil: denn das Tuch entrollte sich in der Luft und bedeckte, wie es niederfiel, eine größere oder geringere Anzahl Menschen. Diejenigen nun, welche die Enden faßten und solche an sich zogen, rissen alle die Mittleren zu Boden, umhüllten und ängstigten sie so lange, bis sie sich durchgerissen oder durchgeschnitten und jeder nach seiner Weise einen Zipfel dieses, durch die Fußtritte der Majestäten geheiligten Gewebes davongetragen hatte.

Dieser wilden Belustigung sah ich nicht lange zu, sondern eilte von meinem hohen Standorte durch allerlei Treppchen und Gänge hinunter an die große Römerstiege, wo die aus der Ferne angestaunte, so vornehme
5 als herrliche Masse heraufwallen sollte. Das Gedräng war nicht groß, weil die Zugänge des Rathauses wohl besetzt waren, und ich kam glücklich unmittelbar oben an das eiserne Geländer. Nun stiegen die Hauptpersonen an mir vorüber, indem das Gefolge in den untern
10 Gewölbgängen zurückblieb, und ich konnte sie auf der dreimal gebrochenen Treppe von allen Seiten und zuletzt ganz in der Nähe betrachten.

Endlich kamen auch die beiden Majestäten herauf. Vater und Sohn waren wie Menächmen überein ge-
15 kleidet. Des Kaisers Hausornat von purpurfarbner Seide, mit Perlen und Steinen reich geziert, sowie Krone, Zepter und Reichsapfel fielen wohl in die Augen: denn alles war neu daran und die Nachahmung des Altertums geschmackvoll. So bewegte er
20 sich auch in seinem Anzuge ganz bequem, und sein treuherzig würdiges Gesicht gab zugleich den Kaiser und den Vater zu erkennen. Der junge König hingegen schleppte sich in den ungeheuren Gewandstücken mit den Kleinodien Karls des Großen, wie in einer Verkleidung,
25 einher, so daß er selbst, von Zeit zu Zeit seinen Vater ansehend, sich des Lächelns nicht enthalten konnte. Die Krone, welche man sehr hatte füttern müssen, stand wie ein übergreifendes Dach vom Kopf ab. Die Dalmatika, die Stola, so gut sie auch angepaßt und einge-
30 näht worden, gewährte doch keineswegs ein vorteil-

haftes Aussehen. Zepter und Reichsapfel setzten in Verwunderung; aber man konnte sich nicht leugnen, daß man lieber eine mächtige, dem Anzuge gewachsene Gestalt, um der günstigern Wirkung willen, damit bekleidet und ausgeschmückt gesehen hätte. 5

Kaum waren die Pforten des großen Saales hinter diesen Gestalten wieder geschlossen, so eilte ich auf meinen vorigen Platz, der, von andern bereits eingenommen, nur mit einiger Not mir wieder zu teil wurde.

Es war eben die rechte Zeit, daß ich von meinem 10 Fenster wieder Besitz nahm; denn das Merkwürdigste, was öffentlich zu erblicken war, sollte eben vorgehen. Alles Volk hatte sich gegen den Römer zu gewendet, und ein abermaliges Vivatschreien gab uns zu erkennen, daß Kaiser und König an dem Balkonfenster des großen 15 Saales in ihrem Ornate sich dem Volke zeigten. Aber sie sollten nicht allein zum Schauspiel dienen, sondern vor ihren Augen sollte ein seltsames Schauspiel vorgehen. Vor allen schwang sich nun der schöne schlanke Erbmarschall auf sein Roß; er hatte das Schwert ab- 20 gelegt; in seiner Rechten hielt er ein silbernes gehenkeltes Gemäß und ein Streichblech in der Linken. So ritt er in den Schranken auf den großen Haferhaufen zu, sprengte hinein, schöpfte das Gefäß übervoll, strich es ab und trug es mit großem Anstande wieder zurück. 25 Der kaiserliche Marstall war nunmehr versorgt. Der Erbkämmerer ritt sodann gleichfalls auf jene Gegend zu und brachte ein Handbecken nebst Gießfaß und Handquele zurück. Unterhaltender aber für die Zuschauer war der Erbtruchseß, der ein Stück von dem gebratnen 30

Ochsen zu holen kam. Auch er ritt mit einer silbernen Schüssel durch die Schranken bis zu der großen Bretterküche und kam bald mit verdecktem Gericht wieder hervor, um seinen Weg nach dem Römer zu nehmen. Die
5 Reihe traf nun den Erbschenken, der zu dem Springbrunnen ritt und Wein holte. So war nun auch die kaiserliche Tafel bestellt, und aller Augen warteten auf den Erbschatzmeister, der das Geld auswerfen sollte. Auch er bestieg ein schönes Roß, dem zu beiden Seiten
10 des Sattels anstatt der Pistolenhalftern ein Paar prächtige, mit dem kurpfälzischen Wappen gestickte Beutel befestigt hingen. Kaum hatte er sich in Bewegung gesetzt, als er in diese Taschen griff und rechts und links Gold- und Silbermünzen freigebig ausstreute, welche
15 jedesmal in der Luft als ein metallner Regen gar lustig glänzten. Tausend Hände zappelten augenblicklich in der Höhe, um die Gaben aufzufangen; kaum aber waren die Münzen niedergefallen, so wühlte die Masse in sich selbst gegen den Boden und rang gewaltig um
20 die Stücke, welche zur Erde mochten gekommen sein. Da nun diese Bewegung von beiden Seiten sich immer wiederholte, wie der Geber vorwärts ritt, so war es für die Zuschauer ein sehr belustigender Anblick. Zum Schlusse ging es am allerlebhaftesten her, als er die
25 Beutel selbst auswarf und ein jeder noch diesen höchsten Preis zu erhaschen trachtete.

Die Majestäten hatten sich vom Balkon zurückgezogen, und nun sollte dem Pöbel abermals ein Opfer gebracht werden, der in solchen Fällen lieber die Gaben
30 rauben als sie gelassen und dankbar empfangen will.

In rohern und derberen Zeiten herrschte der Gebrauch, den Hafer, gleich nachdem der Erbmarschall das Teil weggenommen, den Springbrunnen, nachdem der Erbschenk, die Küche, nachdem der Erbtruchseß sein Amt verrichtet, auf der Stelle preiszugeben. Diesmal aber 5 hielt man, um alles Unglück zu verhüten, so viel es sich thun ließ, Ordnung und Maß. Doch fielen die alten schadenfrohen Späße wieder vor, daß, wenn einer einen Sack Hafer aufgepackt hatte, der andere ihm ein Loch hineinschnitt, und was dergleichen Artigkeiten mehr 10 waren. Um den gebratnen Ochsen aber wurde diesmal wie sonst ein ernsterer Kampf geführt. Man konnte sich denselben nur in Masse streitig machen. Zwei Innungen, die Metzger und Weinschröter, hatten sich hergebrachtermaßen wieder so postiert, daß einer von 15 beiden dieser ungeheure Braten zu teil werden mußte. Die Metzger glaubten das größte Recht an einen Ochsen zu haben, den sie unzerstückt in die Küche geliefert; die Weinschröter dagegen machten Anspruch, weil die Küche in der Nähe ihres zunftmäßigen Aufenthalts erbaut 20 war, und weil sie das letzte Mal obgesiegt hatten; wie denn aus dem vergitterten Giebelfenster ihres Zunft- und Versammlungshauses die Hörner jenes erbeuteten Stiers als Siegeszeichen hervorstarrend zu sehen waren. Beide zahlreichen Innungen hatten sehr kräftige und 25 tüchtige Mitglieder; wer aber diesmal den Sieg davongetragen, ist mir nicht mehr erinnerlich.

Wie nun aber eine Feierlichkeit dieser Art mit etwas Gefährlichem und Schreckhaften schließen soll, so war es wirklich ein fürchterlicher Augenblick, als die bretterne 30

Küche selbst preisgemacht wurde. Das Dach derselben
wimmelte sogleich von Menschen, ohne daß man wußte,
wie sie hinaufgekommen; die Bretter wurden losgerissen
und heruntergestürzt, so daß man, besonders in der
5 Ferne, denken mußte, ein jedes werde ein paar der Zu-
dringenden totschlagen. In einem Nu war die Hütte
abgedeckt, und einzelne Menschen hingen an Sparren
und Balken, um auch diese aus den Fugen zu reißen;
ja manche schwebten noch oben herum, als schon unten
10 die Pfosten abgesägt waren, das Gerippe hin- und
widerschwankte und jähen Einsturz drohte. Zarte Personen wandten die Augen hinweg, und jedermann erwartete sich ein großes Unglück; allein man hörte nicht
einmal von irgend einer Beschädigung, und alles war,
15 obgleich heftig und gewaltsam, doch glücklich vorübergegangen.

Jedermann wußte nun, daß Kaiser und König aus
dem Kabinett, wohin sie vom Balkon abgetreten, sich
wieder hervorbegeben und in dem großen Römersaale
20 speisen würden. Man hatte die Anstalten dazu tags
vorher bewundern können, und mein sehnlichster Wunsch
war, heute wo möglich nur einen Blick hinein zu thun.
Ich begab mich daher auf gewohnten Pfaden wieder an
die große Treppe, welcher die Thür des Saals gerade
25 gegenüber steht. Hier staunte ich nun die vornehmen
Personen an, welche sich heute als Diener des Reichs-
oberhauptes bekannten. Vierundvierzig Grafen, die
Speisen aus der Küche herantragend, zogen an mir
vorbei, alle prächtig gekleidet, so daß der Kontrast ihres
30 Anstandes mit der Handlung für einen Knaben wohl

sinnverwirrend sein konnte. Das Gedränge war nicht groß, doch wegen des kleinen Raums merklich genug. Die Saalthür war bewacht, indes gingen die Befugten häufig aus und ein. Ich erblickte einen pfälzischen Hausoffizianten, den ich anredete, ob er mich nicht mit hineinbringen könne. Er besann sich nicht lange, gab mir eins der silbernen Gefäße, die er eben trug, welches er um so eher konnte, als ich sauber gekleidet war; und so gelangte ich denn in das Heiligtum. Das pfälzische Büffett stand links, unmittelbar an der Thür, und mit einigen Schritten befand ich mich auf der Erhöhung desselben hinter den Schranken.

Am andern Ende des Saals, unmittelbar an den Fenstern, saßen auf Thronstufen erhöht, unter Baldachinen, Kaiser und König in ihren Ornaten; Krone und Zepter aber lagen auf goldnen Kissen rückwärts in einiger Entfernung. Die drei geistlichen Kurfürsten hatten, ihre Büffette hinter sich, auf einzelnen Estraden Platz genommen: Kur-Mainz den Majestäten gegenüber, Kur-Trier zur Rechten und Kur-Köln zur Linken. Dieser obere Teil des Saals war würdig und erfreulich anzusehen und erregte die Bemerkung, daß die Geistlichkeit sich so lange als möglich mit dem Herrscher halten mag. Dagegen ließen die zwar prächtig aufgeputzten, aber herrenleeren Büffette und Tische der sämtlichen weltlichen Kurfürsten an das Mißverhältnis denken, welches zwischen ihnen und dem Reichsoberhaupt durch Jahrhunderte allmählich entstanden war. Die Gesandten derselben hatten sich schon entfernt, um in einem Seitenzimmer zu speisen; und wenn dadurch der

größte Teil des Saals ein gespensterhaftes Ansehn bekam, daß so viele unsichtbare Gäste auf das prächtigste
bedient wurden, so war eine große unbesetzte Tafel in
der Mitte noch betrübter anzusehen: denn hier standen
5 auch so viele Couverte leer, weil alle die, welche allenfalls ein Recht hatten, sich daran zu setzen, anstandshalber, um an dem größten Ehrentage ihrer Ehre nichts
zu vergeben, ausblieben, wenn sie sich auch dermalen in
der Stadt befanden.

10 Viele Betrachtungen anzustellen, erlaubten mir weder
meine Jahre noch das Gedräng der Gegenwart. Ich
bemühte mich, alles möglichst ins Auge zu fassen, und
wie der Nachtisch aufgetragen wurde, da die Gesandten,
um ihren Hof zu machen, wieder hereintraten, suchte ich
15 das Freie und wußte mich bei guten Freunden in der
Nachbarschaft nach dem heutigen Halbfasten wieder zu
erquicken und zu den Illuminationen des Abends vorzubereiten.

Diesen glänzenden Abend gedachte ich auf eine ge-
20 mütliche Weise zu feiern: denn ich hatte mit Gretchen,
mit Pylades und der Seinigen abgeredet, daß wir uns
zur nächtlichen Stunde irgendwo treffen wollten. Schon
leuchtete die Stadt an allen Ecken und Enden, als ich
meine Geliebten antraf. Ich reichte Gretchen den Arm,
25 wir zogen von einem Quartier zum andern und befanden uns zusammen sehr glücklich. Die Vettern waren
anfangs auch bei der Gesellschaft, verloren sich aber
nachher unter der Masse des Volks. Vor den Häusern
einiger Gesandten, wo man prächtige Illuminationen
30 angebracht hatte (die kurpfälzische zeichnete sich vor-

züglich aus), war es so hell, wie es am Tage nur sein kann. Um nicht erkannt zu werden, hatte ich mich einigermaßen vermummt, und Gretchen fand es nicht übel. Wir bewunderten die verschiedenen glänzenden Darstellungen und die feenmäßigen Flammengebäude, 5 womit immer ein Gesandter den andern zu überbieten gedacht hatte. Die Anstalt des Fürsten Esterhazy jedoch übertraf alle die übrigen. Unsere kleine Gesellschaft war von der Erfindung und Ausführung entzückt, und wir wollten eben das Einzelne recht genießen, als 10 uns die Vettern wieder begegneten und von der herrlichen Erleuchtung sprachen, womit der brandenburgische Gesandte sein Quartier ausgeschmückt habe. Wir ließen uns nicht verdrießen, den weiten Weg von dem Roßmarkte bis zum Saalhof zu machen, fanden aber, daß 15 man uns auf eine frevle Weise zum besten gehabt hatte.

Der Saalhof ist nach dem Main zu ein regelmäßiges und ansehnliches Gebäude, dessen nach der Stadt gerichteter Teil aber uralt, unregelmäßig und unscheinbar. 20 Kleine, weder in Form noch Größe übereinstimmende, noch auf eine Linie, noch in gleicher Entfernung gesetzte Fenster, unsymmetrisch angebrachte Thore und Thüren, ein meist in Kramläden verwandeltes Untergeschoß bilden eine verworrene Außenseite, die von niemand 25 jemals betrachtet wird. Hier war man nun der zufälligen, unregelmäßigen, unzusammenhängenden Architektur gefolgt und hatte jedes Fenster, jede Thür, jede Öffnung für sich mit Lampen umgeben, wie man es allenfalls bei einem wohlgebauten Hause thun kann, 30 wodurch aber hier die schlechteste und mißgebildetste aller Fassaden ganz unglaublich in das hellste Licht gesetzt wurde. Hatte man sich nun hieran, wie etwa an den Späßen des Pagliasso ergötzt, obgleich nicht ohne Bedenklichkeiten, weil jedermann etwas Vorsätzliches darin erkennen mußte — wie man denn schon vorher über das sonstige äußre Benehmen des übrigens sehr geschätzten Plotho glossiert und, da man ihm nun einmal gewogen war, auch den Schalk in ihm bewundert hatte, der sich über alles Zeremoniell wie sein König hinauszusetzen pflege: so ging man doch lieber in das Esterhazysche Feenreich wieder zurück.

Dieser hohe Botschafter hatte, diesen Tag zu ehren, sein ungünstig gelegenes Quartier ganz übergangen und dafür die große Linden-Esplanade am Roßmarkt vorn mit einem farbig erleuchteten Portal, im Hintergrund aber mit einem wohl noch prächtigern Prospekte verzieren lassen. Die ganze Einfassung bezeichneten Lampen. Zwischen den Bäumen standen Lichtpyramiden und Kugeln auf durchscheinenden Piedestalen; von einem Baum zum andern zogen sich leuchtende Guirlanden, an welchen Hängeleuchter schwebten. An mehreren Orten verteilte man Brot und Würste unter das Volk und ließ es an Wein nicht fehlen.

Hier gingen wir nun zu vieren an einander geschlossen höchst behaglich auf und ab, und ich an Gretchens Seite deuchte mir wirklich in jenen glücklichen Gefilden Elysiums zu wandeln, wo man die krystallnen Gefäße vom Baume bricht, die sich mit dem gewünschten Wein sogleich füllen, und wo man Früchte schüttelt, die sich in jede beliebige Speise verwandeln. Ein solches Bedürfnis fühlten wir denn zuletzt auch, und geleitet von Pylades, fanden wir ein ganz artig eingerichtetes Speisehaus; und da wir keine Gäste weiter antrafen, indem alles auf den Straßen umherzog, ließen wir es 5 uns um so wohler sein und verbrachten den größten Teil der Nacht im Gefühl von Freundschaft, Liebe und Neigung auf das heiterste und glücklichste. Als ich Gretchen bis an ihre Thür begleitet hatte, küßte sie mich auf die Stirn. Es war das erste und letzte Mal, daß 10 sie mir diese Gunst erwies: denn leider sollte ich sie nicht wiedersehen.

Den andern Morgen lag ich noch im Bette, als meine Mutter verstört und ängstlich hereintrat. Man konnte es ihr gar leicht ansehen, wenn sie sich irgend 15 bedrängt fühlte. — „Steh auf," sagte sie, „und mache dich auf etwas Unangenehmes gefaßt. Es ist herausgekommen, daß du sehr schlechte Gesellschaft besuchst und dich in die gefährlichsten und schlimmsten Händel verwickelt hast. Der Vater ist außer sich, und wir 20 haben nur so viel von ihm erlangt, daß er die Sache durch einen Dritten untersuchen will. Bleib auf deinem Zimmer und erwarte, was bevorsteht. Der Rat Schneider wird zu dir kommen; er hat sowohl vom Vater als von der Obrigkeit den Auftrag: denn die 25 Sache ist schon anhängig und kann eine sehr böse Wendung nehmen."

Ich sah wohl, daß man die Sache viel schlimmer nahm, als sie war; doch fühlte ich mich nicht wenig beunruhigt, wenn auch nur das eigentliche Verhältnis 30

entdeckt werden sollte. Der alte Messianische Freund trat endlich herein, die Thränen standen ihm in den Augen; er faßte mich beim Arm und sagte: „Es thut mir herzlich leid, daß ich in solcher Angelegenheit zu
5 Ihnen komme. Ich hätte nicht gedacht, daß Sie sich so weit verirren könnten. Aber was thut nicht schlechte Gesellschaft und böses Beispiel; und so kann ein junger unerfahrner Mensch Schritt vor Schritt bis zum Verbrechen geführt werden." — Ich bin mir keines Ver-
10 brechens bewußt, versetzte ich darauf, so wenig, als schlechte Gesellschaft besucht zu haben. — „Es ist jetzt nicht von einer Verteidigung die Rede," fiel er mir ins Wort, „sondern von einer Untersuchung und Ihrerseits von einem aufrichtigen Bekenntnis." — Was verlan-
15 gen sie zu wissen? sagte ich dagegen. Er setzte sich und zog ein Blatt hervor und fing zu fragen an: „Haben Sie nicht den N. N. Ihrem Großvater als einen Klienten zu einer *** Stelle empfohlen?" Ich antwortete: Ja. — „Wo haben Sie ihn kennen gelernt?" — Auf
20 Spaziergängen. — „In welcher Gesellschaft?" — Ich stutzte: denn ich wollte nicht gern meine Freunde verraten. — „Das Verschweigen wird nichts helfen," fuhr er fort, „denn es ist alles schon genugsam bekannt." — Was ist denn bekannt? sagte ich. — „Daß Ihnen dieser
25 Mensch durch andere seinesgleichen ist vorgeführt worden und zwar durch ***." — Hier nannte er die Namen von drei Personen, die ich niemals gesehen noch gekannt hatte; welches ich dem Fragenden denn auch sogleich erklärte. „Sie wollen," fuhr jener fort, „diese
30 Menschen nicht kennen und haben doch mit ihnen öftere

Zusammenkünfte gehabt!“ — Auch nicht die geringste, versetzte ich; denn, wie gesagt, außer dem *ersten* kenne ich keinen und habe auch *den* niemals in einem Hause gesehen. — „Sind Sie nicht oft in der *** Straße gewesen?“ — Niemals, versetzte ich. Dies war nicht ganz der Wahrheit gemäß. Ich hatte Pylades einmal zu seiner Geliebten begleitet, die in der Straße wohnte; wir waren aber zur Hinterthür hereingegangen und im Gartenhause geblieben. Daher glaubte ich mir die Ausflucht erlauben zu können, in der Straße selbst nicht gewesen zu sein.

Der gute Mann that noch mehr Fragen, die ich alle verneinen konnte: denn es war mir von alle dem, was er zu wissen verlangte, nichts bekannt. Endlich schien er verdrießlich zu werden und sagte: „Sie belohnen mein Vertrauen und meinen guten Willen sehr schlecht: ich komme, um Sie zu retten. Sie können nicht leugnen, daß Sie für diese Leute selbst oder für ihre Mitschuldigen Briefe verfaßt, Aufsätze gemacht und so zu ihren schlechten Streichen behülflich gewesen. Ich komme, um Sie zu retten: denn es ist von nichts Geringerem als nachgemachten Handschriften, falschen Testamenten, untergeschobenen Schuldscheinen und ähnlichen Dingen die Rede. Ich komme nicht allein als Hausfreund; ich komme im Namen und auf Befehl der Obrigkeit, die in Betracht Ihrer Familie und Ihrer Jugend Sie und einige andere Jünglinge verschonen will, die gleich Ihnen ins Netz gelockt worden.“ — Es war mir auffallend, daß unter den Personen, die er nannte, sich gerade die nicht fanden, mit denen ich Um-

gang gepflogen. Die Verhältnisse trafen nicht zusammen, aber sie berührten sich, und ich konnte noch immer hoffen, meine jungen Freunde zu schonen. Allein der wackre Mann ward immer dringender. Ich konnte
5 nicht leugnen, daß ich manche Nächte spät nach Hause gekommen war, daß ich mir einen Hausschlüssel zu verschaffen gewußt, daß ich mit Personen von geringem Stand und verdächtigem Aussehen an Lustorten mehr als einmal bemerkt worden, daß Mädchen mit in die
10 Sache verwickelt seien; genug, alles schien entdeckt bis auf die Namen. Dies gab mir Mut, standhaft im Schweigen zu sein. — „Lassen Sie mich," sagte der brave Freund, „nicht von Ihnen weggehen. Die Sache leidet keinen Aufschub; unmittelbar nach mir wird ein
15 andrer kommen, der Ihnen nicht so viel Spielraum läßt. Verschlimmern Sie die ohnehin böse Sache nicht durch Ihre Hartnäckigkeit."

Nun stellte ich mir die guten Vettern, und Gretchen besonders, recht lebhaft vor; ich sah sie gefangen, ver-
20 hört, bestraft, geschmäht, und mir fuhr wie ein Blitz durch die Seele, daß die Vettern denn doch, ob sie gleich gegen mich alle Rechtlichkeit beobachtet, sich in so böse Händel konnten eingelassen haben, wenigstens der älteste, der mir niemals recht gefallen wollte, der immer
25 später nach Hause kam und wenig Heiteres zu erzählen wußte. Noch immer hielt ich mein Bekenntnis zurück. — Ich bin mir, sagte ich, persönlich nichts Böses bewußt und kann von der Seite ganz ruhig sein; aber es wäre nicht unmöglich, daß diejenigen, mit denen ich um-
30 gegangen bin, sich einer verwegnen oder gesetzwidrigen

Handlung schuldig gemacht hätten. Man mag sie suchen, man mag sie finden, sie überführen und bestrafen, ich habe mir bisher nichts vorzuwerfen und will auch gegen die nichts verschulden, die sich freundlich und gut gegen mich benommen haben. — Er ließ mich nicht ausreden, sondern rief mit einiger Bewegung: „Ja, man wird sie finden. In drei Häusern kamen diese Bösewichter zusammen. (Er nannte die Straßen, er bezeichnete die Häuser, und zum Unglück befand sich auch das darunter, wohin ich zu gehen pflegte.) Das erste Nest ist schon ausgehoben," fuhr er fort, „und in diesem Augenblick werden es die beiden andern. In wenig Stunden wird alles im klaren sein. Entziehen Sie sich durch ein redliches Bekenntnis einer gerichtlichen Untersuchung, einer Konfrontation, und wie die garstigen Dinge alle heißen." — Das Haus war genannt und bezeichnet. Nun hielt ich alles Schweigen für unnütz; ja bei der Unschuld unserer Zusammenkünfte konnte ich hoffen, jenen noch mehr als mir nützlich zu sein. — Setzen Sie sich, rief ich aus und holte ihn von der Thür zurück: ich will Ihnen alles erzählen und zugleich mir und Ihnen das Herz erleichtern; nur das eine bitte ich, von nun an keine Zweifel in meine Wahrhaftigkeit.

Ich erzählte nun dem Freunde den ganzen Hergang der Sache, anfangs ruhig und gefaßt; doch je mehr ich mir die Personen, Gegenstände, Begebenheiten ins Gedächtnis rief und vergegenwärtigte und so manche unschuldige Freude, so manchen heitern Genuß gleichsam vor einem Kriminalgericht deponieren sollte, desto mehr

wuchs die schmerzlichste Empfindung, so daß ich zuletzt
in Thränen ausbrach und mich einer unbändigen Leidenschaft überließ. Der Hausfreund, welcher hoffte, daß
eben jetzt das rechte Geheimnis auf dem Wege sein
5 möchte, sich zu offenbaren (denn er hielt meinen Schmerz
für ein Symptom, daß ich im Begriff stehe, mit Widerwillen ein Ungeheures zu bekennen), suchte mich, da ihm
an der Entdeckung alles gelegen war, aufs beste zu beruhigen; welches ihm zwar nur zum Teil gelang, aber
10 doch in sofern, daß ich meine Geschichte notdürftig aus-
erzählen konnte. Er war, obgleich zufrieden über die
Unschuld der Vorgänge, doch noch einigermaßen zweifelhaft und erließ neue Fragen an mich, die mich abermals aufregten und in Schmerz und Wut versetzten.
15 Ich versicherte endlich, daß ich nichts weiter zu sagen
habe und wohl wisse, daß ich nichts zu fürchten brauche:
denn ich sei unschuldig, von gutem Hause und wohl
empfohlen; aber jene könnten eben so unschuldig sein,
ohne daß man sie dafür anerkenne oder sonst begünstige.
20 Ich erklärte zugleich, daß, wenn man jene nicht wie
mich schonen, ihren Thorheiten nachsehen und ihre
Fehler verzeihen wolle, wenn ihnen nur im mindesten
hart und unrecht geschehe, so würde ich mir ein Leids
anthun, und daran solle mich niemand hindern. Auch
25 hierüber suchte mich der Freund zu beruhigen; aber ich
traute ihm nicht und war, als er mich zuletzt verließ, in
der entsetzlichsten Lage. Ich machte mir nun doch Vorwürfe, die Sache erzählt und alle die Verhältnisse ans
Licht gebracht zu haben. Ich sah voraus, daß man die
30 kindlichen Handlungen, die jugendlichen Neigungen und

Vertraulichkeiten ganz anders auslegen würde, und daß ich vielleicht den guten Pylades mit in diesen Handel verwickeln und sehr unglücklich machen könnte. Alle diese Vorstellungen drängten sich lebhaft hinter einander vor meiner Seele, schärften und spornten meinen 5 Schmerz, so daß ich mir vor Jammer nicht zu helfen wußte, mich die Länge lang auf die Erde warf und den Fußboden mit meinen Thränen benetzte.

Ich weiß nicht, wie lange ich mochte gelegen haben, als meine Schwester hereintrat, über meine Gebärde 10 erschrak und alles mögliche that, mich aufzurichten. Sie erzählte mir, daß eine Magistratsperson unten beim Vater die Rückkunft des Hausfreundes erwartet, und nachdem sie sich eine Zeit lang eingeschlossen gehalten, seien die beiden Herren weggegangen und hätten 15 unter einander sehr zufrieden, ja mit Lachen geredet, und sie glaube die Worte verstanden zu haben: Es ist recht gut, die Sache hat nichts zu bedeuten. — „Freilich," fuhr ich auf, „hat die Sache nichts zu bedeuten, für mich, für uns: denn ich habe nichts verbrochen, und 20 wenn ich es hätte, so würde man mir durchzuhelfen wissen; aber jene, jene," rief ich aus, „wer wird ihnen beistehn!" — Meine Schwester suchte mich umständlich mit dem Argumente zu trösten, daß, wenn man die Vornehmeren retten wolle, man auch über die Fehler 25 der Geringern einen Schleier werfen müsse. Das alles half nichts. Sie war kaum weggegangen, als ich mich wieder meinem Schmerz überließ und sowohl die Bilder meiner Neigung und Leidenschaft als auch des gegenwärtigen und möglichen Unglücks immer wechselweise 30 hervorrief. Ich erzählte mir Märchen auf Märchen, sah nur Unglück auf Unglück und ließ es besonders daran nicht fehlen, Gretchen und mich recht elend zu machen.

5 Der Hausfreund hatte mir geboten, auf meinem Zimmer zu bleiben und mit niemand mein Geschäft zu pflegen, außer den Unsrigen. Es war mir ganz recht, denn ich befand mich am liebsten allein. Meine Mutter und Schwester besuchten mich von Zeit zu Zeit und 10 ermangelten nicht, mir mit allerlei gutem Trost auf das kräftigste beizustehen; ja, sie kamen sogar schon den zweiten Tag, im Namen des nun besser unterrichteten Vaters mir eine völlige Amnestie anzubieten, die ich zwar dankbar annahm, allein den Antrag, daß ich mit 15 ihm ausgehen und die Reichsinsignien, welche man nunmehr den Neugierigen vorzeigte, beschauen sollte, hartnäckig ablehnte und versicherte, daß ich weder von der Welt noch von dem Römischen Reiche etwas weiter wissen wolle, bis mir bekannt geworden, wie jener ver- 20 drießliche Handel, der für mich weiter keine Folgen haben würde, für meine armen Bekannten ausgegangen. Sie wußten hierüber selbst nichts zu sagen und ließen mich allein. Doch machte man die folgenden Tage noch einige Versuche, mich aus dem Hause und zur 25 Teilnahme an den öffentlichen Feierlichkeiten zu bewegen. Vergebens! weder der große Galatag, noch was bei Gelegenheit so vieler Standeserhöhungen vorfiel, noch die öffentliche Tafel des Kaisers und Königs, nichts konnte mich rühren. Der Kurfürst von der 30 Pfalz mochte kommen, um den beiden Majestäten auf-

zuwarten, diese mochten die Kurfürsten besuchen, man mochte zur letzten kurfürstlichen Sitzung zusammenfahren, um die rückständigen Punkte zu erledigen und den Kurverein zu erneuern, nichts konnte mich aus meiner leidenschaftlichen Einsamkeit hervorrufen. Ich 5 ließ am Dankfeste die Glocken läuten, den Kaiser sich in die Kapuzinerkirche begeben, die Kurfürsten und den Kaiser abreisen, ohne deshalb einen Schritt von meinem Zimmer zu thun. Das letzte Kanonieren, so unmäßig es auch sein mochte, regte mich nicht auf, und wie der 10 Pulverdampf sich verzog und der Schall verhallte, so war auch alle diese Herrlichkeit vor meiner Seele weggeschwunden.

Ich empfand nun keine Zufriedenheit als im Wiederkäuen meines Elends und in der tausendfachen imagi- 15 nären Vervielfältigung desselben. Meine ganze Erfindungsgabe, meine Poesie und Rhetorik hatten sich auf diesen kranken Fleck geworfen und drohten, gerade durch diese Lebensgewalt, Leib und Seele in eine unheilbare Krankheit zu verwickeln. In diesem traurigen 20 Zustande kam mir nichts mehr wünschenswert, nichts begehrenswert mehr vor. Zwar ergriff mich manchmal ein unendliches Verlangen, zu wissen, wie es meinen armen Freunden und Geliebten ergehe, was sich bei näherer Untersuchung ergeben, in wiefern sie mit in 25 jene Verbrechen verwickelt oder unschuldig möchten erfunden sein. Auch dies malte ich mir auf das mannigfaltigste umständlich aus und ließ es nicht fehlen, sie für unschuldig und recht unglücklich zu halten. Bald wünschte ich mich von dieser Ungewißheit befreit zu 30 sehen und schrieb heftig drohende Briefe an den Hausfreund, daß er mir den weitern Gang der Sache nicht vorenthalten solle. Bald zerriß ich sie wieder, aus Furcht, mein Unglück recht deutlich zu erfahren und des 5 phantastischen Trostes zu entbehren, mit dem ich mich bis jetzt wechselsweise gequält und aufgerichtet hatte.

So verbrachte ich Tag und Nacht in großer Unruhe, in Rasen und Ermattung, so daß ich mich zuletzt glücklich fühlte, als eine körperliche Krankheit mit ziemlicher 10 Heftigkeit eintrat, wobei man den Arzt zu Hülfe rufen und darauf denken mußte, mich auf alle Weise zu beruhigen. Man glaubte es im allgemeinen thun zu können, indem man mir heilig versicherte, daß alle in jene Schuld mehr oder weniger Verwickelten mit der größ- 15 ten Schonung behandelt worden, daß meine nächsten Freunde, so gut wie ganz schuldlos, mit einem leichten Verweise entlassen worden, und daß Gretchen sich aus der Stadt entfernt habe und wieder in ihre Heimat gezogen sei. Mit dem letztern zauderte man am längsten, 20 und ich nahm es auch nicht zum besten auf: denn ich konnte darin keine freiwillige Abreise, sondern nur eine schmähliche Verbannung entdecken. Mein körperlicher und geistiger Zustand verbesserte sich dadurch nicht: die Not ging nun erst recht an, und ich hatte Zeit genug, 25 mir den seltsamsten Roman von traurigen Ereignissen und einer unvermeidlich tragischen Katastrophe selbstquälerisch auszumalen.

Zweiter Teil.

Was man in der Jugend wünscht,
hat man im Alter die Fülle.

Sechstes Buch.

So trieb es mich wechselsweise, meine Genesung zu befördern und zu verhindern, und ein gewisser heimlicher Ärger gesellte sich noch zu meinen übrigen Empfindungen: denn ich bemerkte wohl, daß man mich beobachtete, daß man mir nicht leicht etwas Versiegeltes 5 zustellte, ohne darauf acht zu haben, was es für Wirkungen hervorbringe, ob ich es geheim hielt, oder ob ich es offen hinlegte, und was dergleichen mehr war. Ich vermutete daher, daß Pylades, ein Vetter, oder wohl gar Gretchen selbst den Versuch möchte gemacht haben, 10 mir zu schreiben, um Nachricht zu geben oder zu erhalten. Ich war nun erst recht verdrießlich neben meiner Bekümmernis und hatte wieder neue Gelegenheit, meine Vermutungen zu üben und mich in die seltsamsten Verknüpfungen zu verirren. 15

Es dauerte nicht lange, so gab man mir noch einen besondern Aufseher. Glücklicherweise war es ein Mann, den ich liebte und schätzte; er hatte eine Hofmeisterstelle in einem befreundeten Hause bekleidet, sein bisheriger Zögling war allein auf die Akademie gegangen. Er 20 besuchte mich öfters in meiner traurigen Lage, und man fand zuletzt nichts natürlicher, als ihm ein Zimmer neben dem meinigen einzuräumen, da er mich denn be-

schäftigen, beruhigen und, wie ich wohl merken konnte, im Auge behalten sollte. Weil ich ihn jedoch von Herzen schätzte und ihm auch früher gar manches, nur nicht die Neigung zu Gretchen, vertraut hatte, so be-
5 schloß ich um so mehr, ganz offen und gerade gegen ihn zu sein, als es mir unerträglich war, mit jemand täglich zu leben und auf einem unsicheren, gespannten Fuß mit ihm zu stehen. Ich säumte daher nicht lange, sprach ihm von der Sache, erquickte mich in Erzählung und
10 Wiederholung der kleinsten Umstände meines vergangenen Glücks und erreichte dadurch so viel, daß er als ein verständiger Mann einsah, es sei besser, mich mit dem Ausgang der Geschichte bekannt zu machen, und zwar im einzelnen und besonderen, damit ich klar über das
15 Ganze würde und man mir mit Ernst und Eifer zureden könne, daß ich mich fassen, das Vergangene hinter mich werfen und ein neues Leben anfangen müsse. Zuerst vertraute er mir, wer die anderen jungen Leute von Stande gewesen, die sich anfangs zu verwegenen Mysti-
20 fikationen, dann zu possenhaften Polizeiverbrechen, ferner zu lustigen Geldschneidereien und anderen solchen verfänglichen Dingen hatten verleiten lassen. Es war dadurch wirklich eine kleine Verschwörung entstanden, zu der sich gewissenlose Menschen gesellten, durch Ver-
25 fälschung von Papieren, Nachbildung von Unterschriften manches Strafwürdige begingen und noch Strafwürdigeres vorbereiteten. Die Vettern, nach denen ich zuletzt ungeduldig fragte, waren ganz unschuldig, nur im allgemeinsten mit jenen andern bekannt, keineswegs aber
30 vereinigt befunden worden. Mein Klient, durch dessen

Empfehlung an den Großvater man mir eigentlich auf die Spur gekommen, war einer der Schlimmsten und bewarb sich um jenes Amt hauptsächlich, um gewisse Bubenstücke unternehmen oder bedecken zu können. Nach allem diesem konnte ich mich zuletzt nicht halten 5 und fragte, was aus Gretchen geworden sei, zu der ich ein für allemal die größte Neigung bekannte. Mein Freund schüttelte den Kopf und lächelte. „Beruhigen Sie sich,“ versetzte er: „dieses Mädchen ist sehr wohl bestanden und hat ein herrliches Zeugnis davon getragen. 10 Man konnte nichts als Gutes und Liebes an ihr finden; die Herren Examinatoren selbst wurden ihr gewogen und haben ihr die Entfernung aus der Stadt, die sie wünschte, nicht versagen können. Auch das, was sie in Rücksicht auf Sie, mein Freund, bekannt hat, macht ihr 15 Ehre; ich habe ihre Aussage in den geheimen Akten selbst gelesen und ihre Unterschrift gesehen.“ Die Unterschrift! rief ich aus, die mich so glücklich und so unglücklich macht. Was hat sie denn bekannt? was hat sie unterschrieben? Der Freund zauderte, zu antworten; 20 aber die Heiterkeit seines Gesichts zeigte mir an, daß er nichts Gefährliches verberge. „Wenn Sie's denn wissen wollen,“ versetzte er endlich, „als von Ihnen und Ihrem Umgang mit ihr die Rede war, sagte sie ganz freimütig: ich kann es nicht leugnen, daß ich ihn oft 25 und gern gesehen habe; aber ich habe ihn immer als ein Kind betrachtet, und meine Neigung zu ihm war wahrhaft schwesterlich. In manchen Fällen habe ich ihn gut beraten, und anstatt ihn zu einer zweideutigen Handlung aufzuregen, habe ich ihn verhindert, an mut- 30 willigen Streichen teilzunehmen, die ihm hätten Verdruß bringen können.“

Der Freund fuhr noch weiter fort, Gretchen als eine Hofmeisterin reden zu lassen; ich hörte ihm aber schon
5 lange nicht mehr zu: denn daß sie mich für ein Kind zu den Akten erklärt, nahm ich ganz entsetzlich übel und glaubte mich auf einmal von aller Leidenschaft für sie geheilt; ja, ich versicherte hastig meinen Freund, daß nun alles abgethan sei! Auch sprach ich nicht mehr von
10 ihr, nannte ihren Namen nicht mehr; doch konnte ich die böse Gewohnheit nicht lassen, an sie zu denken, mir ihre Gestalt, ihr Wesen, ihr Betragen zu vergegenwärtigen, das mir denn nun freilich jetzt in einem ganz anderen Lichte erschien. Ich fand es unerträglich, daß
15 ein Mädchen, höchstens ein paar Jahre älter als ich, mich für ein Kind halten sollte, der ich doch für einen ganz gescheiten und geschickten Jungen zu gelten glaubte. Nun kam mir ihr kaltes, abstoßendes Wesen, das mich sonst so angereizt hatte, ganz widerlich vor; die Fami-
20 liaritäten, die sie sich gegen mich erlaubte, mir aber zu erwidern nicht gestattete, waren mir ganz verhaßt. Das alles wäre jedoch noch gut gewesen, wenn ich sie nicht wegen des Unterschreibens jener poetischen Liebesepistel, wodurch sie mir denn doch eine förmliche Neigung
25 erklärte, für eine verschmitzte und selbstsüchtige Kokette zu halten berechtigt gewesen wäre. Auch maskiert zur Putzmacherin kam sie mir nicht mehr so unschuldig vor, und ich kehrte diese ärgerlichen Betrachtungen so lange bei mir hin und wider, bis ich ihr alle liebenswürdi-
30 gen Eigenschaften sämtlich abgestreift hatte. Dem

Verstande nach war ich überzeugt und glaubte sie verwerfen zu müssen; nur ihr Bild! ihr Bild strafte mich Lügen, so oft es mir wieder vorschwebte, welches freilich noch oft genug geschah.

Indessen war denn doch dieser Pfeil mit seinen 5 Widerhaken aus dem Herzen gerissen, und es fragte sich, wie man der inneren jugendlichen Heilkraft zu Hülfe käme? Ich ermannte mich wirklich, und das erste, was sogleich abgethan wurde, war das Weinen und Rasen, welches ich nun für höchst kindisch ansah. Ein großer 10 Schritt zur Besserung! Denn ich hatte oft halbe Nächte durch mich mit dem größten Ungestüm diesen Schmerzen überlassen, so daß es durch Thränen und Schluchzen zuletzt dahin kam, daß ich kaum mehr schlingen konnte und der Genuß von Speise und Trank mir schmerzlich 15 ward, auch die so nah verwandte Brust zu leiden schien. Der Verdruß, den ich über jene Entdeckung immerfort empfand, ließ mich jede Weichlichkeit verbannen; ich fand es schrecklich, daß ich um eines Mädchens willen Schlaf und Ruhe und Gesundheit aufgeopfert hatte, die 20 sich darin gefiel, mich als einen Säugling zu betrachten und sich höchst ammenhaft weise gegen mich zu dünken.

* * * * * *

Als ich in Leipzig ankam, war es gerade Meßzeit, woraus mir ein besonderes Vergnügen entsprang: denn ich sah hier die Fortsetzung eines vaterländischen Zu- 25 standes vor mir, bekannte Waren und Verkäufer, nur an andern Plätzen und in einer andern Folge. Ich durchstrich den Markt und die Buden mit vielem Anteil; besonders aber zogen meine Aufmerksamkeit an sich, in ihren seltsamen Kleidern, jene Bewohner der östlichen Gegenden, die Polen und Russen, vor allen aber die Griechen, deren ansehnlichen Gestalten und würdigen Kleidungen ich gar oft zu Gefallen ging.

5 Diese lebhafte Bewegung war jedoch bald vorüber, und nun trat mir die Stadt selbst mit ihren schönen, hohen und unter einander gleichen Gebäuden entgegen. Sie machte einen sehr guten Eindruck auf mich, und es ist nicht zu leugnen, daß sie überhaupt, besonders aber 10 in stillen Momenten der Sonn- und Feiertage, etwas Imposantes hat, sowie denn auch im Mondschein die Straßen, halb beschattet, halb beleuchtet, mich oft zu nächtlichen Promenaden einluden.

Indessen genügte mir gegen das, was ich bisher ge- 15 wohnt war, dieser neue Zustand keineswegs. Leipzig ruft dem Beschauer keine altertümliche Zeit zurück; es ist eine neue, kurz vergangene, von Handelsthätigkeit, Wohlhabenheit, Reichtum zeugende Epoche, die sich uns in diesen Denkmalen ankündet. Jedoch ganz nach 20 meinem Sinn waren die mir ungeheuer scheinenden Gebäude, die, nach zwei Straßen ihr Gesicht wendend, in großen, himmelhoch umbauten Hofräumen eine bürgerliche Welt umfassend, großen Burgen, ja Halbstädten ähnlich sind. In einem dieser seltsamen Räume quar- 25 tierte ich mich ein, und zwar in der Feuerkugel zwischen dem alten und neuen Neumarkt. Ein paar artige Zimmer, die in den Hof sahen, der wegen des Durchgangs nicht unbelebt war, bewohnte der Buchhändler Fleischer während der Messe und ich für die übrige Zeit um einen 30 leidlichen Preis. Als Stubennachbar fand ich einen

Theologen, der in seinem Fache gründlich unterrichtet, wohldenkend, aber arm war und, was ihm große Sorge für die Zukunft machte, sehr an den Augen litt. Er hatte sich dieses Übel durch übermäßiges Lesen bis in die tiefste Dämmerung, ja sogar, um das wenige Öl 5 zu ersparen, bei Mondschein, zugezogen. Unsere alte Wirtin erzeigte sich wohlthätig gegen ihn, gegen mich jederzeit freundlich nnd gegen beide sorgsam.

Nun eilte ich mit meinem Empfehlungsschreiben zu Hofrat Böhme, der, ein Zögling von Mascov, nun- 10 mehr sein Nachfolger, Geschichte und Staatsrecht lehrte. Ein kleiner, untersetzter, lebhafter Mann empfing mich freundlich genug und stellte mich seiner Gattin vor. Beide, sowie die übrigen Personen, denen ich aufwartete, gaben mir die beste Hoffnung wegen meines künftigen 15 Aufenthalts; doch ließ ich mich anfangs gegen niemand merken, was ich im Schilde führte, ob ich gleich den schicklichen Moment kaum erwarten konnte, wo ich mich von der Jurisprudenz frei und dem Studium der Alten verbunden erklären wollte. Vorsichtig wartete ich ab, 20 bis Fleischers wieder abgereist waren, damit mein Vorsatz nicht allzu geschwind den Meinigen verraten würde. Sodann aber ging ich ohne Anstand zu Hofrat Böhmen, dem ich vor allen die Sache glaubte vertrauen zu müssen, und erklärte ihm mit vieler Konsequenz und 25 Parrhesie meine Absicht. Allein ich fand keineswegs eine gute Aufnahme meines Vortrags. Als Historiker und Staatsrechtler hatte er einen erklärten Haß gegen alles, was nach schönen Wissenschaften schmeckte. Unglücklicherweise stand er mit denen, welche sie kultivierten, 30 nicht im besten Vernehmen, und Gellerten besonders, für den ich, ungeschickt genug, viel Zutrauen geäußert hatte, konnte er nun gar nicht leiden. Jenen Männern also einen treuen Zuhörer zuzuweisen, sich selbst aber einen zu entziehen, und noch dazu unter solchen Umständen, schien ihm ganz und gar unzulässig. Er hielt mir daher aus dem Stegreif eine gewaltige Strafpredigt, worin er beteuerte, daß er ohne Erlaubnis meiner Eltern einen solchen Schritt nicht zugeben könne, wenn er ihn auch, wie hier der Fall nicht sei, selbst billigte. Er verunglimpfte darauf leidenschaftlich Philologie und Sprachstudien, noch mehr aber die poetischen Übungen, die ich freilich im Hintergrunde hatte durchblicken lassen. Er schloß zuletzt, daß, wenn ich ja dem Studium der Alten mich nähern wolle, solches viel besser auf dem Wege der Jurisprudenz geschehen könne. * * * Er ersuchte mich freundlich, die Sache nochmals zu überlegen und ihm meine Gesinnungen bald zu eröffnen, weil es nötig sei, wegen bevorstehenden Anfangs der Kollegien sich zunächst zu entschließen.

Es war noch ganz artig von ihm, nicht auf der Stelle in mich zu dringen. Seine Argumente und das Gewicht, womit er sie vortrug, hatten meine biegsame Jugend schon überzeugt, und ich sah nun erst die Schwierigkeiten und Bedenklichkeiten einer Sache, die ich mir im stillen so thulich ausgebildet hatte. Frau Hofrat Böhme ließ mich kurz darauf zu sich einladen. Ich fand sie allein. Sie war nicht mehr jung und sehr kränklich, unendlich sanft und zart und machte gegen ihren Mann, dessen Gutmütigkeit sogar polterte, einen entschiedenen Kontrast. Sie brachte mich auf das von ihrem Manne neulich geführte Gespräch und stellte mir die Sache nochmals so freundlich, liebevoll und verständig im ganzen Umfange vor, das ich mich nicht enthalten konnte, nachzugeben; die wenigen Reservationen, auf denen ich bestand, wurden von jener Seite denn auch bewilligt.

Der Gemahl regulierte darauf meine Stunden: da sollte ich denn Philosophie, Rechtsgeschichte und Institutionen und noch einiges andere hören. Ich ließ mir das gefallen; doch setzte ich durch, Gellerts Litterargeschichte über Stockhausen und außerdem sein Praktikum zu frequentieren.

Die Verehrung und Liebe, welche Gellert von allen jungen Leuten genoß, war außerordentlich. Ich hatte ihn schon besucht und war freundlich von ihm aufgenommen worden. Nicht groß von Gestalt, zierlich, aber nicht hager, sanfte, eher traurige Augen, eine sehr schöne Stirn, eine nicht übertriebene Habichtsnase, ein feiner Mund, ein gefälliges Oval des Gesichts: alles machte seine Gegenwart angenehm und wünschenswert. Es kostete einige Mühe, zu ihm zu gelangen. Seine zwei Famuli schienen Priester, die ein Heiligtum bewahren, wozu nicht jedem, noch zu jeder Zeit, der Zutritt erlaubt ist; und eine solche Vorsicht war wohl notwendig: denn er würde seinen ganzen Tag aufgeopfert haben, wenn er alle die Menschen, die sich ihm vertraulich zu nähern gedachten, hätte aufnehmen und befriedigen wollen.

Meine Kollegia besuchte ich anfangs emsig und treulich: die Philosophie wollte mich jedoch keineswegs aufklären. In der Logik kam es mir wunderlich vor, daß ich diejenigen Geistesoperationen, die ich von Jugend 5 auf mit der größten Bequemlichkeit verrichtete, so aus einander zerren, vereinzelen und gleichsam zerstören sollte, um den rechten Gebrauch derselben einzusehen. Von dem Dinge, von der Welt, von Gott glaubte ich ungefähr so viel zu wissen als der Lehrer selbst, und 10 es schien mir an mehr als einer Stelle gewaltig zu hapern. Doch ging alles noch in ziemlicher Folge bis gegen Fastnacht, wo in der Nähe des Professors Winckler auf dem Thomasplan gerade um die Stunde die köstlichsten Kräpfel heiß aus der Pfanne kamen, 15 welche uns denn dergestalt verspäteten, daß unsere Hefte locker wurden und das Ende derselben gegen das Frühjahr mit dem Schnee zugleich verschmolz und sich verlor.

Mit den juristischen Kollegien ward es bald ebenso 20 schlimm: denn ich wußte gerade schon so viel, als uns der Lehrer zu überliefern für gut fand. Mein erst hartnäckiger Fleiß im Nachschreiben wurde nach und nach gelähmt, indem ich es höchst langweilig fand, dasjenige nochmals aufzuzeichnen, was ich bei meinem 25 Vater, teils fragend, teils antwortend, oft genug wiederholt hatte, um es für immer im Gedächtnis zu behalten. Der Schaden, den man anrichtet, wenn man junge Leute auf Schulen in manchen Dingen zu weit führt, hat sich späterhin noch mehr ergeben, da man den 30 Sprachübungen und der Begründung in dem, was eigentliche Vorkenntnisse sind, Zeit und Aufmerksamkeit abbrach, um sie an sogenannte Realitäten zu wenden, welche mehr zerstreuen als bilden, wenn sie nicht methodisch und vollständig überliefert werden.

Noch ein anderes Übel, wodurch Studierende sehr 5 bedrängt sind, erwähne ich hier beiläufig. Professoren, so gut wie andere in Ämtern angestellte Männer, können nicht alle von einem Alter sein; da aber die jüngeren eigentlich nur lehren, um zu lernen, und noch dazu, wenn sie gute Köpfe sind, dem Zeitalter voreilen, 10 so erwerben sie ihre Bildung durchaus auf Unkosten der Zuhörer, weil diese nicht in dem unterrichtet werden, was sie eigentlich brauchen, sondern in dem, was der Lehrer für sich zu bearbeiten nötig findet. Unter den ältesten Professoren dagegen sind manche schon lange 15 Zeit stationär; sie überliefern im ganzen nur fixe Ansichten und, was das Einzelne betrifft, vieles, was die Zeit schon als unnütz und falsch verurteilt hat. Durch beides entsteht ein trauriger Konflikt, zwischen welchem junge Geister hin und her gezerrt werden, und welcher 20 kaum durch die Lehrer des mittleren Alters, die, obschon genugsam unterrichtet und gebildet, doch immer noch ein thätiges Streben zu Wissen und Nachdenken bei sich empfinden, ins Gleiche gebracht werden kann.

Wie ich nun auf diesem Wege viel mehreres kennen 25 als zurechte legen lernte, wodurch sich ein immer wachsendes Mißbehagen in mir hervordrang, so hatte ich auch vom Leben manche kleine Unannehmlichkeiten; wie man denn, wenn man den Ort verändert und in neue Verhältnisse tritt, immer Einstand geben muß. 30

Das erste, was die Frauen an mir tadelten, bezog sich auf die Kleidung; denn ich war vom Hause freilich etwas wunderlich equipiert auf die Akademie gelangt. Mein Vater, dem nichts so sehr verhaßt war, als
5 wenn etwas vergeblich geschah, wenn jemand seine Zeit nicht zu brauchen wußte oder sie zu benutzen keine Gelegenheit fand, trieb seine Ökonomie mit Zeit und Kräften so weit, daß ihm nichts mehr Vergnügen machte, als zwei Fliegen mit einer Klappe zu
10 schlagen. Er hatte deswegen niemals einen Bedienten, der nicht im Hause zu noch etwas nützlich gewesen wäre. Da er nun von jeher alles mit eigener Hand schrieb und später die Bequemlichkeit hatte, jenem jungen Hausgenossen in die Feder zu diktieren, so fand er am
15 vorteilhaftesten, Schneider zu Bedienten zu haben, welche die Stunden gut anwenden mußten, indem sie nicht allein ihre Livreen, sondern auch die Kleider für Vater und Kinder zu fertigen, nicht weniger alles Flickwerk zu besorgen hatten. Mein Vater war selbst um
20 die besten Tücher und Zeuge bemüht, indem er auf den Messen von auswärtigen Handelsherren feine Ware bezog und sie in seinen Vorrat legte; wie ich mich denn noch recht wohl erinnere, daß er die Herren von Löwenigh von Aachen jederzeit besuchte und mich von meiner
25 frühesten Jugend an mit diesen und anderen vorzüglichen Handelsherren bekannt machte.

Für die Tüchtigkeit des Zeugs war also gesorgt und genugsamer Vorrat verschiedener Sorten Tücher, Sarschen, Göttinger Zeug, nicht weniger das nötige
30 Unterfutter vorhanden, so daß wir dem Stoff nach uns

wohl hätten dürfen sehen lassen; aber die Form verdarb meist alles: denn, wenn ein solcher Hausschneider allenfalls ein guter Geselle gewesen wäre, um einen meisterhaft zugeschnittenen Rock wohl zu nähen und zu fertigen, so sollte er nun auch das Kleid selbst zuschneiden, und 5 dieses geriet nicht immer zum besten. Hiezu kam noch, daß mein Vater alles, was zu seinem Anzuge gehörte, sehr gut und reinlich hielt und viele Jahre mehr bewahrte als benutzte, daher eine Vorliebe für gewissen alten Zuschnitt und Verzierungen trug, wodurch unser 10 Putz mitunter ein wunderliches Ansehen bekam.

Auf eben diesem Wege hatte man auch meine Garderobe, die ich mit auf die Akademie nahm, zustande gebracht; sie war recht vollständig und ansehnlich und sogar ein Tressenkleid darunter. Ich, diese Art von Auf- 15 zug schon gewohnt, hielt mich für geputzt genug; allein es währte nicht lange, so überzeugten mich meine Freundinnen, erst durch leichte Neckereien, dann durch vernünftige Vorstellungen, daß ich wie aus einer fremden Welt hereingeschneit aussehe. So viel Verdruß ich 20 auch hierüber empfand, sah ich doch anfangs nicht, wie ich mir helfen sollte. Als aber Herr von Masuren, der so beliebte poetische Dorfjunker, einst auf dem Theater in einer ähnlichen Kleidung auftrat und mehr wegen seiner äußeren als inneren Abgeschmacktheit herzlich be- 25 lacht wurde, faßte ich Mut und wagte, meine sämtliche Garderobe gegen eine neumodische, dem Ort gemäße auf einmal umzutauschen, wodurch sie aber freilich sehr zusammenschrumpfte.

Nach dieser überstandenen Prüfung sollte abermals eine neue eintreten, welche mir weit unangenehmer auffiel, weil sie eine Sache betraf, die man nicht so leicht ablegt und umtauscht.

Ich war nämlich in dem oberdeutschen Dialekt geboren und erzogen, und obgleich mein Vater sich stets einer gewissen Reinheit der Sprache befliß und uns Kinder auf das, was man wirklich Mängel jenes Idioms nennen kann, von Jugend an aufmerksam gemacht und zu einem besseren Sprechen vorbereitet hatte, so blieben mir doch gar manche tiefer liegende Eigenheiten, die ich, weil sie mir ihrer Naivetät wegen gefielen, mit Behagen hervorhob und mir dadurch von meinen neuen Mitbürgern jedesmal einen strengen Verweis zuzog. Der Oberdeutsche nämlich, und vielleicht vorzüglich derjenige, welcher dem Rhein und Main anwohnt (denn große Flüsse haben, wie das Meeresufer, immer etwas Belebendes), drückt sich viel in Gleichnissen und Anspielungen aus, und bei einer inneren, menschenverständigen Tüchtigkeit bedient er sich sprichwörtlicher Redensarten. In beiden Fällen ist er öfters derb, doch, wenn man auf den Zweck des Ausdruckes sieht, immer gehörig; nur mag freilich manchmal etwas mit unterlaufen, was gegen ein zarteres Ohr sich anstößig erweist.

Jede Provinz liebt ihren Dialekt: denn er ist doch eigentlich das Element, in welchem die Seele ihren Atem schöpft. Mit welchem Eigensinn aber die Meißnische Mundart die übrigen zu beherrschen, ja eine Zeitlang auszuschließen gewußt hat, ist jedermann bekannt. Wir haben viele Jahre unter diesem pedantischen Regimente gelitten, und nur durch vielfachen Widerstreit haben sich die sämtlichen Provinzen in ihre alten Rechte wieder eingesetzt. Was ein junger lebhafter Mensch unter diesem beständigen Hofmeistern ausgestanden habe, wird derjenige leicht ermessen, der bedenkt, daß nun mit der Aussprache, in deren Veränderung man sich endlich wohl ergäbe, zugleich Denkweise, Einbildungskraft, Gefühl, vaterländischer Charakter sollten aufgeopfert werden. Und diese unerträgliche Forderung wurde von gebildeten Männern und Frauen gemacht, deren Überzeugung ich mir nicht zueignen konnte, deren Unrecht ich zu empfinden glaubte, ohne mir es deutlich machen zu können. Mir sollten die Anspielungen auf biblische Kernstellen untersagt sein, sowie die Benutzung treuherziger Chronikenausdrücke. Ich sollte vergessen, daß ich den Geiler von Kaisersberg gelesen hatte, und des Gebrauchs der Sprichwörter entbehren, die doch, statt vieles Hin- und Herfackelns, den Nagel gleich auf den Kopf treffen; alles dies, das ich mir mit jugendlicher Heftigkeit angeeignet, sollte ich missen; ich fühlte mich in meinem Innersten paralysiert und wußte kaum mehr, wie ich mich über die gemeinsten Dinge zu äußern hatte. Daneben hörte ich, man solle reden, wie man schreibt, und schreiben, wie man spricht; da mir Reden und Schreiben ein für allemal zweierlei Dinge schienen, von denen jedes wohl seine eigenen Rechte behaupten möchte. Und hatte ich doch auch im Meißner Dialekt manches zu hören, was sich auf dem Papier nicht sonderlich würde ausgenommen haben. * * *

Meine Empfehlungsbriefe hatten mich in gute Häuser eingeführt, deren verwandte Zirkel mich gleichfalls wohl aufnahmen. Da ich aber bald empfinden mußte, daß die Gesellschaft gar manches an mir auszusetzen hatte, 5 und ich, nachdem ich mich ihrem Sinne gemäß gekleidet, ihr nun auch nach dem Munde reden sollte und dabei doch deutlich sehen konnte, daß mir dagegen von alle dem wenig geleistet wurde, was ich mir von Unterricht und Sinnesförderung bei meinem akademischen Aufent- 10 halt versprochen hatte, so fing ich an, lässig zu werden und die geselligen Pflichten der Besuche und sonstigen Attentionen zu versäumen, und ich wäre noch früher aus allen solchen Verhältnissen herausgetreten, hätte mich nicht an Hofrat Böhmen Scheu und Achtung und 15 an seine Gattin Zutrauen und Neigung festgeknüpft. Der Gemahl hatte leider nicht die glückliche Gabe, mit jungen Leuten umzugehen, sich ihr Vertrauen zu erwerben und für den Augenblick nach Bedürfnis zu leiten. Ich fand niemals Gewinn davon, wenn ich ihn 20 besuchte; seine Gattin dagegen zeigte ein aufrichtiges Interesse an mir. Ihre Kränklichkeit hielt sie stets zu Hause. Sie lud mich manchen Abend zu sich und wußte mich, der ich zwar gesittet war, aber doch eigentlich, was man Lebensart nennt, nicht besaß, in manchen 25 kleinen Äußerlichkeiten zurecht zu führen und zu verbessern. Nur eine einzige Freundin brachte die Abende bei ihr zu; diese war aber schon herrischer und schulmeisterlicher, deswegen sie mir äußerst mißfiel und ich ihr zum Trutz öfters jene Unarten wieder annahm, 30 welche mir die andere schon abgewöhnt hatte. Sie übten unterdessen noch immer Geduld genug an mir, lehrten mich Pikett, l'Hombre und was andere dergleichen Spiele sind, deren Kenntnis und Ausübung in der Gesellschaft für unerläßlich gehalten wird.

Worauf aber Madame Böhme den größten Einfluß 5 bei mir hatte, war auf meinen Geschmack, freilich auf eine negative Weise, worin sie jedoch mit den Kritikern vollkommen übereintraf. * * * Madame Böhme war eine gebildete Frau, welcher das Unbedeutende, Schwache und Gemeine widerstand; sie war noch überdies Gattin 10 eines Mannes, der mit der Poesie überhaupt in Unfrieden lebte und dasjenige nicht gelten ließ, was sie allenfalls noch gebilligt hätte. Nun hörte sie mir zwar einige Zeit mit Geduld zu, wenn ich ihr Verse oder Prose von namhaften, schon in gutem Ansehen stehen- 15 den Dichtern zu rezitieren mir herausnahm: denn ich behielt nach wie vor alles auswendig, was mir nur einigermaßen gefallen mochte; allein ihre Nachgiebigkeit war nicht von langer Dauer. Das erste, was sie mir ganz entsetzlich herunter machte, waren die 20 Poeten nach der Mode von Weiße, welche soeben mit großem Beifall öfters wiederholt wurden und mich ganz besonders ergötzt hatten. Besah ich nun freilich die Sache näher, so konnte ich ihr nicht Unrecht geben. Auch einigemal hatte ich gewagt, ihr etwas von 25 meinen eigenen Gedichten, jedoch anonym vorzutragen, denen es denn nicht besser ging, als der übrigen Gesellschaft. Und so waren mir in kurzer Zeit die schönen bunten Wiesen in den Gründen des deutschen Parnasses, wo ich so gern lustwandelte, unbarmherzig nieder- 30 gemäht und ich sogar genötigt, das trocknende Heu selbst mit umzuwenden und dasjenige als tot zu verspotten, was mir kurz vorher eine so lebendige Freude gemacht hatte. * * *

5 Hiezu kamen noch die Jeremiaden, mit denen uns Gellert in seinem Praktikum von der Poesie abzumahnen pflegte. Er wünschte nur prosaische Aufsätze und beurteilte auch diese immer zuerst. Die Verse behandelte er nur als eine traurige Zugabe, und was das 10 Schlimmste war, selbst meine Prose fand wenig Gnade vor seinen Augen: denn ich pflegte, nach meiner alten Weise, immer einen kleinen Roman zum Grunde zu legen, den ich in Briefen auszuführen liebte. Die Gegenstände waren leidenschaftlich, der Stil ging über 15 die gewöhnliche Prose hinaus, und der Inhalt mochte freilich nicht sehr für eine tiefe Menschenkenntnis des Verfassers zeugen; und so war ich denn von unserem Lehrer sehr wenig begünstigt, ob er gleich meine Arbeiten, so gut als die der andern, genau durchsah, mit 20 roter Tinte korrigierte und hie und da eine sittliche Anmerkung hinzufügte. Mehrere Blätter dieser Art, welche ich lange Zeit mit Vergnügen bewahrte, sind leider endlich auch im Laufe der Jahre aus meinen Papieren verschwunden.

* * * * * *

Siebentes Buch.

*   *   *   *   *   *

Unter solchen Studien und Betrachtungen überraschte mich ein unvermutetes Ereignis und vereitelte das löbliche Vorhaben, unsere neuere Litteratur von vorneherein kennen zu lernen. Mein Landsmann Johann Georg Schlosser hatte, nachdem er seine akademischen Jahre mit Fleiß und Anstrengung zugebracht, sich zwar in Frankfurt am Main auf den gewöhnlichen Weg der Advokatur begeben; allein sein strebender und das Allgemeine suchender Geist konnte sich aus mancherlei Ursachen in diese Verhältnisse nicht finden. Er nahm eine Stelle als Geheimsekretär bei dem Herzog Friedrich Eugen von Württemberg, der sich in Treptow aufhielt, ohne Bedenken an: denn der Fürst war unter denjenigen Großen genannt, die auf eine edle und selbständige Weise sich, die Ihrigen und das Ganze aufzuklären, zu bessern und zu höheren Zwecken zu vereinigen gedachten. Dieser Fürst Friedrich ist es, welcher, um sich wegen der Kinderzucht Rats zu erholen, an Rousseau geschrieben hatte, dessen bekannte Antwort mit der bedenklichen Phrase anfängt: Si j'avais le malheur d'être né prince. —

Den Geschäften des Fürsten nicht allein, sondern auch der Erziehung seiner Kinder sollte nun Schlosser, wo nicht vorstehen, doch mit Rat und That willig zu Handen sein. Dieser junge, edle, den besten Willen hegende Mann, der sich einer vollkommenen Reinigkeit

der Sitten befliß, hätte durch eine gewisse trockene Strenge die Menschen leicht von sich entfernt, wenn nicht eine schöne und seltene litterarische Bildung, seine Sprachkenntnisse, seine Fertigkeit, sich schriftlich, sowohl
5 in Versen als in Prosa, auszudrücken, jedermann angezogen und das Leben mit ihm erleichtert hätte. Daß dieser durch Leipzig kommen würde, war mir angekündigt, und ich erwartete ihn mit Sehnsucht. Er kam und trat in einem kleinen Gast- oder Weinhause ab, das im
10 Brühl lag und dessen Wirt Schönkopf hieß. Dieser hatte eine Frankfurterin zur Frau, und ob er gleich die übrige Zeit des Jahres wenig Personen bewirtete und in das kleine Haus keine Gäste aufnehmen konnte, so war er doch Messenzeits von vielen Frankfurtern be-
15 sucht, welche dort zu speisen und im Notfall auch wohl Quartier zu nehmen pflegten. Dorthin eilte ich, um Schlossern aufzusuchen, als er mir seine Ankunft melden ließ. Ich erinnerte mich kaum, ihn früher gesehen zu haben, und fand einen jungen, wohlgebauten Mann,
20 mit einem runden zusammengefaßten Gesicht, ohne daß die Züge deshalb stumpf gewesen wären. Die Form seiner gerundeten Stirn, zwischen schwarzen Augenbrauen und Locken, deutete auf Ernst, Strenge und vielleicht Eigensinn. Er war gewissermaßen das Gegenteil von
25 mir, und eben dies begründete wohl unsere dauerhafte Freundschaft. Ich hatte die größte Achtung für seine Talente, um so mehr, als ich gar wohl bemerkte, daß er mir in der Sicherheit dessen, was er that und leistete, durchaus überlegen war. Die Achtung und das Zu-
30 trauen, das ich ihm bewies, bestätigten seine Neigung und

vermehrten die Nachsicht, die er mit meinem lebhaften, fahrigen und immer regsamen Wesen, im Gegensatz mit dem seinigen, haben mußte. Er studierte die Engländer fleißig, Pope war, wo nicht sein Muster, doch sein Augenmerk, und er hatte, im Widerstreit mit dem Versuch über den Menschen jenes Schriftstellers, ein Gedicht in gleicher Form und Silbenmaß geschrieben, welches der christlichen Religion über jenen Deismus den Triumph verschaffen sollte. Aus dem großen Vorrat von Papieren, die er bei sich führte, ließ er mir sodann poetische und prosaische Aufsätze in allen Sprachen sehen, die, indem sie mich zur Nachahmung aufriefen, mich abermals unendlich beunruhigten. Doch wußte ich mir durch Thätigkeit sogleich zu helfen. Ich schrieb an ihn gerichtete deutsche, französische, englische, italienische Gedichte, wozu ich den Stoff aus unsern Unterhaltungen nahm, welche durchaus bedeutend und unterrichtend waren.

Schlosser wollte nicht Leipzig verlassen, ohne die Männer, welche Namen hatten, von Angesicht zu Angesicht gesehen zu haben. Ich führte ihn gern zu denen mir bekannten; die von mir noch nicht besuchten lernte ich auf diese Weise ehrenvoll kennen, weil er, als ein unterrichteter, schon charakterisierter Mann, mit Auszeichnung empfangen wurde und den Aufwand des Gesprächs recht gut zu bestreiten wußte. Unsern Besuch bei Gottsched darf ich nicht übergehen, indem die Sinnes- und Sittenweise dieses Mannes daraus hervortritt. Er wohnte sehr anständig in dem ersten Stock des goldenen Bären, wo ihm der ältere Breitkopf, wegen des großen Vorteils, den die Gottschedischen Schriften, Übersetzungen und sonstigen Assistenzen der Handlung gebracht, eine lebenslängliche Wohnung zugesagt hatte.

5 Wir ließen uns melden. Der Bediente führte uns in ein großes Zimmer, indem er sagte, der Herr werde gleich kommen. Ob wir nun eine Gebärde, die er machte, nicht recht verstanden, wüßte ich nicht zu sagen; genug, wir glaubten, er habe uns in das anstoßende 10 Zimmer gewiesen. Wir traten hinein zu einer sonderbaren Szene: denn in dem Augenblick trat Gottsched, der große, breite, riesenhafte Mann, in einem gründamastnen, mit rotem Taft gefütterten Schlafrock zur entgegengesetzten Thür herein; aber sein ungeheures 15 Haupt war kahl und ohne Bedeckung. Dafür sollte jedoch sogleich gesorgt sein; denn der Bediente sprang mit einer großen Allongeperücke auf der Hand (die Locken fielen bis an den Ellenbogen) zu einer Seitenthüre herein und reichte den Hauptschmuck seinem Herrn 20 mit erschrockner Gebärde. Gottsched, ohne den mindesten Verdruß zu äußern, hob mit der linken Hand die Perücke von dem Arme des Dieners, und indem er sie sehr geschickt auf den Kopf schwang, gab er mit seiner rechten Tatze dem armen Menschen eine Ohrfeige, so 25 daß dieser, wie es im Lustspiel zu geschehen pflegt, sich zur Thür hinaus wirbelte, worauf der ansehnliche Altvater uns ganz gravitätisch zu sitzen nötigte und einen ziemlich langen Diskurs mit gutem Anstand durchführte.

30 So lange Schlosser in Leipzig blieb, speiste ich täg-

lich mit ihm und lernte eine sehr angenehme Tischgesellschaft kennen. Einige Livländer und der Sohn des Oberhofpredigers Hermann in Dresden, nachheriger Burgemeister in Leipzig, und ihre Hofmeister, Hofrat Pfeil, Verfasser des Grafen von P., eines Pendants 5 zu Gellerts Schwedischer Gräfin, Zachariä, ein Bruder des Dichters, und Krebel, Redakteur geographischer und genealogischer Handbücher, waren gesittete, heitere und freundliche Menschen. Zachariä der stillste; Pfeil ein feiner, beinahe etwas Diplomatisches 10 an sich habender Mann, doch ohne Ziererei und mit großer Gutmütigkeit; Krebel ein wahrer Falstaff, groß, wohlbeleibt, blond, vorliegende, heitere, himmelhelle Augen, immer froh und guter Dinge. Diese Personen begegneten mir sämtlich, teils wegen Schlossers, teils 15 auch wegen meiner eignen offenen Gutmütigkeit und Zuthätigkeit, auf das allerartigste, und es brauchte kein großes Zureden, künftig mit ihnen den Tisch zu teilen. Ich blieb wirklich nach Schlossers Abreise bei ihnen, gab den Ludwigischen Tisch auf und befand mich in 20 dieser geschlossenen Gesellschaft um so wohler, als mir die Tochter vom Hause, ein gar hübsches, nettes Mädchen, sehr wohl gefiel und mir Gelegenheit ward, freundliche Blicke zu wechseln, ein Behagen, das ich seit dem Unfall mit Gretchen weder gesucht, noch zufällig 25 gefunden hatte. Die Stunden des Mittagsessens brachte ich mit meinen Freunden heiter und nützlich zu. Krebel hatte mich wirklich lieb und wußte mich mit Maßen zu necken und anzuregen; Pfeil hingegen bewies mir eine ernste Neigung, indem er mein Urteil 30 über manches zu leiten und zu bestimmen suchte.

Bei diesem Umgange wurde ich durch Gespräche, durch Beispiele und durch eigenes Nachdenken gewahr, daß der erste Schritt, um aus der wässerigen, weitschweifigen, nullen Epoche sich herauszuretten, nur 5 durch Bestimmtheit, Präzision und Kürze gethan werden könne. Bei dem bisherigen Stil konnte man das Gemeine nicht vom Besseren unterscheiden, weil alles unter einander ins Flache gezogen ward. Schon hatten Schriftsteller diesem breiten Unheil zu entgehen gesucht, 10 und es gelang ihnen mehr oder weniger. Haller und Ramler waren von Natur zum Gedrängten geneigt; Lessing und Wieland sind durch Reflexion dazu geführt worden. Der erste wurde nach und nach ganz epigrammatisch in seinen Gedichten, knapp in 15 der Minna, lakonisch in Emilia Galotti, später kehrte er erst zu einer heiteren Naivetät zurück, die ihn so wohl kleidet im Nathan. Wieland, der noch im Agathon, Don Sylvio, den Komischen Erzählungen mitunter prolix gewesen war, wird in Musarion und Idris 20 auf eine wundersame Weise gefaßt und genau, mit großer Anmut. Klopstock, in den ersten Gesängen der Messiade, ist nicht ohne Weitschweifigkeit; in den Oden und anderen kleinen Gedichten erscheint er gedrängt, so auch in seinen Tragödien. Durch seinen Wettstreit mit 25 den Alten, besonders dem Tacitus, sieht er sich immer mehr ins Enge genötigt, wodurch er zuletzt unverständlich und ungenießbar wird. Gerstenberg, ein schönes, aber bizarres Talent, nimmt sich auch zusammen; sein Verdienst wird geschätzt, macht aber im ganzen wenig 30 Freude. Gleim, weitschweifig, behaglich von Natur.

wird kaum einmal concis in den Kriegsliedern. Ramler ist eigentlich mehr Kritiker als Poet. Er fängt an, was Deutsche im Lyrischen geleistet, zu sammeln. Nun findet er, daß ihm kaum ein Gedicht völlig genugthut: er muß auslassen, redigieren, verändern, damit die Dinge nur einige Gestalt bekommen. Hierdurch macht er sich fast so viel Feinde, als es Dichter und Liebhaber gibt, da sich jeder eigentlich nur an seinen Mängeln wieder erkennt und das Publikum sich eher für ein fehlerhaftes Individuelle interessiert, als für das, was nach einer allgemeinen Geschmacksregel hervorgebracht oder verbessert wird. Die Rhythmik lag damals noch in der Wiege, und niemand wußte ein Mittel, ihre Kindheit zu verkürzen. Die poetische Prosa nahm überhand. Geßner und Klopstock erregten manche Nachahmer; andere wieder forderten doch ein Silbenmaß und übersetzten diese Prose in faßliche Rhythmen. Aber auch diese machten es niemand zu Dank: denn sie mußten auslassen und zusetzen, und das prosaische Original galt immer für das Bessere. Je mehr aber bei allem diesem das Gedrungene gesucht wird, desto mehr wird Beurteilung möglich, weil das Bedeutende, enger zusammengebracht, endlich eine sichere Vergleichung zuläßt.

* * * * * *

Der erste wahre und höhere eigentliche Lebensgehalt kam durch Friedrich den Großen und die Thaten des Siebenjährigen Krieges in die deutsche Poesie. Jede Nationaldichtung muß schal sein oder schal werden, die nicht auf dem Menschlich-Ersten ruht, auf den Ereig-

nissen der Völker und ihrer Hirten, wenn beide für einen Mann stehen. Könige sind darzustellen in Krieg und Gefahr, wo sie eben dadurch als die Ersten erscheinen, weil sie das Schicksal des Allerletzten bestim-
5 men und teilen und dadurch viel interessanter werden als die Götter selbst, die, wenn sie Schicksale bestimmt haben, sich der Teilnahme derselben entziehen. In diesem Sinne muß jede Nation, wenn sie für irgend etwas gelten will, eine Epopöe besitzen, wozu nicht
10 gerade die Form des epischen Gedichts nötig ist.

Die Kriegslieder, von Gleim angestimmt, behaupten deswegen einen so hohen Rang unter den deutschen Gedichten, weil sie mit und in der That entsprungen sind, und noch überdies, weil an ihnen die
15 glückliche Form, als hätte sie ein Mitstreitender in den höchsten Augenblicken hervorgebracht, uns die vollkommenste Wirksamkeit empfinden läßt.

Ramler singt auf eine andere, höchst würdige Weise die Thaten seines Königs. Alle seine Gedichte
20 sind gehaltvoll, beschäftigen uns mit großen, herzerhebenden Gegenständen und behaupten schon dadurch einen unzerstörlichen Wert.

Denn der innere Gehalt des bearbeiteten Gegenstandes ist der Anfang und das Ende der Kunst. Man
25 wird zwar nicht leugnen, daß das Genie, das ausgebildete Kunsttalent, durch Behandlung aus allem alles machen und den widerspenstigsten Stoff bezwingen könne. Genau besehen, entsteht aber alsdann immer mehr ein Kunststück als ein Kunstwerk, welches auf
30 einem würdigen Gegenstande ruhen soll, damit uns zu-

letzt die Behandlung durch Geschick, Mühe und Fleiß die Würde des Stoffes nur desto glücklicher und herrlicher entgegenbringe.

Die Preußen und mit ihnen das protestantische Deutschland gewannen also für ihre Litteratur einen Schatz, welcher der Gegenpartei fehlte und dessen Mangel sie durch keine nachherige Bemühung hat ersetzen können. An dem großen Begriffe, den die preußischen Schriftsteller von ihrem König hegen durften, bauten sie sich erst heran, und um desto eifriger, als derjenige, in dessen Namen sie alles thaten, ein für allemal nichts von ihnen wissen wollte. Schon früher war durch die französische Kolonie, nachher durch die Vorliebe des Königs für die Bildung dieser Nation und für ihre Finanzanstalten eine Masse französischer Kultur nach Preußen gekommen, welche den Deutschen höchst förderlich ward, indem sie dadurch zu Widerspruch und Widerstreben aufgefordert wurden; ebenso war die Abneigung Friedrichs gegen das Deutsche für die Bildung des Litterarwesens ein Glück. Man that alles, um sich von dem König bemerken zu machen, nicht etwa, um von ihm geachtet, sondern nur beachtet zu werden; aber man that's auf deutsche Weise, nach innerer Überzeugung, man that, was man für recht erkannte, und wünschte und wollte, daß der König dieses deutsche Rechte anerkennen und schätzen solle. Dies geschah nicht und konnte nicht geschehen: denn wie kann man von einem König, der geistig leben und genießen will, verlangen, daß er seine Jahre verliere, um das, was er für barbarisch hält, nur allzuspät entwickelt und genießbar zu sehen? In Handwerks- und Fabriksachen mochte er wohl sich, besonders aber seinem Volke, statt fremder vortrefflicher Waren sehr mäßige Surrogate aufnötigen; aber hier geht alles geschwinder zur Vollkommenheit, und es braucht kein Menschenleben, um solche Dinge zur Reife zu bringen.

Eines Werks aber, der wahrsten Ausgeburt des Siebenjährigen Krieges, von vollkommenem norddeutschen Nationalgehalt muß ich hier vor allen ehrenvoll erwähnen; es ist die erste, aus dem bedeutenden Leben gegriffene Theaterproduktion, von spezifisch temporärem Gehalt, die deswegen auch eine nie zu berechnende Wirkung that: *Minna von Barnhelm*. *Lessing*, der im Gegensatze von Klopstock und Gleim die persönliche Würde gern wegwarf, weil er sich zutraute, sie jeden Augenblick wieder ergreifen und aufnehmen zu können, gefiel sich in einem zerstreuten Wirtshaus- und Weltleben, da er gegen sein mächtig arbeitendes Innere stets ein gewaltiges Gegengewicht brauchte, und so hatte er sich auch in das Gefolge des Generals Tauentzien begeben. Man erkennt leicht, wie genanntes Stück zwischen Krieg und Frieden, Haß und Neigung erzeugt ist. Diese Produktion war es, die den Blick in eine höhere, bedeutendere Welt aus der litterarischen und bürgerlichen, in welcher sich die Dichtkunst bisher bewegt hatte, glücklich eröffnete.

Die gehässige Spannung, in welcher Preußen und Sachsen sich während dieses Kriegs gegen einander befanden, konnte durch die Beendigung desselben nicht aufgehoben werden. Der Sachse fühlte nun erst recht schmerzlich die Wunden, die ihm der überstolz gewordene Preuße geschlagen hatte. Durch den politischen Frieden konnte der Friede zwischen den Gemütern nicht sogleich hergestellt werden. Dieses aber sollte gedachtes Schauspiel im Bilde bewirken. Die Anmut und Liebenswürdigkeit der Sächsinnen überwindet den Wert, die Würde, den Starrsinn der Preußen, und sowohl an den Hauptpersonen als den Subalternen wird eine glückliche Vereinigung bizarrer und widerstrebender Elemente kunstgemäß dargestellt.

Habe ich durch diese kursorischen und desultorischen Bemerkungen über deutsche Litteratur meine Leser in einige Verwirrung gesetzt, so ist es mir geglückt, eine Vorstellung von jenem chaotischen Zustande zu geben, in welchem sich mein armes Gehirn befand, als, im Konflikt zweier, für das litterarische Vaterland so bedeutender Epochen, so viel Neues auf mich eindrängte, ehe ich mich mit dem Alten hatte abfinden können, so viel Altes sein Recht noch über mich gelten machte, da ich schon Ursache zu haben glaubte, ihm völlig entsagen zu dürfen. Welchen Weg ich einschlug, mich aus dieser Not, wenn auch nur Schritt vor Schritt zu retten, will ich gegenwärtig möglichst zu überliefern suchen.

Die weitschweifige Periode, in welche meine Jugend gefallen war, hatte ich treufleißig, in Gesellschaft so vieler würdigen Männer, durchgearbeitet. Die mehreren Quartbände Manuskript, die ich meinem Vater zurückließ, konnten zum genugsamen Zeugnisse dienen, und welche Masse von Versuchen, Entwürfen, bis zur Hälfte ausgeführten Vorsätzen war mehr aus Mißmut

als aus Überzeugung in Rauch aufgegangen! Nun lernte ich durch Unterredung überhaupt, durch Lehre, durch so manche widerstreitende Meinung, besonders aber durch meinen Tischgenossen, den Hofrat Pfeil, das
5 Bedeutende des Stoffs und das Concise der Behandlung mehr und mehr schätzen, ohne mir jedoch klar machen zu können, wo jenes zu suchen und wie dieses zu erreichen sei. Denn bei der großen Beschränktheit meines Zustandes, bei der Gleichgültigkeit der Gesellen,
10 dem Zurückhalten der Lehrer, der Abgesondertheit gebildeter Einwohner, bei ganz unbedeutenden Naturgegenständen, war ich genötigt, alles in mir selbst zu suchen. Verlangte ich nun zu meinen Gedichten eine wahre Unterlage, Empfindung oder Reflexion, so mußte
15 ich in meinen Busen greifen; forderte ich zu poetischer Darstellung eine unmittelbare Anschauung des Gegenstandes, der Begebenheit, so durfte ich nicht aus dem Kreise heraustreten, der mich zu berühren, mir ein Interesse einzuflößen geeignet war. In diesem Sinne
20 schrieb ich zuerst gewisse kleine Gedichte in Liederform oder freierem Silbenmaß; sie entspringen aus Reflexion, handeln vom Vergangenen und nehmen meist eine epigrammatische Wendung.

Und so begann diejenige Richtung, von der ich mein
25 ganzes Leben über nicht abweichen konnte, nämlich dasjenige, was mich erfreute oder quälte oder sonst beschäftigte, in ein Bild, ein Gedicht zu verwandeln und darüber mit mir selbst abzuschließen, um sowohl meine Begriffe von den äußeren Dingen zu berichtigen, als
30 mich im Innern deshalb zu beruhigen. Die Gabe hier-

zu war wohl niemand nötiger als mir, den seine Natur immerfort aus einem Extreme in das andere warf. Alles, was daher von mir bekannt geworden, sind nur Bruchstücke einer großen Konfession, welche vollständig zu machen dieses Büchlein ein gewagter Versuch ist.

Meine frühere Neigung zu Gretchen hatte ich nun auf ein Ännchen übergetragen, von der ich nicht mehr zu sagen wüßte, als daß sie jung, hübsch, munter, liebevoll und so angenehm war, daß sie wohl verdiente, in dem Schrein des Herzens eine Zeit lang als eine kleine Heilige aufgestellt zu werden, um ihr jede Verehrung zu widmen, welche zu erteilen oft mehr Behagen erregt als zu empfangen. Ich sah sie täglich ohne Hindernisse, sie half die Speisen bereiten, die ich genoß, sie brachte mir wenigstens abends den Wein, den ich trank, und schon unsere mittägige abgeschlossene Tischgesellschaft war Bürge, daß das kleine, von wenig Gästen außer der Messe besuchte Haus seinen guten Ruf wohl verdiente. Es fand sich zu mancherlei Unterhaltung Gelegenheit und Lust. Da sie sich aber aus dem Hause wenig entfernen konnte noch durfte, so wurde denn doch der Zeitvertreib etwas mager. Wir sangen die Lieder von Zachariä, spielten den Herzog Michel von Krüger, wobei ein zusammengeknüpftes Schnupftuch die Stelle der Nachtigall vertreten mußte, und so ging es eine Zeit lang noch ganz leidlich. Weil aber dergleichen Verhältnisse, je unschuldiger sie sind, desto weniger Mannigfaltigkeit auf die Dauer gewähren, so ward ich von jener bösen Sucht befallen, die uns verleitet, aus der Quälerei der Geliebten eine Unterhaltung zu schaf-

fen und die Ergebenheit eines Mädchens mit willkürlichen und tyrannischen Grillen zu beherrschen. Die
böse Laune über das Mißlingen meiner poetischen Versuche, über die anscheinende Unmöglichkeit, hierüber ins
5 klare zu kommen, und über alles, was mich hie und da
sonst kneipen mochte, glaubte ich an ihr auslassen zu
dürfen, weil sie mich wirklich von Herzen liebte und,
was sie nur immer konnte, mir zu Gefallen that.
Durch ungegründete und abgeschmackte Eifersüchteleien
10 verdarb ich mir und ihr die schönsten Tage. Sie ertrug es eine Zeit lang mit unglaublicher Geduld, die
ich grausam genug war aufs äußerste zu treiben.
Allein zu meiner Beschämung und Verzweiflung mußte
ich endlich bemerken, daß sich ihr Gemüt von mir ent-
15 fernt habe und daß ich nun wohl zu den Tollheiten
berechtigt sein möchte, die ich mir ohne Not und Ursache
erlaubt hatte. Es gab auch schreckliche Scenen unter
uns, bei welchen ich nichts gewann; und nun fühlte ich
erst, daß ich sie wirklich liebte und daß ich sie nicht ent-
20 behren könne. Meine Leidenschaft wuchs und nahm
alle Formen an, deren sie unter solchen Umständen
fähig ist: ja, zuletzt trat ich in die bisherige Rolle des
Mädchens. Alles Mögliche suchte ich hervor, um ihr
gefällig zu sein, ihr sogar durch andere Freude zu ver-
25 schaffen; denn ich konnte mir die Hoffnung, sie wieder
zu gewinnen, nicht versagen. Allein es war zu spät!
ich hatte sie wirklich verloren, und die Tollheit, mit der
ich meinen Fehler an mir selbst rächte, indem ich auf
mancherlei unsinnige Weise in meine physische Natur
30 stürmte, um der sittlichen etwas zu leide zu thun, hat

sehr viel zu den körperlichen Übeln beigetragen, unter denen ich einige der besten Jahre meines Lebens verlor; ja, ich wäre vielleicht an diesem Verlust völlig zu Grunde gegangen, hätte sich nicht hier das poetische Talent mit seinen Heilkräften besonders hilfreich er- 5 wiesen.

Schon früher hatte ich in manchen Intervallen meine Unart deutlich genug wahrgenommen. Das arme Kind dauerte mich wirklich, wenn ich sie so ganz ohne Not von mir verletzt sah. Ich stellte mir ihre Lage, die 10 meinige und dagegen den zufriedenen Zustand eines andern Paares aus unserer Gesellschaft so oft und so umständlich vor, daß ich endlich nicht lassen konnte, diese Situation, zu einer quälenden und belehrenden Buße, dramatisch zu behandeln. Daraus entsprang 15 die älteste meiner überbliebenen dramatischen Arbeiten, das kleine Stück: die Laune des Verliebten, an dessen unschuldigem Wesen man zugleich den Drang einer siedenden Leidenschaft gewahr wird.

Allein mich hatte eine tiefe, bedeutende, drangvolle 20 Welt schon früher angesprochen. Bei meiner Geschichte mit Gretchen und an den Folgen derselben hatte ich zeitig in die seltsamen Irrgänge geblickt, mit welchen die bürgerliche Sozietät unterminiert ist. Religion, Sitte, Gesetz, Stand, Verhältnisse, Gewohnheit, alles 25 beherrscht nur die Oberfläche des städtischen Daseins. Die von herrlichen Häusern eingefaßten Straßen werden reinlich gehalten, und jedermann beträgt sich daselbst anständig genug; aber im Innern sieht es öfters um desto wüster aus, und ein glattes Äußere über- 30

tüncht, als ein schwacher Bewurf, manches morsche Gemäuer, das über Nacht zusammenstürzt und eine desto schrecklichere Wirkung hervorbringt, als es mitten in den friedlichen Zustand hereinbricht. Wie viele
5 Familien hatte ich nicht schon näher und ferner durch Bankerotte, Ehescheidungen, verführte Töchter, Morde, Hausdiebstähle, Vergiftungen entweder ins Verderben stürzen oder auf dem Rande kümmerlich erhalten sehen und hatte, so jung ich war, in solchen Fällen zur Ret-
10 tung und Hülfe öfters die Hand geboten: denn da meine Offenheit Zutrauen erweckte, meine Verschwiegenheit erprobt war, meine Thätigkeit keine Opfer scheute und in den gefährlichsten Fällen am liebsten wirken mochte, so fand ich oft genug Gelegenheit, zu vermitteln,
15 zu vertuschen, den Wetterstrahl abzuleiten, und was sonst nur alles geleistet werden kann; wobei es nicht fehlen konnte, daß ich sowohl an mir selbst als durch andere zu manchen kränkenden und demütigenden Erfahrungen gelangen mußte. Um mir Luft zu ver-
20 schaffen, entwarf ich mehrere Schauspiele und schrieb die Expositionen von den meisten. Da aber die Verwickelungen jederzeit ängstlich werden mußten und fast alle diese Stücke mit einem tragischen Ende drohten, ließ ich eins nach dem andern fallen. Die Mit-
25 schuldigen sind das einzige fertig gewordene, dessen heiteres und burleskes Wesen auf dem düsteren Familiengrunde als von etwas Bänglichem begleitet erscheint, so daß es bei der Vorstellung im ganzen ängstiget, wenn es im einzelnen ergötzt. Die hart ausgesprochenen
30 widergesetzlichen Handlungen verletzen das ästhetische

und moralische Gefühl, und deswegen konnte das Stück auf dem deutschen Theater keinen Eingang gewinnen, obgleich die Nachahmungen desselben, welche sich fern von jenen Klippen gehalten, mit Beifall aufgenommen worden. 5

Beide genannte Stücke jedoch sind, ohne daß ich mir dessen bewußt gewesen wäre, in einem höheren Gesichtspunkt geschrieben. Sie deuten auf eine vorsichtige Duldung bei moralischer Zurechnung und sprechen in etwas herben und derben Zügen jenes höchst christliche 10 Wort spielend aus: wer sich ohne Sünde fühlt, der hebe den ersten Stein auf.

* * * * * *

Achtes Buch.

* * * * * *

Schon von Hause hatte ich einen gewissen hypochondrischen Zug mitgebracht, der sich in dem neuen sitzenden und schleichenden Leben eher verstärkte als ver- 15 schwächte. Der Schmerz auf der Brust, den ich seit dem Auerstädter Unfall von Zeit zu Zeit empfand und der nach einem Sturz mit dem Pferde merklich gewachsen war, machte mich mißmutig. Durch eine unglückliche Diät verdarb ich mir die Kräfte der Ver- 20 dauung; das schwere Merseburger Bier verdüsterte mein Gehirn; der Kaffee, der mir eine ganz eigne triste Stimmung gab, besonders mit Milch nach Tische genossen, paralysierte meine Eingeweide und schien ihre Funktionen völlig aufzuheben, so daß ich deshalb große 25 Beängstigungen empfand, ohne jedoch den Entschluß zu einer vernünftigeren Lebensart fassen zu können. Meine Natur, von hinlänglichen Kräften der Jugend unterstützt, schwankte zwischen den Extremen von ausgelassener Lustigkeit und melancholischem Unbehagen. 5 Ferner war damals die Epoche des Kaltbadens eingetreten, welches unbedingt empfohlen ward. Man sollte auf hartem Lager schlafen, nur leicht zugedeckt, wodurch denn alle gewohnte Ausdünstung unterdrückt wurde. Diese und andere Thorheiten, in Gefolg von mißver-10 standenen Anregungen Rousseaus, würden uns, wie man versprach, der Natur näher führen und uns aus dem Verderbnisse der Sitten retten. Alles Obige nun, ohne Unterscheidung, mit unvernünftigem Wechsel angewendet, empfanden mehrere als das Schädlichste, 15 und ich verhetzte meinen glücklichen Organismus dergestalt, daß die darin enthaltenen besondern Systeme zuletzt in eine Verschwörung und Revolution ausbrechen mußten, um das Ganze zu retten.

Eines Nachts wachte ich mit einem heftigen Blutsturz 20 auf und hatte noch so viel Kraft und Besinnung, meinen Stubennachbar zu wecken. Doktor Reichel wurde gerufen, der mir aufs freundlichste hülfreich ward; und so schwankte ich mehrere Tage zwischen Leben und Tod, und selbst die Freude an einer erfolgenden Besserung 25 wurde dadurch vergällt, daß sich bei jener Eruption zugleich ein Geschwulst an der linken Seite des Halses gebildet hatte, den man jetzt erst, nach vorübergegangener Gefahr, zu bemerken Zeit fand. Genesung ist jedoch immer angenehm und erfreulich, wenn sie auch langsam 30 und kümmerlich von statten geht, und da bei mir sich die Natur geholfen, so schien ich auch nunmehr ein anderer Mensch geworden zu sein: denn ich hatte eine größere Heiterkeit des Geistes gewonnen, als ich mir lange nicht gekannt, ich war froh, mein Inneres frei zu fühlen, wenn mich gleich äußerlich ein langwieriges Leiden bedrohte. 5

Was mich aber in dieser Zeit besonders aufrichtete, war, zu sehen, wie viel vorzügliche Männer mir unverdient ihre Neigung zugewendet hatten. Unverdient, sage ich: denn es war keiner darunter, dem ich nicht 10 durch widerliche Launen beschwerlich gewesen wäre, keiner, den ich nicht durch krankhaften Widersinn mehr als einmal verletzt, ja den ich nicht, im Gefühl meines eignen Unrechts, eine Zeit lang störrisch gemieden hätte. Dies alles war vergessen; sie behandelten mich aufs 15 liebreichste und suchten mich teils auf meinem Zimmer, teils sobald ich es verlassen konnte, zu unterhalten und zu zerstreuen. Sie fuhren mit mir aus, bewirteten mich auf ihren Landhäusern, und ich schien mich bald zu erholen. 20

* * * * * *

Da nun aber gewöhnlich, wenn unser Seelenconcert am geistigsten gestimmt ist, die rohen, kreischenden Töne des Weltwesens am gewaltsamsten und ungestümsten einfallen und der ingeheim immer fortwaltende Kontrast, auf einmal hervortretend, nur desto empfindlicher 25 wirkt, so sollte ich auch nicht aus der peripatetischen Schule meines Langers entlassen werden, ohne vorher noch ein, für Leipzig wenigstens, seltsames Ereignis erlebt zu haben, einen Tumult nämlich, den die Studierenden erregten, und zwar aus folgendem Anlasse. Mit den Stadtsoldaten hatten sich junge Leute veruneinigt, es war nicht ohne Thätlichkeiten abgelaufen. Mehrere Studierende verbanden sich, die zugefügten 5 Beleidigungen zu rächen. Die Soldaten widerstanden hartnäckig, und der Vorteil war nicht auf der Seite der sehr unzufriedenen akademischen Bürger. Nun ward erzählt, es hätten angesehene Personen wegen tapferen Widerstands die Obsiegenden gelobt und belohnt, und 10 hierdurch ward nun das jugendliche Ehr- und Rachgefühl mächtig aufgefordert. Man erzählte sich öffentlich, daß den nächsten Abend Fenster eingeworfen werden sollten, und einige Freunde, welche mir die Nachricht brachten, daß es wirklich geschehe, mußten mich 15 hinführen, da Jugend und Menge wohl immer durch Gefahr und Tumult angezogen wird. Es begann wirklich ein seltsames Schauspiel. Die übrigens freie Straße war an der einen Seite von Menschen besetzt, welche ganz ruhig, ohne Lärm und Bewegung abwar-20 teten, was geschehen solle. Auf der leeren Bahn gingen etwa ein Dutzend junge Leute einzeln hin und wider, in anscheinender größter Gelassenheit; sobald sie aber gegen das bezeichnete Haus kamen, so warfen sie im Vorbeigehn Steine nach den Fenstern, und dies zu 25 wiederholten Malen hin- und wiederkehrend, so lange die Scheiben noch klirren wollten. Ebenso ruhig, wie dieses vorging, verlief sich auch endlich alles, und die Sache hatte keine weiteren Folgen.

Mit einem so gellenden Nachklange akademischer 30 Großthaten fuhr ich im September 1768 von Leipzig ab, in dem bequemen Wagen eines Hauderers und in Gesellschaft einiger mir bekannten zuverlässigen Personen. * * * Je mehr ich mich nun meiner Vaterstadt näherte, desto mehr rief ich mir bedenklicherweise zurück, in welchen Zuständen, Aussichten, Hoffnungen ich von Hause weggegangen; und es war ein sehr niederschlagendes Gefühl, daß ich nunmehr gleichsam als ein Schiffbrüchiger zurückkehrte. Da ich mir jedoch nicht sonderlich viel vorzuwerfen hatte, so wußte ich mich ziemlich zu beruhigen; indessen war der Willkommen nicht ohne Bewegung. Die große Lebhaftigkeit meiner Natur, durch Krankheit gereizt und erhöht, verursachte eine leidenschaftliche Scene. Ich mochte übler aussehen, als ich selbst wußte: denn ich hatte lange keinen Spiegel zu Rate gezogen; und wer wird sich denn nicht selbst gewohnt! Genug, man kam stillschweigend überein, mancherlei Mitteilungen erst nach und nach zu bewirken und vor allen Dingen sowohl körperlich als geistig einige Beruhigung eintreten zu lassen.

Meine Schwester gesellte sich gleich zu mir, und wie vorläufig aus ihren Briefen, so konnte ich nunmehr umständlicher und genauer die Verhältnisse und die Lage der Familie vernehmen. Mein Vater hatte nach meiner Abreise seine ganze didaktische Liebhaberei der Schwester zugewendet und ihr bei einem völlig geschlossenen, durch den Frieden gesicherten und selbst von Mietleuten geräumten Hause fast alle Mittel abgeschnitten, sich auswärts einigermaßen umzuthun und zu erholen. Das Französische, Italienische, Englische mußte sie abwechselnd treiben und bearbeiten, wobei er

sie einen großen Teil des Tags sich an dem Klaviere
zu üben nötigte. Das Schreiben durfte auch nicht versäumt werden, und ich hatte wohl schon früher gemerkt,
daß er ihre Korrespondenz mit mir dirigiert und seine
5 Lehren durch ihre Feder mir hatte zukommen lassen.
Meine Schwester war und blieb ein indefinibles Wesen,
das sonderbarste Gemisch von Strenge und Weichheit,
von Eigensinn und Nachgiebigkeit, welche Eigenschaften
bald vereint, bald durch Willen und Neigung vereinzelt
10 wirkten. So hatte sie auf eine Weise, die mir fürchterlich erschien, ihre Härte gegen den Vater gewendet, dem
sie nicht verzieh, daß er ihr diese drei Jahre lang so
manche unschuldige Freude verhindert oder vergällt,
und von dessen guten und trefflichen Eigenschaften sie
15 auch ganz und gar keine anerkennen wollte. Sie that
alles, was er befahl oder anordnete, aber auf die un-
lieblichste Weise von der Welt. Sie that es in her-
gebrachter Ordnung, aber auch nichts drüber und nichts
drunter. Aus Liebe oder Gefälligkeit bequemte sie sich
20 zu nichts, so daß dies eins der ersten Dinge war, über
die sich die Mutter in einem geheimen Gespräch mit mir
beklagte. Da nun aber meine Schwester so liebebedürf-
tig war, als irgend ein menschliches Wesen, so wendete
sie nun ihre Neigung ganz auf mich. Ihre Sorge für
25 meine Pflege und Unterhaltung verschlang alle ihre
Zeit; ihre Gespielinnen, die von ihr beherrscht wurden,
ohne daß sie daran dachte, mußten gleichfalls allerlei
aussinnen, um mir gefällig und tröstreich zu sein. Sie
war erfinderisch, mich zu erheitern, und entwickelte sogar
30 einige Keime von possenhaftem Humor, den ich an ihr

nie gekannt hatte und der ihr sehr gut ließ. Es entspann sich bald unter uns eine Koterie-Sprache, wodurch wir vor allen Menschen reden konnten, ohne daß sie uns verstanden, und sie bediente sich dieses Rotwelsches öfters mit vieler Keckheit in Gegenwart der 5 Eltern.

Persönlich war mein Vater in ziemlicher Behaglichkeit. Er befand sich wohl, brachte einen großen Teil des Tags mit dem Unterrichte meiner Schwester zu, schrieb an seiner Reisebeschreibung und stimmte seine 10 Laute länger, als er darauf spielte. Er verhehlte dabei, so gut er konnte, den Verdruß, anstatt eines rüstigen, thätigen Sohns, der nun promovieren und jene vorgeschriebene Lebensbahn durchlaufen sollte, einen Kränkling zu finden, der noch mehr an der Seele als 15 am Körper zu leiden schien. Er verbarg nicht seinen Wunsch, daß man sich mit der Kur expedieren möge; besonders aber mußte man sich mit hypochondrischen Äußerungen in seiner Gegenwart in acht nehmen, weil er alsdann heftig und bitter werden konnte. 20

Meine Mutter, von Natur sehr lebhaft und heiter, brachte unter diesen Umständen sehr langweilige Tage zu. Die kleine Haushaltung war bald besorgt. Das Gemüt der guten, innerlich niemals unbeschäftigten Frau wollte auch einiges Interesse finden, und das 25 nächste begegnete ihr in der Religion, das sie um so lieber ergriff, als ihre vorzüglichsten Freundinnen gebildete und herzliche Gottesverehrerinnen waren. Unter diesen stand Fräulein von Klettenberg obenan. Es ist dieselbe, aus deren Unterhaltungen und Briefen 30

die Bekenntnisse der schönen Seele entstanden sind, die man in Wilhelm Meister eingeschaltet findet. Sie war zart gebaut, von mittlerer Größe; ein herzliches natürliches Betragen war durch Welt- und Hofart noch ge-
5 fälliger geworden. Ihr sehr netter Anzug erinnerte an die Kleidung Herrnhutischer Frauen. Heiterkeit und Gemütsruhe verließen sie niemals. Sie betrachtete ihre Krankheit als einen notwendigen Bestandteil ihres vorübergehenden irdischen Seins; sie litt mit der größ-
10 ten Geduld, und in schmerzlosen Intervallen war sie lebhaft und gesprächig. Ihre liebste, ja vielleicht einzige Unterhaltung waren die sittlichen Erfahrungen, die der Mensch, der sich beobachtet, an sich selbst machen kann; woran sich denn die religiosen Gesinnungen an-
15 schlossen, die auf eine sehr anmutige, ja geniale Weise bei ihr als natürlich und übernatürlich in Betracht kamen. * * * Nun fand sie an mir, was sie bedurfte, ein junges, lebhaftes, auch nach einem unbekannten Heile strebendes Wesen, das, ob es sich gleich nicht für
20 außerordentlich sündhaft halten konnte, sich doch in keinem behaglichen Zustand befand und weder an Leib noch Seele ganz gesund war. Sie erfreute sich an dem, was mir die Natur gegeben, sowie an manchem, was ich mir erworben hatte. Und wenn sie mir viele
25 Vorzüge zugestand, so war es keineswegs demütigend für sie: denn erstlich gedachte sie nicht mit einer Mannsperson zu wetteifern, und zweitens glaubte sie, in Absicht auf religiose Bildung sehr viel vor mir voraus zu haben. Meine Unruhe, meine Ungeduld,
30 mein Streben, mein Suchen, Forschen, Sinnen und

Schwanken legte sie auf ihre Weise aus und verhehlte mir ihre Überzeugung nicht, sondern versicherte mir unbewunden, das alles komme daher, weil ich keinen versöhnten Gott habe. Nun hatte ich von Jugend auf geglaubt, mit meinem Gott ganz gut zu stehen, ja ich bildete mir, nach mancherlei Erfahrungen, wohl ein, daß er gegen mich sogar im Rest stehen könne, und ich war kühn genug, zu glauben, daß ich ihm einiges zu verzeihen hätte. Dieser Dünkel gründete sich auf meinen unendlich guten Willen, dem er, wie mir schien, besser hätte zu Hülfe kommen sollen. Es läßt sich denken, wie oft ich und meine Freundin hierüber in Streit gerieten, der sich doch immer auf die freundlichste Weise und manchmal damit endigte: daß ich ein närrischer Bursche sei, dem man manches nachsehen müsse.

Da ich mit der Geschwulst am Halse sehr geplagt war, indem Arzt und Chirurgus diese Exkreszenz erst vertreiben, hernach, wie sie sagten, zeitigen wollten und sie zuletzt aufzuschneiden für gut befanden, so hatte ich eine geraume Zeit mehr an Unbequemlichkeit als an Schmerzen zu leiden, obgleich gegen das Ende der Heilung das immer fortdauernde Betupfen mit Höllenstein und andern ätzenden Dingen höchst verdrießliche Aussichten auf jeden neuen Tag geben mußte. Arzt und Chirurgus gehörten auch unter die abgesonderten Frommen, obgleich beide von höchst verschiedenem Naturell waren. Der Chirurgus, ein schlanker, wohlgebildeter Mann von leichter und geschickter Hand, der, leider etwas hektisch, seinen Zustand mit wahrhaft christlicher Geduld ertrug und sich in seinem Berufe

durch sein Übel nicht irre machen ließ. Der Arzt, ein unerklärlicher, schlaublickender, freundlich sprechender, übrigens abstruser Mann, der sich in dem frommen Kreise ein ganz besonderes Zutrauen erworben hatte.
5 Thätig und aufmerksam, war er den Kranken tröstlich; mehr aber als durch alles erweiterte er seine Kundschaft durch die Gabe, einige geheimnisvolle selbstbereitete Arzneien im Hintergrunde zu zeigen, von denen niemand sprechen durfte, weil bei uns den Ärzten die
10 eigene Dispensation streng verboten war. Mit gewissen Pulvern, die irgend ein Digestiv sein mochten, that er nicht so geheim; aber von jenem wichtigen Salze, das nur in den größten Gefahren angewendet werden durfte, war nur unter den Gläubigen die Rede,
15 ob es gleich noch niemand gesehen, oder die Wirkung davon gespürt hatte. Um den Glauben an die Möglichkeit eines solchen Universalmittels zu erregen und zu stärken, hatte der Arzt seinen Patienten, wo er nur einige Empfänglichkeit fand, gewisse mystische chemisch-
20 alchimische Bücher empfohlen und zu verstehen gegeben, daß man durch eignes Studium derselben gar wohl dahin gelangen könne, jenes Kleinod sich selbst zu erwerben; welches um so notwendiger sei, als die Bereitung sich sowohl aus physischen als besonders aus
25 moralischen Gründen nicht wohl überliefern lasse, ja daß man, um jenes große Werk einzusehen, hervorzubringen und zu benutzen, die Geheimnisse der Natur im Zusammenhang kennen müsse, weil es nichts Einzelnes, sondern etwas Universelles sei und auch wohl gar
30 unter verschiedenen Formen und Gestalten hervor-

gebracht werden könne. Meine Freundin hatte auf diese lockenden Worte gehorcht. Das Heil des Körpers war zu nahe mit dem Heil der Seele verwandt; und könnte je eine größere Wohlthat, eine größere Barmherzigkeit auch an andern ausgeübt werden, als wenn 5 man sich ein Mittel zu eigen machte, wodurch so manches Leiden gestillt, so manche Gefahr abgelehnt werden könnte? Sie hatte schon insgeheim Wellings Opus mago-cabbalisticum studiert, wobei sie jedoch, weil der Autor das Licht, was er mitteilt, sogleich wieder selbst 10 verfinstert und aufhebt, sich nach einem Freunde umsah, der ihr in diesem Wechsel von Licht und Finsternis Gesellschaft leistete. Es bedurfte nur einer geringen Anregung, um auch mir diese Krankheit zu inokulieren. Meine vorzüglichste Bemühung an diesem Buche war, 15 die dunklen Hinweisungen, wo der Verfasser von einer Stelle auf die andere deutet und dadurch das, was er verbirgt, zu enthüllen verspricht, aufs genauste zu bemerken und am Rande die Seitenzahlen solcher sich einander aufklären sollender Stellen zu bezeichnen. 20 Aber auch so blieb das Buch noch dunkel und unverständlich genug; außer daß man sich zuletzt in eine gewisse Terminologie hineinstudierte und, indem man mit derselben nach eignem Belieben gebarte, etwas, wo nicht zu verstehen, doch wenigstens zu sagen glaubte. 25 Gedachtes Werk erwähnt seiner Vorgänger mit vielen Ehren, und wir wurden daher angeregt, jene Quellen selbst aufzusuchen. Wir wendeten uns nun an die Werke des Theophrastus Paracelsus und **Basilius Valentinus**; nicht weniger an Hel- 30 mont, Starkey und andere, deren mehr oder weniger auf Natur und Einbildung beruhende Lehren und Vorschriften wir einzusehen und zu befolgen suchten. Mir wollte besonders die Aurea Catena Homeri gefallen, wodurch die Natur, wenn auch vielleicht auf phantastische Weise, in einer schönen Verknüpfung dargestellt wird; und so verwendeten wir, teils einzeln, teils zusammen, viele Zeit an diese Seltsamkeiten und brachten die Abende eines langen Winters, während dessen ich die Stube hüten mußte, sehr vergnügt zu, indem wir zu dreien, meine Mutter mit eingeschlossen, uns an diesen Geheimnissen mehr ergötzten, als die Offenbarung derselben hätte thun können.

Mir war indes noch eine sehr harte Prüfung vorbereitet: denn eine gestörte und, man dürfte wohl sagen, für gewisse Momente vernichtete Verdauung brachte solche Symptome hervor, daß ich unter großen Beängstigungen das Leben zu verlieren glaubte und keine angewandten Mittel weiter etwas fruchten wollten. In diesen letzten Nöten zwang meine bedrängte Mutter mit dem größten Ungestüm den verlegnen Arzt, mit seiner Universalmedizin hervorzurücken; nach langem Widerstande eilte er tief in der Nacht nach Hause und kam mit einem Gläschen kristallisierten trocknen Salzes zurück, welches, in Wasser aufgelöst, von dem Patienten verschluckt wurde und einen entschieden alkalischen Geschmack hatte. Das Salz war kaum genommen, so zeigte sich eine Erleichterung des Zustandes, und von dem Augenblick an nahm die Krankheit eine Wendung, die stufenweise zur Besserung führte. Ich darf nicht sagen, wie sehr dieses den Glauben an unsern Arzt und den Fleiß, uns eines solchen Schatzes teilhaftig zu machen, stärkte und erhöhte.

Meine Freundin, welche eltern- und geschwisterlos in einem großen wohlgelegenen Hause wohnte, hatte schon 5 früher angefangen, sich einen kleinen Windofen, Kolben und Retorten von mäßiger Größe anzuschaffen, und operierte nach Wellingischen Fingerzeigen und nach bedeutenden Winken des Arztes und Meisters besonders auf Eisen, in welchem die heilsamsten Kräfte verborgen 10 sein sollten, wenn man es aufzuschließen wisse; und weil in allen uns bekannten Schriften das Luftsalz, welches herbeigezogen werden mußte, eine große Rolle spielte, so wurden zu diesen Operationen Alkalien erfordert, welche, indem sie an der Luft zerfließen, sich 15 mit jenen überirdischen Dingen verbinden und zuletzt ein geheimnisvolles treffliches Mittelsalz per se hervorbringen sollten.

Kaum war ich einigermaßen wieder hergestellt und konnte mich, durch eine bessere Jahrszeit begünstigt, 20 wieder in meinem alten Giebelzimmer aufhalten, so fing auch ich an, mir einen kleinen Apparat zuzulegen; ein Windöfchen mit einem Sandbade war zubereitet, ich lernte sehr geschwind mit einer brennenden Lunte die Glaskolben in Schalen verwandeln, in welchen die 25 verschiedenen Mischungen abgeraucht werden sollten. Nun wurden sonderbare Ingredienzien des Makrokosmus und Mikrokosmus auf eine geheimnisvolle wunderliche Weise behandelt, und vor allem suchte man Mittelsalze auf eine unerhörte Art hervorzubringen. * * * 30

So wunderlich und unzusammenhängend auch diese Operationen waren, so lernte ich doch dabei mancherlei. Ich gab genau auf alle Krystallisationen acht, welche sich zeigen mochten, und ward mit den äußern Formen
5 mancher natürlichen Dinge bekannt, und indem mir wohl bewußt war, daß man in der neuern Zeit die chemischen Gegenstände methodischer aufgeführt: so wollte ich mir im allgemeinen davon einen Begriff machen, ob ich gleich als Halb-Adept vor den Apothe-
10 kern und allen denjenigen, die mit dem gemeinen Feuer operierten, sehr wenig Respekt hatte. Indessen zog mich doch das chemische Kompendium des Boerhave gewaltig an und verleitete mich, mehrere Schriften dieses Mannes zu lesen, wodurch ich denn, da ohnehin
15 meine langwierige Krankheit mich dem Ärztlichen näher gebracht hatte, eine Anleitung fand, auch die Aphorismen dieses trefflichen Mannes zu studieren, die ich mir gern in den Sinn und ins Gedächtnis einprägen mochte.

20 Eine andere, etwas menschlichere und bei weitem für die augenblickliche Bildung nützlichere Beschäftigung war, daß ich die Briefe durchsah, welche ich von Leipzig aus nach Hause geschrieben hatte. Nichts gibt uns mehr Aufschluß über uns selbst, als wenn wir das,
25 was vor einigen Jahren von uns ausgegangen ist, wieder vor uns sehen, so daß wir uns selbst nunmehr als Gegenstand betrachten können. * * * Der Vater hatte meine Briefe sowohl an ihn als an meine Schwester sorgfältig gesammelt und geheftet; ja er hatte sie
30 sogar mit Aufmerksamkeit korrigiert und sowohl Schreib-

als Sprachfehler verbessert. Was mir zuerst an diesen Briefen auffiel, war das Äußere; ich erschrak vor einer unglaublichen Vernachlässigung der Handschrift, die sich vom Oktober 1765 bis in die Hälfte des folgenden Januars erstreckte. Dann erschien aber auf einmal in 5 der Hälfte des Märzes eine ganz gefaßte, geordnete Hand, wie ich sie sonst bei Preisbewerbungen anzuwenden pflegte. Meine Verwunderung darüber löste sich in Dank gegen den guten Gellert auf, welcher, wie ich mich nun wohl erinnerte, uns bei den Aufsätzen, die 10 wir ihm einreichten, mit seinem herzlichen Tone zur heiligen Pflicht machte, unsere Hand so sehr, ja mehr als unsern Stil zu üben. Dieses wiederholte er so oft, als ihm eine kritzliche, nachlässige Schrift zu Gesicht kam; wobei er mehrmals äußerte, daß er sehr gern 15 die schöne Handschrift seiner Schüler zum Hauptzweck seines Unterrichts machen möchte, um so mehr, weil er oft genug bemerkt habe, daß eine gute Hand einen guten Stil nach sich ziehe.

* * * * * *

Neuntes Buch.

* * * * * *

Im Frühjahre fühlte ich meine Gesundheit, noch 20 mehr aber meinen jugendlichen Mut wieder hergestellt und sehnte mich abermals aus meinem väterlichen Hause, obgleich aus ganz andern Ursachen als das erste Mal: denn es waren mir diese hübschen Zimmer und Räume, wo ich so viel gelitten hatte, unerfreulich 25 geworden, und mit dem Vater selbst konnte sich kein

angenehmes Verhältnis anknüpfen; ich konnte ihm nicht ganz verzeihen, daß er bei den Recidiven meiner Krankheit und bei dem langsamen Genesen mehr Ungeduld als billig sehen lassen, ja daß er, anstatt durch Nach-
5 sicht mich zu trösten, sich oft auf eine grausame Weise über das, was in keines Menschen Hand lag, geäußert, als wenn es nur vom Willen abhinge. Aber auch er ward auf mancherlei Weise durch mich verletzt und beleidigt.

10 Denn junge Leute bringen von Akademien allgemeine Begriffe zurück, welches zwar ganz recht und gut ist; allein weil sie sich darin sehr weise dünken, so legen sie solche als Maßstab an die vorkommenden Gegenstände, welche denn meistens dabei verlieren müssen. So hatte
15 ich von der Baukunst, der Einrichtung und Verzierung der Häuser eine allgemeine Vorstellung gewonnen und wendete diese nun unvorsichtig im Gespräch auf unser eigenes Haus an. Mein Vater hatte die ganze Einrichtung desselben ersonnen und den Bau mit großer
20 Standhaftigkeit durchgeführt, und es ließ sich auch, insofern es eine Wohnung für ihn und seine Familie ausschließlich sein sollte, nichts dagegen einwenden; auch waren in diesem Sinne sehr viele Häuser von Frankfurt gebaut. Die Treppe ging frei hinauf und
25 berührte große Vorsäle, die selbst recht gut hätten Zimmer sein können; wie wir denn auch die gute Jahreszeit immer daselbst zubrachten. Allein dieses anmutige heitere Dasein einer einzelnen Familie, diese Kommunikation von oben bis unten ward zur größten
30 Unbequemlichkeit, sobald mehrere Partien das Haus

bewohnten, wie wir bei Gelegenheit der französischen Einquartierung nur zu sehr erfahren hatten. Denn jene ängstliche Scene mit dem Königsleutnant wäre nicht vorgefallen, ja mein Vater hätte weniger von allen Unannehmlichkeiten empfunden, wenn unsere 5 Treppe, nach der Leipziger Art, an die Seite gedrängt und jedem Stockwerk eine abgeschlossene Thüre zugeteilt gewesen wäre. Diese Bauart rühmte ich einst höchlich und setzte ihre Vorteile heraus, zeigte dem Vater die Möglichkeit, auch seine Treppe zu verlegen, worüber er 10 in einen unglaublichen Zorn geriet, der um so heftiger war, als ich kurz vorher einige schnörkelhafte Spiegelrahmen getadelt und gewisse chinesische Tapeten verworfen hatte. Es gab eine Scene, welche, zwar wieder getuscht und ausgeglichen, doch meine Reise nach dem 15 schönen Elsaß beschleunigte, die ich denn auch auf der neu eingerichteten bequemen Diligence ohne Aufhalt und in kurzer Zeit vollbrachte.

Ich war im Wirtshaus zum Geist abgestiegen und eilte sogleich, das sehnlichste Verlangen zu befriedigen 20 und mich dem Münster zu nähern, welcher durch Mitreisende mir schon lange gezeigt und eine ganze Strecke her im Auge geblieben war. Als ich nun erst durch die schmale Gasse diesen Koloß gewahrte, sodann aber auf dem freilich sehr engen Platz allzu nah vor ihm 25 stand, machte derselbe auf mich einen Eindruck ganz eigner Art, den ich aber auf der Stelle zu entwickeln unfähig, für diesmal nur dunkel mit mir nahm, indem ich das Gebäude eiligst bestieg, um nicht den schönen Augenblick einer hohen und heitern Sonne zu versäu- 30 men, welche mir das weite reiche Land auf einmal offenbaren sollte.

Und so sah ich denn von der Plattform die schöne Gegend vor mir, in welcher ich eine Zeit lang wohnen 5 und hausen durfte: die ansehnliche Stadt, die weitumherliegenden, mit herrlichen dichten Bäumen besetzten und durchflochtenen Auen, diesen auffallenden Reichtum der Vegetation, der, dem Laufe des Rheins folgend, die Ufer, Inseln und Werder bezeichnet. Nicht weniger 10 mit mannigfaltigem Grün geschmückt ist der von Süden herab sich ziehende flache Grund, welchen die Iller bewässert; selbst westwärts, nach dem Gebirge zu, finden sich manche Niederungen, die einen eben so reizenden Anblick von Wald und Wiesenwuchs gewähren, sowie 15 der nördliche mehr hügelige Teil von unendlichen kleinen Bächen durchschnitten ist, die überall ein schnelles Wachstum begünstigen. Denkt man sich nun zwischen diesen üppig ausgestreckten Matten, zwischen diesen fröhlich ausgesäeten Hainen alles zum Fruchtbau schick- 20 liche Land trefflich bearbeitet, grünend und reifend und die besten und reichsten Stellen desselben durch Dörfer und Meierhöfe bezeichnet und eine solche große und unübersehliche, wie ein neues Paradies für den Menschen recht vorbereitete Fläche näher und ferner von 25 teils angebauten, teils waldbewachsenen Bergen begrenzt: so wird man das Entzücken begreifen, mit dem ich mein Schicksal segnete, das mir für einige Zeit einen so schönen Wohnplatz bestimmt hatte.

Ein solcher frischer Anblick in ein neues Land, in 30 welchem wir uns eine Zeit lang aufhalten sollen, hat noch das Eigne, so Angenehme als Ahnungsvolle, daß das Ganze wie eine unbeschriebene Tafel vor uns liegt. Noch sind keine Leiden und Freuden, die sich auf uns beziehen, darauf verzeichnet; diese heitre, bunte, belebte Fläche ist noch stumm für uns; das Auge haftet nur 5 an den Gegenständen, insofern sie an und für sich bedeutend sind, und noch haben weder Neigung noch Leidenschaft diese oder jene Stelle besonders herauszuheben; aber eine Ahnung dessen, was kommen wird, beunruhigt schon das junge Herz, und ein unbefriedigtes 10 Bedürfnis fordert im stillen dasjenige, was kommen soll und mag, und welches auf alle Fälle, es sei nun Wohl oder Weh, unmerklich den Charakter der Gegend, in der wir uns befinden, annehmen wird. * * *

Ich bezog ein kleines, aber wohlgelegenes und an- 15 mutiges Quartier an der Sommerseite des Fischmarkts, einer schönen langen Straße, wo immerwährende Bewegung jedem unbeschäftigten Augenblick zu Hülfe kam. * * * Die Tischgesellschaft, die man mir und der man mich empfahl, war sehr angenehm und un- 20 terhaltend. Ein paar alte Jungfrauen hatten diese Pension schon lange mit Ordnung und gutem Erfolg geführt; es konnten ungefähr zehn Personen sein, ältere und jüngere. * * * Ein pensionierter Ludwigsritter befand sich unter denselben; doch waren Studierende 25 die Überzahl, alle wirklich gut und wohlgesinnt, nur mußten sie ihr gewöhnliches Weindeputat nicht überschreiten. Daß dieses nicht leicht geschah, war die Sorge unseres Präsidenten, eines Doktor Salzmann. Schon in den Sechzigen, unverheiratet, hatte 30

er diesen Mittagstisch seit vielen Jahren besucht und in Ordnung und Ansehen erhalten. Er besaß ein schönes Vermögen; in seinem Äußeren hielt er sich knapp und nett, ja, er gehörte zu denen, die immer in Schuh und
5 Strümpfen und den Hut unter dem Arm gehen. Den Hut aufzusetzen, war bei ihm eine außerordentliche Handlung. Einen Regenschirm führte er gewöhnlich mit sich, wohl eingedenk, daß die schönsten Sommertage oft Gewitter und Streifschauer über das Land
10 bringen.

Mit diesem Manne beredete ich meinen Vorsatz, mich hier in Straßburg der Rechtswissenschaft ferner zu befleißigen, um baldmöglichst promovieren zu können. Da er von allem genau unterrichtet war, so befragte
15 ich ihn über die Kollegia, die ich zu hören hätte, und was er allenfalls von der Sache denke. Darauf erwiderte er mir, daß es sich in Straßburg nicht etwa wie auf deutschen Akademien verhalte, wo man wohl Juristen im weiten und gelehrten Sinne zu bilden
20 suche. Hier sei alles, dem Verhältnis gegen Frankreich gemäß, eigentlich auf das Praktische gerichtet und nach dem Sinne der Franzosen eingeleitet, welche gern bei dem Gegebnen verharren. Gewisse allgemeine Grundsätze, gewisse Vorkenntnisse suche man einem jeden
25 beizubringen, man fasse sich so kurz wie möglich und überliefere nur das Notwendigste. Er machte mich darauf mit einem Manne bekannt, zu dem man, als Repetenten, ein großes Vertrauen hegte; welches dieser sich auch bei mir sehr bald zu erwerben wußte. Ich
30 fing an, mit ihm zur Einleitung über Gegenstände der

Rechtswissenschaft zu sprechen, und er wunderte sich nicht wenig über mein Schwadronieren: denn mehr, als ich in meiner bisherigen Darstellung aufzuführen Gelegenheit nahm, hatte ich bei meinem Aufenthalte in Leipzig an Einsicht in die Rechtserfordernisse gewonnen, obgleich mein ganzer Erwerb nur als ein allgemeiner encyklopädischer Überblick, und nicht als eigentliche bestimmte Kenntnis gelten konnte. Das akademische Leben, wenn wir uns auch bei demselben des eigentlichen Fleißes nicht zu rühmen haben, gewährt doch in jeder Art von Ausbildung unendliche Vorteile, weil wir stets von Menschen umgeben sind, welche die Wissenschaft besitzen oder suchen, so daß wir aus einer solchen Atmosphäre, wenn auch unbewußt, immer einige Nahrung ziehen.

Mein Repetent, nachdem er mit meinem Umhervagieren im Diskurse einige Zeit Geduld gehabt, machte mir zuletzt begreiflich, daß ich vor allen Dingen meine nächste Absicht im Auge behalten müsse, die nämlich, mich examinieren zu lassen, zu promovieren und alsdann allenfalls in die Praxis überzugehen. Um bei dem ersten stehen zu bleiben, sagte er, so wird die Sache keineswegs im weiten gesucht. Es wird nicht nachgefragt, wie und wo ein Gesetz entsprungen, was die innere oder äußere Veranlassung dazu gegeben; man untersucht nicht, wie es sich durch Zeit und Gewohnheit abgeändert, so wenig, als in wiefern es sich durch falsche Auslegung oder verkehrten Gerichtsbrauch vielleicht gar umgewendet. In solchen Forschungen bringen gelehrte Männer ganz eigens ihr Leben zu;

wir aber fragen nach dem, was gegenwärtig besteht; dies prägen wir unserm Gedächtnis fest ein, daß es uns stets gegenwärtig sei, wenn wir uns dessen zu Nutz und Schutz unsrer Klienten bedienen wollen. So statten 5 wir unsre jungen Leute fürs nächste Leben aus, und das weitere findet sich nach Verhältnis ihrer Talente und ihrer Thätigkeit. Er übergab mir hierauf seine Hefte, welche in Fragen und Antworten geschrieben waren und woraus ich mich sogleich ziemlich konnte 10 examinieren lassen, weil Hoppes kleiner juristischer Katechismus mir noch vollkommen im Gedächtnis stand; das übrige supplierte ich mit einigem Fleiße und qualifizierte mich, wider meinen Willen, auf die leichteste Art zum Kandidaten.

15 Da mir aber auf diesem Wege jede eigne Thätigkeit in dem Studium abgeschnitten ward (denn ich hatte für nichts Positives einen Sinn, sondern wollte alles, wo nicht verständig, doch historisch erklärt haben), so fand ich für meine Kräfte einen größern Spielraum, den ich 20 auf die wunderlichste Weise benutzte, indem ich einem Interesse nachgab, das mir zufällig von außen gebracht wurde.

Die meisten meiner Tischgenossen waren Mediziner. Diese sind, wie bekannt, die einzigen Studierenden, die 25 sich von ihrer Wissenschaft, ihrem Metier auch außer den Lehrstunden mit Lebhaftigkeit unterhalten. Es liegt dieses in der Natur der Sache. Die Gegenstände ihrer Bemühungen sind die sinnlichsten und zugleich die höchsten, die einfachsten und die kompliziertesten. Die 30 Medizin beschäftigt den ganzen Menschen, weil sie sich mit dem ganzen Menschen beschäftigt. Alles, was der Jüngling lernt, deutet sogleich auf eine wichtige, zwar gefährliche, aber doch in manchem Sinn belohnende Praxis. Er wirft sich daher mit Leidenschaft auf das, was zu erkennen und zu thun ist, teils weil es ihn an 5 sich interessiert, teils weil es ihm die frohe Aussicht von Selbständigkeit und Wohlhaben eröffnet.

Bei Tische also hörte ich nichts anderes als medizinische Gespräche, eben wie vormals in der Pension des Hofrats Ludwig. Auf Spaziergängen und bei Lust- 10 partien kam auch nicht viel anderes zur Sprache: denn meine Tischgesellen, als gute Kumpane, waren mir auch Gesellen für die übrige Zeit geworden, und an sie schlossen sich jedesmal Gleichgesinnte und Gleiches Studierende von allen Seiten an. Die medizinische 15 Fakultät glänzte überhaupt vor den übrigen, sowohl in Absicht auf die Berühmtheit der Lehrer als die Frequenz der Lernenden, und so zog mich der Strom dahin, um so leichter, als ich von allen diesen Dingen gerade so viel Kenntnis hatte, daß meine Wissenslust 20 bald vermehrt und angefeuert werden konnte. Beim Eintritt des zweiten Semesters besuchte ich daher Chemie bei Spielmann, Anatomie bei Lobstein und nahm mir vor, recht fleißig zu sein, weil ich bei unserer Sozietät durch meine wunderlichen Vor- oder vielmehr 25 Überkenntnisse schon einiges Ansehen und Zutrauen erworben hatte.

Doch es war an dieser Zerstreuung und Zerstückelung meiner Studien nicht genug, sie sollten abermals bedeutend gestört werden: denn eine merkwürdige 30

Staatsbegebenheit setzte alles in Bewegung und verschaffte uns eine ziemliche Reihe Feiertage. Marie Antoinette, Erzherzogin von Österreich, Königin von Frankreich, sollte auf ihrem Wege nach Paris über
5 Straßburg gehen. Die Feierlichkeiten, durch welche das Volk aufmerksam gemacht wird, daß es Große in der Welt gibt, wurden emsig und häufig vorbereitet, und mir besonders war dabei das Gebäude merkwürdig, das zu ihrem Empfang und zur Übergabe in die Hände
10 der Abgesandten ihres Gemahls auf einer Rheininsel zwischen den beiden Brücken aufgerichtet stand. Es war nur wenig über den Boden erhoben, hatte in der Mitte einen großen Saal, an beiden Seiten kleinere, dann folgten andere Zimmer, die sich noch etwas
15 hinterwärts erstreckten; genug, es hätte, dauerhafter gebaut, gar wohl für ein Lusthaus hoher Personen gelten können. Was mich aber daran besonders interessierte und weswegen ich manches Büsel (ein kleines damals kurrentes Silberstück) nicht schonte, um mir von
20 dem Pförtner einen wiederholten Eintritt zu verschaffen, waren die gewirkten Tapeten, mit denen man das Ganze inwendig ausgeschlagen hatte. Hier sah ich zum ersten Mal ein Exemplar jener nach Raffaels Kartonen gewirkten Teppiche, und dieser Anblick war für mich von
25 ganz entschiedener Wirkung, indem ich das Rechte und Vollkommene, obgleich nur nachgebildet, in Masse kennen lernte. Ich ging und kam und kam und ging, und konnte mich nicht satt sehen; ja, ein vergebliches Streben quälte mich, weil ich das, was mich so außerordentlich
30 ansprach, auch gern begriffen hätte. Höchst erfreulich

und erquicklich fand ich diese Nebensäle, desto schrecklicher aber den Hauptsaal. Diesen hatte man mit viel größern, glänzendern, reichern und von gedrängten Zieraten umgebenen Hautelissen behängt, die nach Gemälden neuerer Franzosen gewirkt waren. 5

Nun hätte ich mich wohl auch mit dieser Manier befreundet, weil meine Empfindung wie mein Urteil nicht leicht etwas völlig ausschloß; aber äußerst empörte mich der Gegenstand. Diese Bilder enthielten die Geschichte von Jason, Medea und Kreusa und also 10 ein Beispiel der unglücklichsten Heirat. Zur Linken des Throns sah man die mit dem grausamsten Tode ringende Braut, umgeben von jammervollen Teilnehmenden; zur Rechten entsetzte sich der Vater über die ermordeten Kinder zu seinen Füßen, während die Furie 15 auf dem Drachenwagen in die Luft zog. Und damit ja dem Grausamen und Abscheulichen nicht auch ein Abgeschmacktes fehle, so ringelte sich hinter dem roten Samt des goldgestickten Thronrückens rechter Hand der weiße Schweif jenes Zauberstiers hervor, inzwischen 20 die feuerspeiende Bestie selbst und der sie bekämpfende Jason von jener kostbaren Draperie gänzlich bedeckt waren.

Hier nun wurden alle Maximen, welche ich in Oesers Schule mir zu eigen gemacht, in meinem Busen rege. 25 Daß man Christum und die Apostel in die Seitensäle eines Hochzeitgebäudes gebracht, war schon ohne Wahl und Einsicht geschehen, und ohne Zweifel hatte das Maß der Zimmer den königlichen Teppichverwahrer geleitet; allein das verzieh ich gern, weil es mir zu so 30 großem Vorteil gereichte; nun aber ein Mißgriff wie der im großen Saale, brachte mich ganz aus der Fassung, und ich forderte, lebhaft und heftig, meine Gefährten zu Zeugen auf eines solchen Verbrechens gegen Geschmack und Gefühl. — Was! rief ich aus, ohne mich um die Umstehenden zu bekümmern, ist es erlaubt, einer jungen Königin das Beispiel der gräßlichsten Hochzeit, die vielleicht jemals vollzogen worden, bei dem ersten Schritt in ihr Land so unbesonnen vors Auge zu bringen? Gibt es denn unter den französischen Architekten, Dekorateuren, Tapezierern gar keinen Menschen, der begreift, daß Bilder etwas vorstellen, daß Bilder auf Sinn und Gefühl wirken, daß sie Eindrücke machen, daß sie Ahnungen erregen! Ist es doch nicht anders, als hätte man dieser schönen und, wie man hört, lebenslustigen Dame das abscheulichste Gespenst bis an die Grenze entgegen geschickt. — Ich weiß nicht, was ich noch alles weiter sagte; genug, meine Gefährten suchten mich zu beschwichtigen und aus dem Hause zu schaffen, damit es nicht Verdruß setzen möchte. Alsdann versicherten sie mir, es wäre nicht jedermanns Sache, Bedeutung in den Bildern zu suchen; ihnen wenigstens wäre nichts dabei eingefallen, und auf dergleichen Grillen würde die ganze Population Straßburgs und der Gegend, wie sie auch herbeiströmen sollte, so wenig als die Königin selbst mit ihrem Hofe jemals geraten.

Der schönen und vornehmen, so heitern als imposanten Miene dieser jungen Dame erinnere ich mich noch recht wohl. Sie schien, in ihrem Glaswagen uns allen vollkommen sichtbar, mit ihren Begleiterinnen in vertraulicher Unterhaltung über die Menge, die ihrem Zug entgegenströmte, zu scherzen. Abends zogen wir durch die Straßen, um die verschiedenen illuminierten Gebäude, besonders aber den brennenden Gipfel des Münsters zu sehen, an dem wir, sowohl in der Nähe als in der Ferne, unsere Augen nicht genugsam weiden konnten.

Die Königin verfolgte ihren Weg; das Landvolk verlief sich, und die Stadt war bald ruhig wie vorher. Vor Ankunft der Königin hatte man die ganz vernünftige Anordnung gemacht, daß sich keine mißgestalteten Personen, keine Krüppel und ekelhaften Kranken auf ihrem Wege zeigen sollten. Man scherzte hierüber, und ich machte ein kleines französisches Gedicht, worin ich die Ankunft Christi, welcher besonders der Kranken und Lahmen wegen auf der Welt zu wandeln schien, und die Ankunft der Königin, welche diese Unglücklichen verscheuchte, in Vergleichung brachte. Meine Freunde ließen es passieren; ein Franzose hingegen, der mit uns lebte, kritisierte sehr unbarmherzig Sprache und Versmaß, obgleich, wie es schien, nur allzu gründlich, und ich erinnere mich nicht, nachher je wieder ein französisches Gedicht gemacht zu haben.

Kaum erscholl aus der Hauptstadt die Nachricht von der glücklichen Ankunft der Königin, als eine Schreckenspost ihr folgte, bei dem festlichen Feuerwerke sei, durch ein Polizeiversehen, in einer von Baumaterialien versperrten Straße eine Unzahl Menschen mit Pferden und Wagen zu Grunde gegangen und die Stadt bei diesen Hochzeitfeierlichkeiten in Trauer und Leid versetzt

worden. Die Größe des Unglücks suchte man sowohl dem jungen königlichen Paare als der Welt zu verbergen, indem man die umgekommenen Personen heimlich begrub, so daß viele Familien nur durch das völlige
5 Außenbleiben der Ihrigen überzeugt wurden, daß auch diese von dem schrecklichen Ereignis mit hingerafft seien. Daß mir lebhaft bei dieser Gelegenheit jene gräßlichen Bilder des Hauptsaales wieder vor die Seele traten, brauche ich kaum zu erwähnen: denn jedem ist bekannt,
10 wie mächtig gewisse sittliche Eindrücke sind, wenn sie sich an sinnlichen gleichsam verkörpern.

* * * * * *

Ich befand mich in einem Gesundheitszustand, der mich bei allem, was ich unternehmen wollte und sollte, hinreichend förderte; nur war mir noch eine gewisse
15 Reizbarkeit übriggeblieben, die mich nicht immer im Gleichgewicht ließ. Ein starker Schall war mir zuwider, krankhafte Gegenstände erregten mir Ekel und Abscheu. Besonders aber ängstigte mich ein Schwindel, der mich jedesmal befiel, wenn ich von einer Höhe
20 herunter blickte. Allen diesen Mängeln suchte ich abzuhelfen, und zwar weil ich keine Zeit verlieren wollte, auf eine etwas heftige Weise. Abends beim Zapfenstreich ging ich neben der Menge Trommeln her, deren gewaltsame Wirbel und Schläge das Herz im Busen
25 hätten zersprengen mögen. Ich erstieg ganz allein den höchsten Gipfel des Münsterturms und saß in dem sogenannten Hals, unter dem Knopf oder der Krone, wie man's nennt, wohl eine Viertelstunde lang, bis ich

es wagte, wieder heraus in die freie Luft zu treten, wo man auf einer Platte, die kaum eine Elle ins Gevierte haben wird, ohne sich sonderlich anhalten zu können, stehend das unendliche Land vor sich sieht, indessen die nächsten Umgebungen und Zieraten die Kirche und alles, worauf und worüber man steht, verbergen. Es ist völlig, als wenn man sich auf einer Montgolfiere in die Luft erhoben sähe. Dergleichen Angst und Qual wiederholte ich so oft, bis der Eindruck mir ganz gleichgültig ward, und ich habe nachher bei Bergreisen und geologischen Studien, bei großen Bauten, wo ich mit den Zimmerleuten um die Wette über die freiliegenden Balken und über die Gesimse des Gebäudes herlief, ja in Rom, wo man eben dergleichen Wagstücke ausüben muß, um bedeutende Kunstwerke näher zu sehen, von jenen Vorübungen großen Vorteil gezogen. Die Anatomie war mir auch deshalb doppelt wert, weil sie mich den widerwärtigsten Anblick ertragen lehrte, indem sie meine Wißbegierde befriedigte. Und so besuchte ich auch das Klinikum des ältern Doktor Ehrmann, sowie die Lektionen der Entbindungskunst seines Sohns, in der doppelten Absicht, alle Zustände kennen zu lernen und mich von aller Apprehension gegen widerwärtige Dinge zu befreien. Ich habe es auch wirklich darin so weit gebracht, daß nichts dergleichen mich jemals aus der Fassung setzen konnte. Aber nicht allein gegen diese sinnlichen Eindrücke, sondern auch gegen die Anfechtungen der Einbildungskraft suchte ich mich zu stählen. Die ahnungs- und schauervollen Eindrücke der Finsternis, der Kirchhöfe, einsamer Örter, nächt-

licher Kirchen und Kapellen, und was hiemit verwandt sein mag, wußte ich mir ebenfalls gleichgültig zu machen; und auch darin brachte ich es so weit, daß mir Tag und Nacht und jedes Lokal völlig gleich war, ja
5 daß, als in später Zeit mich die Lust ankam, wieder einmal in solcher Umgebung die angenehmen Schauer der Jugend zu fühlen, ich diese in mir kaum durch die seltsamsten und fürchterlichsten Bilder, die ich hervorrief, wieder einigermaßen erzwingen konnte.

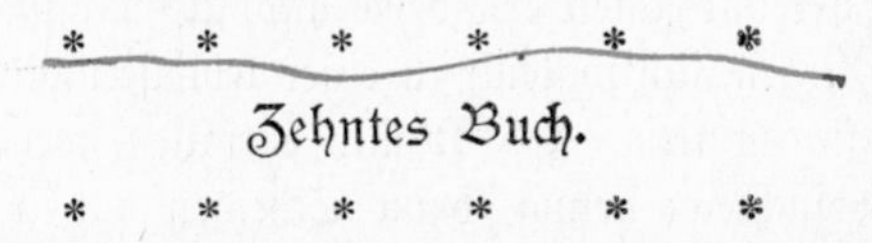

Zehntes Buch.

* * * * * *

10 Das bedeutendste Ereignis, was die wichtigsten Folgen für mich haben sollte, war die Bekanntschaft und die daran sich knüpfende nähere Verbindung mit Herder. Er hatte den Prinzen von Holstein-Eutin, der sich in traurigen Gemütszuständen befand, auf
15 Reisen begleitet und war mit ihm bis Straßburg gekommen. Unsere Sozietät, sobald sie seine Gegenwart vernahm, trug ein großes Verlangen, sich ihm zu nähern, und mir begegnete dies Glück zuerst ganz unvermutet und zufällig. Ich war nämlich in den
20 Gasthof zum Geist gegangen, ich weiß nicht welchen bedeutenden Fremden aufzusuchen. Gleich unten an der Treppe fand ich einen Mann, der eben auch hinaufzusteigen im Begriff war und den ich für einen Geistlichen halten konnte. Sein gepudertes Haar war in
25 eine runde Locke aufgesteckt, das schwarze Kleid bezeichnete ihn gleichfalls, mehr noch aber ein langer schwarzer

seidner Mantel, dessen Ende er zusammengenommen und in die Tasche gesteckt hatte. Dieses einigermaßen auffallende, aber doch im ganzen galante und gefällige Wesen, wovon ich schon hatte sprechen hören, ließ mich keineswegs zweifeln, daß er der berühmte Ankömmling 5 sei, und meine Anrede mußte ihn sogleich überzeugen, daß ich ihn kenne. Er fragte nach meinem Namen, der ihm von keiner Bedeutung sein konnte; allein meine Offenheit schien ihm zu gefallen, indem er sie mit großer Freundlichkeit erwiderte und, als wir die Treppe 10 hinaufstiegen, sich sogleich zu einer lebhaften Mitteilung bereit finden ließ. Es ist mir entfallen, wen wir damals besuchten; genug, beim Scheiden bat ich mir die Erlaubnis aus, ihn bei sich zu sehen, die er mir denn auch freundlich genug erteilte. Ich versäumte nicht, 15 mich dieser Vergünstigung wiederholt zu bedienen, und ward immer mehr von ihm angezogen. Er hatte etwas Weiches in seinem Betragen, das sehr schicklich und anständig war, ohne daß es eigentlich adrett gewesen wäre. Ein rundes Gesicht, eine bedeutende Stirn, eine 20 etwas stumpfe Nase, einen etwas aufgeworfenen, aber höchst individuell angenehmen, liebenswürdigen Mund. Unter schwarzen Augenbrauen ein Paar kohlschwarze Augen, die ihre Wirkung nicht verfehlten, obgleich das eine rot und entzündet zu sein pflegte. Durch mannig- 25 faltige Fragen suchte er sich mit mir und meinem Zustande bekannt zu machen, und seine Anziehungskraft wirkte immer stärker auf mich. Ich war überhaupt sehr zutraulicher Natur, und vor ihm besonders hatte ich gar kein Geheimnis. Es währte jedoch nicht lange, 30

als der abstoßende Puls seines Wesens eintrat und mich in nicht geringes Mißbehagen versetzte. Ich erzählte ihm mancherlei von meinen Jugendbeschäftigungen und Liebhabereien, unter andern von einer Siegel-
5 sammlung, die ich hauptsächlich durch des korrespondenzreichen Hausfreundes Teilnahme zusammengebracht. Ich hatte sie nach dem Staatskalender eingerichtet und war bei dieser Gelegenheit mit sämtlichen Potentaten, größern und geringern Mächten und Gewalten bis auf
10 den Adel herunter wohl bekannt geworden, und meinem Gedächtnis waren diese heraldischen Zeichen gar oft und vorzüglich bei der Krönungsfeierlichkeit zu statten gekommen. Ich sprach von diesen Dingen mit einiger Behaglichkeit; allein er war anderer Meinung, ver-
15 warf nicht allein dieses ganze Interesse, sondern wußte es mir auch lächerlich zu machen, ja beinahe zu verleiden.

Von diesem seinem Widersprechungsgeiste sollte ich noch gar manches ausstehen; denn er entschloß sich,
20 teils weil er sich vom Prinzen abzusondern gedachte, teils eines Augenübels wegen, in Straßburg zu verweilen. Dieses Übel ist eins der beschwerlichsten und unangenehmsten und um desto lästiger, als es nur durch eine schmerzliche, höchst verdrießliche und un-
25 sichere Operation geheilt werden kann. Das Thränensäckchen nämlich ist nach unten zu verschlossen, so daß die darin enthaltene Feuchtigkeit nicht nach der Nase hin und um so weniger abfließen kann, als auch dem benachbarten Knochen die Öffnung fehlt, wodurch diese
30 Sekretion naturgemäß erfolgen sollte. Der Boden des

Säckchens muß daher aufgeschnitten und der Knochen durchbohrt werden, da denn ein Pferdehaar durch den Thränenpunkt, ferner durch das eröffnete Säckchen und durch den damit in Verbindung gesetzten neuen Kanal gezogen und täglich hin und wider bewegt wird, um 5 die Kommunikation zwischen beiden Teilen herzustellen, welches alles nicht gethan noch erreicht werden kann, wenn nicht erst in jener Gegend äußerlich ein Einschnitt gemacht worden.

Herder war nun vom Prinzen getrennt, in ein eignes 10 Quartier gezogen; der Entschluß war gefaßt, sich durch Lobstein operieren zu lassen. Hier kamen mir jene Übungen gut zu statten, durch die ich meine Empfindlichkeit abzustumpfen versucht hatte; ich konnte der Operation beiwohnen und einem so werten Manne auf 15 mancherlei Weise dienstlich und behülflich sein. Hier fand ich nun alle Ursache, seine große Standhaftigkeit und Geduld zu bewundern; denn weder bei den vielfachen chirurgischen Verwundungen, noch bei dem oftmals wiederholten schmerzlichen Verbande bewies er 20 sich im mindesten verdrießlich, und er schien derjenige von uns zu sein, der am wenigsten litt; aber in der Zwischenzeit hatten wir freilich den Wechsel seiner Laune vielfach zu ertragen. Ich sage: wir; denn es war außer mir ein behaglicher Russe, Namens Peglow, 25 meistens um ihn. Dieser war ein früherer Bekannter von Herder in Riga gewesen und suchte sich, obgleich kein Jüngling mehr, noch in der Chirurgie unter Lobsteins Anleitung zu vervollkommnen. Herder konnte allerliebst einnehmend und geistreich sein, aber eben so 30

leicht eine verdrießliche Seite hervorkehren Dieses
Anziehen und Abstoßen haben zwar alle Menschen
ihrer Natur nach, einige mehr, einige weniger, einige
in langsamern, andere in schnelleren Pulsen; wenige
5 können ihre Eigenheiten hierin wirklich bezwingen, viele
zum Schein. Was Herdern betrifft, so schrieb sich das
Übergewicht seines widersprechenden, bittern, bissigen
Humors gewiß von seinem Übel und den daraus ent=
springenden Leiden her. Dieser Fall kommt im Leben
10 öfters vor, und man beachtet nicht genug die moralische
Wirkung krankhafter Zustände und beurteilt daher
manche Charaktere sehr ungerecht, weil man alle Men=
schen für gesund nimmt und von ihnen verlangt, daß
sie sich auch in solcher Maße betragen sollen.

15 Die ganze Zeit dieser Kur besuchte ich Herdern mor=
gens und abends; ich blieb auch wohl ganze Tage bei
ihm und gewöhnte mich in kurzem um so mehr an sein
Schelten und Tadeln, als ich seine schönen und großen
Eigenschaften, seine ausgebreiteten Kenntnisse, seine
20 tiefen Einsichten täglich mehr schätzen lernte. Die Ein=
wirkung dieses gutmütigen Polterers war groß und
bedeutend. Er hatte fünf Jahre mehr als ich, welches
in jüngeren Tagen schon einen großen Unterschied
macht; und da ich ihn für das anerkannte, was er
25 war, da ich dasjenige zu schätzen suchte, was er schon
geleistet hatte, so mußte er eine große Superiorität
über mich gewinnen. Aber behaglich war der Zustand
nicht: denn ältere Personen, mit denen ich bisher um=
gegangen, hatten mich mit Schonung zu bilden gesucht,
30 vielleicht auch durch Nachgiebigkeit verzogen; von

Herdern aber konnte man niemals eine Billigung erwarten, man mochte sich anstellen, wie man wollte. Indem nun also auf der einen Seite meine große Neigung und Verehrung für ihn und auf der andern das Mißbehagen, das er in mir erweckte, beständig mit 5 einander im Streit lagen, so entstand ein Zwiespalt in mir, der erste in seiner Art, den ich in meinem Leben empfunden hatte. Da seine Gespräche jederzeit bedeutend waren, er mochte fragen, antworten oder sich sonst auf eine Weise mitteilen, so mußte er mich zu neuen 10 Ansichten täglich, ja stündlich befördern. In Leipzig hatte ich mir eher ein enges und abgezirkeltes Wesen angewöhnt, und meine allgemeinen Kenntnisse der deutschen Litteratur konnten durch meinen Frankfurter Zustand nicht erweitert werden; ja, mich hatten jene 15 mystisch-religiösen chemischen Beschäftigungen in dunkle Regionen geführt, und was seit einigen Jahren in der weiten litterarischen Welt vorgegangen, war mir meistens fremd geblieben. Nun wurde ich auf einmal durch Herder mit allem neuen Streben und mit allen 20 den Richtungen bekannt, welche dasselbe zu nehmen schien. Er selbst hatte sich schon genugsam berühmt gemacht und durch seine Fragmente, die kritischen Wälder und anderes unmittelbar an die Seite der vorzüglichsten Männer gesetzt, welche seit 25 längerer Zeit die Augen des Vaterlandes auf sich zogen. * * *

Ich ward mit der Poesie von einer ganz andern Seite, in einem andern Sinne bekannt als bisher, und zwar in einem solchen, der mir sehr zusagte. Die 30

hebräische Dichtkunst, welche er nach seinem Vorgänger
Lowth geistreich behandelte, die Volkspoesie, deren
Überlieferungen im Elsaß aufzusuchen er uns antrieb,
die ältesten Urkunden als Poesie gaben das Zeugnis,
5 daß die Dichtkunst überhaupt eine Welt- und Völker-
gabe sei, nicht ein Privaterbteil einiger feinen, gebildeten Männer. Ich verschlang das alles, und je heftiger
ich im Empfangen, desto freigebiger war er im Geben,
und wir brachten die interessantesten Stunden zusam-
10 men zu. Meine übrigen angefangenen Naturstudien
suchte ich fortzusetzen, und da man immer Zeit genug
hat, wenn man sie gut anwenden will, so gelang mir
mitunter das Doppelte und Dreifache. Was die Fülle
dieser wenigen Wochen betrifft, welche wir zusammen
15 lebten, kann ich wohl sagen, daß alles, was Herder
nachher allmählich ausgeführt hat, im Keim angedeutet
ward und daß ich dadurch in die glückliche Lage geriet,
alles, was ich bisher gedacht, gelernt, mir zugeeignet
hatte, zu komplettieren, an ein Höheres anzuknüpfen,
20 zu erweitern. Wäre Herder methodischer gewesen, so
hätte ich auch für eine dauerhafte Richtung meiner
Bildung die köstlichste Anleitung gefunden; aber er
war mehr geneigt, zu prüfen und anzuregen, als zu
führen und zu leiten. So machte er mich zuerst mit
25 Hamanns Schriften bekannt, auf die er einen sehr
großen Wert setzte. Anstatt mich aber über dieselben
zu belehren und mir den Hang und Gang dieses außerordentlichen Geistes begreiflich zu machen, so diente es
ihm gewöhnlich nur zur Belustigung, wenn ich mich,
30 um zu dem Verständnis solcher sibyllischen Blätter zu

gelangen, freilich wunderlich genug gebärdete. Indessen fühlte ich wohl, daß mir in Hamanns Schriften etwas zusagte, dem ich mich überließ, ohne zu wissen, woher es komme und wohin es führe. * * *

Ehe ich nun von jenem für mich so bedeutenden und 5 folgereichen Verhältnisse zu Herdern den Blick hinwegwende, finde ich noch einiges nachzubringen. Es war nichts natürlicher, als daß ich nach und nach in Mitteilung dessen, was bisher zu meiner Bildung beigetragen, besonders aber solcher Dinge, die mich noch in dem 10 Augenblicke ernstlich beschäftigten, gegen Herdern immer karger und karger ward. Er hatte mir den Spaß an so manchem, was ich früher geliebt, verdorben und mich besonders wegen der Freude, die ich an Ovids Metamorphosen gehabt, aufs strengste getadelt. Ich mochte 15 meinen Liebling in Schutz nehmen, wie ich wollte, ich mochte sagen, daß für eine jugendliche Phantasie nichts erfreulicher sein könne, als in jenen heitern und herrlichen Gegenden mit Göttern und Halbgöttern zu verweilen und ein Zeuge ihres Thuns und ihrer 20 Leidenschaften zu sein; ich mochte jenes oben erwähnte Gutachten eines ernsthaften Mannes umständlich beibringen und solches durch meine eigne Erfahrung bekräftigen: das alles sollte nicht gelten, es sollte sich keine eigentliche unmittelbare Wahrheit in diesen Ge- 25 dichten finden; hier sei weder Griechenland noch Italien, weder eine Urwelt noch eine gebildete, alles vielmehr sei Nachahmung des schon Dagewesenen und eine manierierte Darstellung, wie sie sich nur von einem Überkultivierten erwarten lasse. Und wenn ich denn 30

zuletzt behaupten wollte: was ein vorzügliches Individuum hervorbringe, sei doch auch Natur, und unter
allen Völkern, frühern und spätern, sei doch immer nur
der Dichter Dichter gewesen, so wurde mir dies nun
5 gar nicht gut gehalten, und ich mußte manches deswegen
ausstehen, ja mein Ovid war mir beinah dadurch ver-
leidet: denn es ist keine Neigung, keine Gewohnheit so
stark, daß sie gegen die Mißreden vorzüglicher Menschen,
in die man Vertrauen setzt, auf die Länge sich erhalten
10 könnte. Immer bleibt etwas hängen, und wenn man
nicht unbedingt lieben darf, sieht es mit der Liebe schon
mißlich aus.

Am sorgfältigsten verbarg ich ihm das Interesse an
gewissen Gegenständen, die sich bei mir eingewurzelt
15 hatten und sich nach und nach zu poetischen Gestalten
ausbilden wollten. Es war Götz von Berlichingen und Faust. Die Lebensbeschreibung des erstern
hatte mich im Innersten ergriffen. Die Gestalt eines
rohen, wohlmeinenden Selbsthelfers in wilder, anarchi-
20 scher Zeit erregte meinen tiefsten Anteil. Die bedeutende
Puppenspielfabel des andern klang und summte gar
vieltönig in mir wieder. Auch ich hatte mich in allem
Wissen umhergetrieben und war früh genug auf die
Eitelkeit desselben hingewiesen worden. Ich hatte es
25 auch im Leben auf allerlei Weise versucht und war
immer unbefriedigter und gequälter zurückgekommen.
Nun trug ich diese Dinge, so wie manche andre, mit
mir herum und ergötzte mich daran in einsamen Stunden, ohne jedoch etwas davon aufzuschreiben. Am
30 meisten aber verbarg ich vor Herdern meine mystisch-

kabbalistische Chemie und was sich darauf bezog, ob ich mich gleich noch sehr gern heimlich beschäftigte, sie konsequenter auszubilden, als man sie mir überliefert hatte. Von poetischen Arbeiten glaube ich ihm die Mitschuldigen vorgelegt zu haben, doch erinnere 5 ich mich nicht, daß mir irgend eine Zurechtweisung oder Aufmunterung von seiner Seite hierüber zu teil geworden wäre. Aber bei diesem allem blieb er, der er war; was von ihm ausging, wirkte, wenn auch nicht erfreulich, doch bedeutend; ja seine Handschrift sogar übte 10 auf mich eine magische Gewalt aus. Ich erinnere mich nicht, daß ich eins seiner Blätter, ja nur ein Couvert von seiner Hand, zerrissen oder verschleudert hätte; dennoch ist mir, bei den so mannigfaltigen Ort- und Zeitwechseln, kein Dokument jener wunderbaren, ah- 15 nungsvollen und glücklichen Tage übrig geblieben.

* * * * * *

Wie sehr ich in der neuern Litteratur zurück sein mußte, läßt sich aus der Lebensart schließen, die ich in Frankfurt geführt, aus den Studien, denen ich mich gewidmet hatte, und mein Aufenthalt in Straßburg 20 konnte mich darin nicht fördern. Nun kam Herder und brachte neben seinen großen Kenntnissen noch manche Hülfsmittel und überdies auch neuere Schriften mit. Unter diesen kündigte er uns den Landpriester von Wakefield als ein fürtreffliches Werk an, von 25 dem er uns die deutsche Übersetzung durch selbsteigne Vorlesung bekannt machen wollte. * * *

Ein protestantischer Landgeistlicher ist vielleicht der

schönste Gegenstand einer modernen Idylle; er erscheint, wie Melchisedech, als Priester und König in e i n e r Person. An den unschuldigsten Zustand, der sich auf Erden denken läßt, an den des Ackermanns, ist er 5 meistens durch gleiche Beschäftigung, sowie durch gleiche Familienverhältnisse geknüpft; er ist Vater, Hausherr, Landmann und so vollkommen ein Glied der Gemeine. Auf diesem reinen, schönen, irdischen Grunde ruht sein höherer Beruf; ihm ist übergeben, 10 die Menschen ins Leben zu führen, für ihre geistige Erziehung zu sorgen, sie bei allen Hauptepochen ihres Daseins zu segnen, sie zu belehren, zu kräftigen, zu trösten und, wenn der Trost für die Gegenwart nicht ausreicht, die Hoffnung einer glücklicheren Zukunft 15 heranzurufen und zu verbürgen. Denke man sich einen solchen Mann, mit rein menschlichen Gesinnungen, stark genug, um unter keinen Umständen davon zu weichen, und schon dadurch über die Menge erhaben, von der man Reinheit und Festigkeit nicht erwarten kann; gebe 20 man ihm die zu seinem Amte nötigen Kenntnisse, sowie eine heitere, gleiche Thätigkeit, welche sogar leidenschaftlich ist, indem sie keinen Augenblick versäumt, das Gute zu wirken — und man wird ihn wohl ausgestattet haben. Zugleich aber füge man die nötige Beschränkt- 25 heit hinzu, daß er nicht allein in einem kleinen Kreise verharren, sondern auch allenfalls in einen kleineren übergehen möge; man verleihe ihm Gutmütigkeit, Versöhnlichkeit, Standhaftigkeit, und was sonst noch aus einem entschiedenen Charakter Löbliches hervorspringt, 30 und über dies alles eine heitere Nachgiebigkeit und lächelnde Duldung eigner und fremder Fehler: so hat man das Bild unseres trefflichen Wakefield so ziemlich beisammen.

Die Darstellung dieses Charakters auf seinem Lebensgange durch Freuden und Leiden, das immer wachsende 5 Interesse der Fabel, durch Verbindung des ganz Natürlichen mit dem Sonderbaren und Seltsamen, macht diesen Roman zu einem der besten, die je geschrieben worden; der noch überdies den großen Vorzug hat, daß er ganz sittlich, ja im reinen Sinne christlich ist, 10 die Belohnung des guten Willens, des Beharrens bei dem Rechten darstellt, das unbedingte Zutrauen auf Gott bestätigt und den endlichen Triumph des Guten über das Böse beglaubigt, und dies alles ohne eine Spur von Frömmelei oder Pedantismus. Vor beiden 15 hatte den Verfasser der hohe Sinn bewahrt, der sich hier durchgängig als Ironie zeigt, wodurch dieses Werkchen uns eben so weise als liebenswürdig entgegenkommen muß. Der Verfasser, Doktor Goldsmith, hat ohne Frage große Einsicht in die moralische 20 Welt, in ihren Wert und in ihre Gebrechen; aber zugleich mag er nur dankbar anerkennen, daß er ein Engländer ist, und die Vorteile, die ihm sein Land seine Nation darbietet, hoch anrechnen. Die Familie, mit deren Schilderung er sich beschäftigt, steht auf einer 25 der letzten Stufen des bürgerlichen Behagens, und doch kommt sie mit dem Höchsten in Berührung; ihr enger Kreis, der sich noch mehr verengt, greift, durch den natürlichen und bürgerlichen Lauf der Dinge, in die große Welt mit ein; auf der reichen bewegten Woge 30 des englischen Lebens schwimmt dieser kleine Kahn, und in Wohl und Weh hat er Schaden oder Hülfe von der ungeheuern Flotte zu erwarten, die um ihn hersegelt. * * *

5 Gedachtes Werk hatte bei mir einen so großen Eindruck zurückgelassen, von dem ich mir selbst nicht Rechenschaft geben konnte; eigentlich fühlte ich mich aber in Übereinstimmung mit jener ironischen Gesinnung, die sich über die Gegenstände, über Glück und 10 Unglück, Gutes und Böses, Tod und Leben erhebt und so zum Besitz einer wahrhaft poetischen Welt gelangt. Freilich konnte dieses nur später bei mir zum Bewußtsein kommen, genug, es machte mir für den Augenblick viel zu schaffen; keineswegs aber hätte ich erwartet, 15 alsobald aus dieser fingierten Welt in eine ähnliche wirkliche versetzt zu werden

Mein Tischgenosse Weyland, der sein stilles fleißiges Leben dadurch erheiterte, daß er, aus dem Elsaß gebürtig, bei Freunden und Verwandten in der Gegend von 20 Zeit zu Zeit einsprach, leistete mir auf meinen kleinen Exkursionen manchen Dienst, indem er mich in verschiedenen Ortschaften und Familien teils persönlich, teils durch Empfehlungen einführte. Dieser hatte mir öfters von einem Landgeistlichen gesprochen, der nahe bei 25 Drusenheim, sechs Stunden von Straßburg, im Besitz einer guten Pfarre mit einer verständigen Frau und ein paar liebenswürdigen Töchtern lebe. Die Gastfreiheit und Anmut dieses Hauses ward immer dabei höchlich gerühmt. So viel bedurfte es kaum, um einen 30 jungen Ritter anzureizen, der sich schon angewöhnt hatte, alle abzumüßigenden Tage und Stunden zu Pferde und in freier Luft zuzubringen. Also entschlossen wir uns auch zu dieser Partie, wobei mir mein Freund versprechen mußte, daß er bei der Einführung weder Gutes noch Böses von mir sagen, überhaupt aber mich gleichgültig behandeln wolle, sogar erlauben, wo nicht schlecht, doch etwas ärmlich und nachläßig gekleidet zu erscheinen. Er willigte darein und versprach sich selbst einigen Spaß davon.

Es ist eine verzeihliche Grille bedeutender Menschen, gelegentlich einmal äußere Vorzüge ins Verborgene zu stellen, um den eignen innern menschlichen Gehalt desto reiner wirken zu lassen; deswegen hat das Inkognito der Fürsten und die daraus entspringenden Abenteuer immer etwas höchst Angenehmes: es erscheinen verkleidete Gottheiten, die alles Gute, was man ihrer Persönlichkeit erweist, doppelt hoch anrechnen dürfen und im Fall sind, das Unerfreuliche entweder leicht zu nehmen, oder ihm ausweichen zu können. Daß Jupiter bei Philemon und Baucis, Heinrich der Vierte nach einer Jagdpartie unter seinen Bauern sich in ihrem Inkognito wohlgefallen, ist ganz der Natur gemäß, und man mag es gern; daß aber ein junger Mensch ohne Bedeutung und Namen sich einfallen läßt, aus dem Inkognito einiges Vergnügen zu ziehen, möchte mancher für einen unverzeihlichen Hochmut auslegen. Da aber hier die Rede nicht ist von Gesinnungen und Handlungen, in wiefern sie lobens- oder tadelnswürdig, sondern wiefern sie sich offenbaren und ereignen können, so wollen wir für diesmal, unserer Unterhaltung zuliebe, dem Jüngling seinen Dünkel verzeihen, um so mehr, als ich hier anführen muß, daß von Jugend auf in mir eine Lust, mich zu verkleiden, selbst durch den ernsten Vater erregt worden.

5 Auch diesmal hatte ich mich, teils durch eigne ältere, teils durch einige geborgte Kleidungsstücke und durch die Art, die Haare zu kämmen, wo nicht entstellt, doch wenigstens so wunderlich zugestutzt, daß mein Freund unterwegs sich des Lachens nicht erwehren konnte, be-
10 sonders wenn ich Haltung und Gebärde solcher Figuren, wenn sie zu Pferde sitzen und die man lateinische Reiter nennt, vollkommen nachzuahmen wußte. Die schöne Chaussee, das herrlichste Wetter und die Nähe des Rheins gaben uns den besten Humor. In Drusenheim
15 hielten wir einen Augenblick an, er, um sich nett zu machen, und ich, um mir meine Rolle zurückzurufen, aus der ich gelegentlich zu fallen fürchtete. Die Gegend hier hat den Charakter des ganz freien ebenen Elsasses. Wir ritten einen anmutigen Fußpfad über Wiesen,
20 gelangten bald nach Sesenheim, ließen unsere Pferde im Wirtshause und gingen gelassen nach dem Pfarrhofe. — Laß dich, sagte Weyland, indem er mir das Haus von weitem zeigte, nicht irren, daß es einem alten und schlechten Bauernhause ähnlich sieht; inwendig ist
25 es desto jünger. — Wir traten in den Hof; das Ganze gefiel mir wohl: denn es hatte gerade das, was man malerisch nennt und was mich in der niederländischen Kunst so zauberisch angesprochen hatte. Jene Wirkung war gewaltig sichtbar, welche die Zeit über alles Men-
30 schenwerk ausübt. Haus und Scheune und Stall be-

fanden sich in dem Zustande des Verfalls gerade auf dem Punkte, wo man unschlüssig, zwischen Erhalten und Neuaufrichten zweifelhaft, das eine unterläßt, ohne zu dem andern gelangen zu können.

Alles war still und menschenleer, wie im Dorfe so 5 im Hofe. Wir fanden den Vater, einen kleinen, in sich gekehrten, aber doch freundlichen Mann, ganz allein: denn die Familie war auf dem Felde. Er hieß uns willkommen, bot uns eine Erfrischung an, die wir ablehnten. Mein Freund eilte, die Frauenzimmer aufzu- 10 suchen, und ich blieb mit unserem Wirt allein. — Sie wundern sich vielleicht, sagte er, daß Sie mich in einem reichen Dorfe und bei einer einträglichen Stelle so schlecht quartiert finden; das kommt aber, fuhr er fort, von der Unentschlossenheit. Schon lange ist mir's von 15 der Gemeine, ja von den oberen Stellen zugesagt, daß das Haus neu aufgerichtet werden soll; mehrere Risse sind schon gemacht, geprüft, verändert, keiner ganz verworfen und keiner ausgeführt worden. Es hat so viele Jahre gedauert, daß ich mich vor Ungeduld kaum zu 20 fassen weiß. — Ich erwiderte ihm, was ich für schicklich hielt, um seine Hoffnung zu nähren und ihn aufzumuntern, daß er die Sache stärker betreiben möchte. Er fuhr darauf fort, mit Vertrauen die Personen zu schildern, von denen solche Sachen abhingen, und obgleich 25 er kein sonderlicher Charakterzeichner war, so konnte ich doch recht gut begreifen, wie das ganze Geschäft stocken mußte. Die Zutraulichkeit des Mannes hatte was Eignes; er sprach zu mir, als wenn er mich zehn Jahre gekannt hätte, ohne daß irgend etwas in seinem Blick 30

gewesen wäre, woraus ich einige Aufmerksamkeit auf mich hätte mutmaßen können. Endlich trat mein Freund mit der Mutter herein. Diese schien mich mit ganz andern Augen anzusehn. Ihr Gesicht war regelmäßig
5 und der Ausdruck desselben verständig; sie mußte in ihrer Jugend schön gewesen sein. Ihre Gestalt war lang und hager, doch nicht mehr, als solchen Jahren geziemt; sie hatte vom Rücken her noch ein ganz jugendliches, angenehmes Ansehen. Die älteste Toch-
10 ter kam darauf lebhaft hereingestürmt; sie fragte nach Friedriken, so wie die andern beiden auch nach ihr gefragt hatten. Der Vater versicherte, sie nicht gesehen zu haben, seitdem alle drei fortgegangen. Die Tochter fuhr wieder zur Thüre hinaus, um die Schwester zu
15 suchen; die Mutter brachte uns einige Erfrischungen, und Weyland setzte mit den beiden Gatten das Gespräch fort, das sich auf lauter bewußte Personen und Verhältnisse bezog, wie es zu geschehn pflegt, wenn Bekannte nach einiger Zeit zusammenkommen, von den
20 Gliedern eines großen Zirkels Erkundigung einziehn und sich wechselsweise berichten. Ich hörte zu und erfuhr nunmehr, wie viel ich mir von diesem Kreise zu versprechen hatte.

Die älteste Tochter kam wieder hastig in die Stube,
25 unruhig, ihre Schwester nicht gefunden zu haben. Man war besorgt um sie und schalt auf diese oder jene böse Gewohnheit; nur der Vater sagte ganz ruhig: Laßt sie immer gehn, sie kommt schon wieder! In diesem Augenblick trat sie wirklich in die Thür; und da ging
30 fürwahr an diesem ländlichen Himmel ein allerliebster

Stern auf. Beide Töchter trugen sich noch deutsch, wie man es zu nennen pflegte, und diese fast verdrängte Nationaltracht kleidete Friedriken besonders gut. Ein kurzes weißes rundes Röckchen mit einer Falbel, nicht länger als daß die nettsten Füßchen bis an die Knöchel 5 sichtbar blieben; ein knappes weißes Mieder und eine schwarze Taffetschürze — so stand sie auf der Grenze zwischen Bäuerin und Städterin. Schlank und leicht, als wenn sie nichts an sich zu tragen hätte, schritt sie, und beinahe schien für die gewaltigen blonden Zöpfe 10 des niedlichen Köpfchens der Hals zu zart. Aus heiteren blauen Augen blickte sie sehr deutlich umher, und das artige Stumpfnäschen forschte so frei in die Luft, als wenn es in der Welt keine Sorge geben könnte; der Strohhut hing ihr am Arm, und so hatte ich das Ver- 15 gnügen, sie beim ersten Blick auf einmal in ihrer ganzen Anmut und Lieblichkeit zu sehn und zu erkennen.

Ich fing nun an, meine Rolle mit Mäßigung zu spielen, halb beschämt, so gute Menschen zum besten zu haben, die zu beobachten es mir nicht an Zeit fehlte: 20 denn die Mädchen setzten jenes Gespräch fort und zwar mit Leidenschaft und Laune. Sämtliche Nachbarn und Verwandte wurden abermals vorgeführt, und es erschien meiner Einbildungskraft ein solcher Schwarm von Onkeln und Tanten, Vettern, Basen, Kommenden, 25 Gehenden, Gevattern und Gästen, daß ich in der belebtesten Welt zu hausen glaubte. Alle Familienglieder hatten einige Worte mit mir gesprochen; die Mutter betrachtete mich jedesmal, so oft sie kam oder ging, aber Friedrike ließ sich zuerst mit mir in ein Gespräch ein, 30

und indem ich umherliegende Noten aufnahm und durchsah, fragte sie, ob ich auch spiele. Als ich es bejahte, ersuchte sie mich, etwas vorzutragen; aber der Vater ließ mich nicht dazu kommen: denn er behaup-
5 tete, es sei schicklich, dem Gaste zuerst mit irgend einem Musikstück oder einem Liede zu dienen.

Sie spielte verschiedenes mit einiger Fertigkeit, in der Art, wie man es auf dem Lande zu hören pflegt, und zwar auf einem Klavier, das der Schulmeister schon
10 längst hätte stimmen sollen, wenn er Zeit gehabt hätte. Nun sollte sie auch ein Lied singen, ein gewisses zärtlich-trauriges; das gelang ihr nun gar nicht. Sie stand auf und sagte lächelnd, oder vielmehr mit dem auf ihrem Gesicht immerfort ruhenden Zuge von heite-
15 rer Freude: Wenn ich schlecht singe, so kann ich die Schuld nicht auf das Klavier und den Schulmeister werfen; lassen Sie uns aber nur hinauskommen, dann sollen Sie meine Elsasser- und Schweizerliedchen hören, die klingen schon besser.

20 Beim Abendessen beschäftigte mich eine Vorstellung, die mich schon früher überfallen hatte, dergestalt, daß ich nachdenklich und stumm wurde, obgleich die Lebhaftigkeit der ältern Schwester und die Anmut der jüngern mich oft genug aus meinen Betrachtungen schüttelten.
25 Meine Verwunderung war über allen Ausdruck, mich so ganz leibhaftig in der Wakefieldschen Familie zu finden. Der Vater konnte freilich nicht mit jenem trefflichen Manne verglichen werden; allein, wo gäbe es auch seinesgleichen! Dagegen stellte sich alle Würde,
30 welche jenem Ehegatten eigen ist, hier in der Gattin

dar. Man konnte sie nicht ansehen, ohne sie zugleich zu ehren und zu scheuen. Man bemerkte bei ihr die Folgen einer guten Erziehung; ihr Betragen war ruhig, frei, heiter und einladend.

Hatte die ältere Tochter nicht die gerühmte Schön- 5 heit Oliviens, so war sie doch wohlgebaut, lebhaft und eher heftig; sie zeigte sich überall thätig und ging der Mutter in allem an Handen. Friedriken an die Stelle von Primrosens Sophie zu setzen, war nicht schwer: denn von jener ist wenig gesagt, man gibt nur zu, daß 10 sie liebenswürdig sei; diese war es wirklich. Wie nun dasselbe Geschäft, derselbe Zustand überall, wo er vorkommen mag, ähnliche, wo nicht gleiche Wirkungen hervorbringt, so kam auch hier manches zur Sprache, es geschah gar manches, was in der Wakefieldschen Familie 15 sich auch schon ereignet hatte. Als nun aber gar zuletzt ein längst angekündigter und von dem Vater mit Ungeduld erwarteter jüngerer Sohn ins Zimmer sprang und sich dreist zu uns setzte, indem er von den Gästen wenig Notiz nahm, so enthielt ich mich kaum auszu- 20 rufen: Moses, bist du auch da!

Die Unterhaltung bei Tische erweiterte die Ansicht jenes Land- und Familienkreises, indem von mancherlei lustigen Begebenheiten, die bald da, bald dort vorgefallen, die Rede war. Friedrike, die neben mir saß, 25 nahm daher Gelegenheit, mir verschiedene Ortschaften zu beschreiben, die es wohl zu besuchen der Mühe wert sei. Da immer ein Geschichtchen das andere hervorruft, so konnte ich nun auch mich desto besser in das Gespräch mischen und ähnliche Begebenheiten erzählen, und weil 30 hiebei ein guter Landwein keineswegs geschont wurde, so stand ich in Gefahr, aus meiner Rolle zu fallen, weshalb der vorsichtigere Freund den schönen Mondschein zum Vorwand nahm und auf einen Spaziergang antrug, welcher denn auch sogleich beliebt wurde. Er bot der ältesten den Arm, ich der jüngsten, und so zogen wir durch die weiten Fluren, mehr den Himmel über uns zum Gegenstand habend als die Erde, die sich neben uns in der Breite verlor. Friedrikens Reden jedoch hatten nichts Mondscheinhaftes; durch die Klarheit, womit sie sprach, machte sie die Nacht zum Tage, und es war nichts darin, was eine Empfindung angedeutet oder erweckt hätte; nur bezogen sich ihre Äußerungen mehr als bisher auf mich, indem sie sowohl ihren Zustand als die Gegend und ihre Bekannten mir von der Seite vorstellte, wiefern ich sie würde kennen lernen: denn ich hoffe, setzte sie hinzu, daß ich keine Ausnahme machen und sie wieder besuchen würde, wie jeder Fremde gern gethan, der einmal bei ihnen eingekehrt sei.

Es war mir sehr angenehm, stillschweigend der Schilderung zuzuhören, die sie von der kleinen Welt machte, in der sie sich bewegte, und von denen Menschen, die sie besonders schätzte. Sie brachte mir dadurch einen klaren und zugleich so liebenswürdigen Begriff von ihrem Zustande bei, der sehr wunderlich auf mich wirkte: denn ich empfand auf einmal einen tiefen Verdruß, nicht früher mit ihr gelebt zu haben, und zugleich ein recht peinliches, neidisches Gefühl gegen alle, welche das Glück gehabt hatten, sie bisher zu umgeben. Ich paßte sogleich, als wenn ich ein Recht dazu gehabt hätte, genau auf alle ihre Schilderungen von Männern, sie mochten unter dem Namen von Nachbarn, Vettern oder Gevattern auftreten, und lenkte bald da- bald dorthin meine Vermutung; allein wie hätte 5 ich etwas entdecken sollen in der völligen Unbekanntschaft aller Verhältnisse! Sie wurde zuletzt immer redseliger und ich immer stiller. Es hörte sich ihr gar so gut zu, und da ich nur ihre Stimme vernahm, ihre Gesichtsbildung aber so wie die übrige Welt in Däm- 10 merung schwebte, so war es mir, als ob ich in ihr Herz sähe, das ich höchst rein finden mußte, da es sich in so unbefangener Geschwätzigkeit vor mir eröffnete.

Als mein Gefährte mit mir in das für uns zubereitete Gastzimmer gelangte, brach er sogleich mit Selbst- 15 gefälligkeit in behaglichen Scherz aus und that sich viel darauf zu gute, mich mit der Ähnlichkeit der Primrosischen Familie so sehr überrascht zu haben. Ich stimmte mit ein, indem ich mich dankbar erwies. — Fürwahr! rief er aus, das Märchen ist ganz beisammen. Diese 20 Familie vergleicht sich jener sehr gut, und der verkappte Herr da mag sich die Ehre anthun, für Herrn Burchell gelten zu wollen; ferner, weil wir im gemeinen Leben die Bösewichter nicht so nötig haben als in Romanen, so will ich für diesmal die Rolle des Neffen überneh- 25 men und mich besser aufführen als er. Ich verließ jedoch sogleich dieses Gespräch, so angenehm es mir auch sein mochte, und fragte ihn vor allen Dingen auf sein Gewissen, ob er mich wirklich nicht verraten habe. Er beteuerte nein! und ich durfte ihm glauben. Sie 30 hätten sich vielmehr, sagte er, nach dem lustigen Tischgesellen erkundigt, der in Straßburg mit ihm in *einer* Pension speise und von dem man ihnen allerlei verkehrtes Zeug erzählt habe. Ich schritt nun zu andern Fragen: ob sie geliebt habe? ob sie liebe? ob sie versprochen sei? Er verneinte das alles. — Fürwahr! versetzte ich, eine solche Heiterkeit von Natur aus ist mir unbegreiflich. Hätte sie geliebt und verloren und sich wieder gefaßt, oder wäre sie Braut, in beiden Fällen wollte ich es gelten lassen.

So schwatzten wir zusammen tief in die Nacht, und ich war schon wieder munter, als es tagte. Das Verlangen, sie wiederzusehen, schien unüberwindlich; allein indem ich mich anzog, erschrak ich über die verwünschte Garderobe, die ich mir so freventlich ausgesucht hatte. Je weiter ich kam, meine Kleidungsstücke anzulegen, desto niederträchtiger erschien ich mir: denn alles war ja auf diesen Effekt berechnet. Mit meinen Haaren wär' ich allenfalls noch fertig geworden; aber wie ich mich zuletzt in den geborgten, abgetragenen grauen Rock einzwängte und die kurzen Ärmel mir das abgeschmackteste Ansehen gaben, fiel ich desto entschiedener in Verzweiflung, als ich mich in einem kleinen Spiegel nur teilweise betrachten konnte; da denn immer ein Teil lächerlicher aussah als der andre.

Über dieser Toilette war mein Freund aufgewacht und blickte, mit der Zufriedenheit eines guten Gewissens und im Gefühl einer freudigen Hoffnung für den Tag, aus der gestopften seidenen Decke. Ich hatte schon seine hübschen Kleider, wie sie über den Stuhl hingen, längst beneidet, und wär' er von meiner Taille gewesen, ich hätte sie ihm vor den Augen weggetragen, mich draußen umgezogen und ihm meine verwünschte Hülle, in den Garten eilend, zurückgelassen; er hätte guten Humor genug gehabt, sich in meine Kleider zu stecken, 5 und das Märchen wäre bei frühem Morgen zu einem lustigen Ende gelangt. Daran war aber nun gar nicht zu denken, so wenig als wie an irgend eine schickliche Vermittelung. In der Figur, in der mich mein Freund für einen zwar fleißigen und geschickten, aber armen 10 Studiosen der Theologie ausgeben konnte, wieder vor Friedriken hinzutreten, die gestern Abend an mein verkleidetes Selbst so freundlich gesprochen hatte, das war mir ganz unmöglich. Ärgerlich und sinnend stand ich da und bot all mein Erfindungsvermögen auf; allein 15 es verließ mich. Als nun aber gar der behaglich Ausgestreckte, nachdem er mich eine Weile fixiert hatte, auf einmal in ein lautes Lachen ausbrach und ausrief: Nein! es ist wahr, du siehst ganz verwünscht aus! versetzte ich heftig: Und ich weiß, was ich thue; leb' wohl 20 und entschuldige mich! — Bist du toll! rief er, indem er aus dem Bette sprang und mich aufhalten wollte. Ich war aber schon zur Thüre hinaus, die Treppe hinunter, aus Haus und Hof, nach der Schenke; im Nu war mein Pferd gesattelt, und ich eilte in rasendem 25 Unmut galoppierend nach Drusenheim, den Ort hindurch und immer weiter.

Da ich mich nun in Sicherheit glaubte, ritt ich langsamer und fühlte nun erst, wie unendlich ungern ich mich entfernte. Ich ergab mich aber in mein Schicksal, 30

vergegenwärtigte mir den Spaziergang von gestern Abend mit der größten Ruhe und nährte die stille Hoffnung, sie bald wiederzusehn. Doch verwandelte sich dieses stille Gefühl bald wieder in Ungeduld, und nun
5 beschloß ich, schnell in die Stadt zu reiten, mich umzuziehen, ein gutes frisches Pferd zu nehmen; da ich denn wohl allenfalls, wie mir die Leidenschaft vorspiegelte, noch vor Tische oder, wie es wahrscheinlicher war, zum Nachtische oder gegen Abend gewiß wieder eintreffen
10 und meine Vergebung erbitten konnte.

Eben wollte ich meinem Pferde die Sporen geben, um diesen Vorsatz auszuführen, als mir ein anderer und, wie mich deuchte, sehr glücklicher Gedanke durch den Geist fuhr. Schon gestern hatte ich im Gasthofe zu
15 Drusenheim einen sehr sauber gekleideten Wirtssohn bemerkt, der auch heute früh, mit ländlichen Anordnungen beschäftigt, mich aus seinem Hofe begrüßte. Er war von meiner Gestalt und hatte mich flüchtig an mich selbst erinnert. Gedacht, gethan! Mein Pferd war
20 kaum umgewendet, so befand ich mich in Drusenheim; ich brachte es in den Stall und machte dem Burschen kurz und gut den Vortrag: er solle mir seine Kleider borgen, weil ich in Sesenheim etwas Lustiges vorhabe. Da brauchte ich nicht auszureden; er nahm den Vor-
25 schlag mit Freuden an und lobte mich, daß ich den Mamsells einen Spaß machen wolle; sie wären so brav und gut, besonders Mamsell Riekchen, und auch die Eltern sähen gerne, daß es immer lustig und vergnügt zuginge. Er betrachtete mich aufmerksam, und da er
30 mich nach meinem Aufzug für einen armen Schlucker

halten mochte, so sagte er: Wenn Sie sich insinuieren wollen, so ist das der rechte Weg. Wir waren indessen schon weit in unserer Umkleidung gekommen, und eigentlich sollte er mir seine Festtagskleider gegen die meinigen nicht anvertrauen; doch er war treuherzig und hatte ja 5 mein Pferd im Stalle. Ich stand bald und recht schmuck da, warf mich in die Brust, und mein Freund schien sein Ebenbild mit Behaglichkeit zu betrachten. — Topp, Herr Bruder! sagte er, indem er mir die Hand hinreichte, in die ich wacker einschlug, komme Er meinem 10 Mädel nicht zu nah, sie möchte sich vergreifen.

Meine Haare, die nunmehr wieder ihren völligen Wuchs hatten, konnte ich ungefähr wie die seinigen scheiteln, und da ich ihn wiederholt betrachtete, so fand ich's lustig, seine dichteren Augenbrauen mit einem 15 gebrannten Korkstöpsel mäßig nachzuahmen und sie in der Mitte näher zusammenzuziehen, um mich bei meinem rätselhaften Vornehmen auch äußerlich zum Rätsel zu bilden. Habt Ihr nun, sagte ich, als er mir den bebänderten Hut reichte, nicht irgend etwas in der Pfarre 20 auszurichten, daß ich mich auf eine natürliche Weise dort anmelden könnte? — Gut! versetzte er, aber da müssen Sie noch zwei Stunden warten. Bei uns ist eine Wöchnerin; ich will mich erbieten, den Kuchen der Frau Pfarrin zu bringen, den mögen Sie dann hinü- 25 bertragen. Hoffart muß Not leiden und der Spaß denn auch. — Ich entschloß mich, zu warten; aber diese zwei Stunden wurden mir unendlich lang, und ich verging vor Ungeduld, als die dritte verfloß, ehe der Kuchen aus dem Ofen kam. Ich empfing ihn endlich ganz 30

warm und eilte bei dem schönsten Sonnenschein mit meinem Kreditiv davon, noch eine Strecke von meinem Ebenbild begleitet, welches gegen Abend nachzukommen und mir meine Kleider zu bringen versprach, die ich
5 aber lebhaft ablehnte und mir vorbehielt, ihm die seinigen wieder zuzustellen.

Ich war nicht weit mit meiner Gabe gesprungen, die ich in einer sauberen zusammengeknüpften Serviette trug, als ich in der Ferne meinen Freund mit den bei-
10 den Frauenzimmern mir entgegenkommen sah. Mein Herz war beklommen, wie sich's eigentlich unter dieser Jacke nicht ziemte. Ich blieb stehen, holte Atem und suchte zu überlegen, was ich beginnen solle; und nun bemerkte ich erst, daß das Terrain mir sehr zu statten
15 kam: denn sie gingen auf der andern Seite des Baches, der, so wie die Wiesenstreifen, durch die er hinlief, zwei Fußpfade ziemlich aus einander hielt. Als sie gegen mir über waren, rief Friedrike, die mich schon lange gewahrt hatte: George, was bringst du? Ich war
20 klug genug, das Gesicht mit dem Hute, den ich abnahm, zu bedecken, indem ich die beladene Serviette hoch in die Höhe hielt. — Ein Kindtaufkuchen! rief sie dagegen; wie geht's der Schwester? — Guet, sagte ich, indem ich, wo nicht elsassisch, doch fremd zu reden suchte. —
25 Trag ihn nach Hause! sagte die älteste, und wenn du die Mutter nicht findest, gib ihn der Magd; aber wart' auf uns, wir kommen bald wieder, hörst du! — Ich eilte meinen Pfad hin, im Frohgefühl der besten Hoffnung, daß alles gut ablaufen müsse, da der Anfang
30 glücklich war, und hatte bald die Pfarrwohnung er-

reicht. Ich fand niemand weder im Haus noch in der Küche; den Herrn, den ich beschäftigt in der Studierstube vermuten konnte, wollte ich nicht aufregen, ich setzte mich deshalb auf die Bank vor der Thür, den Kuchen neben mich und drückte den Hut ins Gesicht. 5

Ich erinnere mich nicht leicht einer angenehmern Empfindung. Hier an dieser Schwelle wieder zu sitzen, über die ich vor kurzem in Verzweiflung hinausgestolpert war; sie schon wieder gesehen, ihre liebe Stimme schon wieder gehört zu haben, kurz nachdem mein Un- 10 mut mir eine lange Trennung vorgespiegelt hatte; jeden Augenblick sie selbst und eine Entdeckung zu erwarten, vor der mir das Herz klopfte, und doch, in diesem zweideutigen Falle, eine Entdeckung ohne Beschämung; dann, gleich zum Eintritt einen so lustigen Streich, als 15 keiner derjenigen, die gestern belacht worden waren! Liebe und Not sind doch die besten Meister; hier wirkten sie zusammen, und der Lehrling war ihrer nicht unwert geblieben.

Die Magd kam aber aus der Scheune getreten. — 20 Nun! sind die Kuchen geraten? rief sie mich an; wie geht's der Schwester? — Alles guet, sagte ich und deutete auf den Kuchen, ohne aufzusehen. Sie faßte die Serviette und murrte: Nun, was hast du heute wieder? Hat Bärbchen wieder einmal einen andern 25 angesehen? Laß es uns nicht entgelten! Das wird eine saubere Ehe werden, wenn's so fort geht. Da sie ziemlich laut sprach, kam der Pfarrer ans Fenster und fragte, was es gebe. Sie bedeutete ihn; ich stand auf und kehrte mich nach ihm zu, doch hielt ich den Hut 30

wieder übers Gesicht. Als er etwas Freundliches gesprochen und mich zu bleiben geheißen hatte, ging ich nach dem Garten und wollte eben hineintreten, als die Pfarrin, die zum Hofthore hereinkam, mich anrief. Da
5 mir die Sonne gerade ins Gesicht schien, so bediente ich mich abermals des Vorteils, den mir der Hut gewährte, grüßte sie mit einem Scharrfuß; sie aber ging in das Haus, nachdem sie mir zugesprochen hatte, ich möchte nicht weggehen, ohne etwas genossen zu haben. Ich
10 ging nunmehr in dem Garten auf und ab; alles hatte bisher den besten Erfolg gehabt, doch holte ich tief Atem, wenn ich dachte, daß die jungen Leute nun bald herankommen würden. Aber unvermutet trat die Mutter zu mir und wollte eben eine Frage an mich thun,
15 als sie mir ins Gesicht sah, das ich nicht mehr verbergen konnte, und ihr das Wort im Munde stockte. — Ich suchte Georgen, sagte sie nach einer Pause, und wen finde ich! Sind Sie es, junger Herr? Wie viel Gestalten haben Sie denn? — Im Ernst nur eine,
20 versetzte ich, zum Scherz so viel Sie wollen. — Den will ich nicht verderben, lächelte sie; gehen Sie hinten zum Garten hinaus und auf der Wiese hin, bis es Mittag schlägt; dann kehren Sie zurück, und ich will den Spaß schon eingeleitet haben. Ich that's; allein
25 da ich aus den Hecken der Dorfgärten heraus war und die Wiesen hingehen wollte, kamen gerade einige Landleute den Fußpfad her, die mich in Verlegenheit setzten. Ich lenkte deshalb nach einem Wäldchen, das ganz nah eine Erderhöhung bekrönte, um mich darin bis zur
30 bestimmten Zeit zu verbergen. Doch wie wunderlich

ward mir zu Mute, als ich hineintrat: denn es zeigte sich mir ein reinlicher Platz mit Bänken, von deren jeder man eine hübsche Aussicht in die Gegend gewann. Hier war das Dorf und der Kirchturm, hier Drusenheim und dahinter die waldigen Rheininseln, gegenüber 5 die vogesischen Gebirge und zuletzt der Straßburger Münster. Diese verschiedenen himmelhellen Gemälde waren durch buschige Rahmen eingefaßt, so daß man nichts Erfreulicheres und Angenehmeres sehen konnte. Ich setzte mich auf eine der Bänke und bemerkte an dem 10 stärksten Baum ein kleines längliches Brett mit der Inschrift: Friedrikens Ruhe. Es fiel mir nicht ein, daß ich gekommen sein könnte, diese Ruhe zu stören: denn eine aufkeimende Leidenschaft hat das Schöne, daß, wie sie sich ihres Ursprungs unbewußt ist, sie auch 15 keinen Gedanken eines Endes haben und, wie sie sich froh und heiter fühlt, nicht ahnen kann, daß sie wohl auch Unheil stiften dürfte.

Kaum hatte ich Zeit gehabt, mich umzusehen, und verlor mich eben in süße Träumereien, als ich jemand 20 kommen hörte; es war Friedrike selbst. — George, was machst du hier? rief sie von weitem. — Nicht George, rief ich, indem ich ihr entgegenlief, aber einer, der tausendmal um Verzeihung bittet. Sie betrachtete mich mit Erstaunen, nahm sich aber gleich zusammen und 25 sagte nach einem tieferen Atemholen: Garstiger Mensch, wie erschrecken Sie mich! — Die erste Maske hat mich in die zweite getrieben, rief ich aus; jene wäre unverzeihlich gewesen, wenn ich nur einigermaßen gewußt hätte, zu wem ich ging; diese vergeben Sie gewiß: denn 30

es ist die Gestalt von Menschen, denen Sie so freundlich begegnen. — Ihre bläßlichen Wangen hatten sich
mit dem schönsten Rosenrote gefärbt. — Schlimmer
sollen Sie's wenigstens nicht haben als George! Aber
5 lassen Sie uns sitzen! Ich gestehe es, der Schreck ist
mir in die Glieder gefahren. — Ich setzte mich zu ihr,
äußerst bewegt. — Wir wissen alles bis heute früh
durch Ihren Freund, sagte sie; nun erzählen Sie mir
das Weitere. Ich ließ mir das nicht zweimal sagen,
10 sondern beschrieb ihr meinen Abscheu vor der gestrigen
Figur, mein Fortstürmen aus dem Hause so komisch,
daß sie herzlich und anmutig lachte; dann ließ ich das
Übrige folgen, mit aller Bescheidenheit zwar, doch
leidenschaftlich genug, daß es gar wohl für eine Liebes-
15 erklärung in historischer Form hätte gelten können.
Das Vergnügen, sie wiederzufinden, feierte ich zuletzt
mit einem Kusse auf ihre Hand, die sie in den meinigen
ließ. Hatte sie bei dem gestrigen Mondscheingang die
Unkosten des Gesprächs übernommen, so erstattete ich
20 die Schuld nun reichlich von meiner Seite. Das Vergnügen, sie wiederzusehen und ihr alles sagen zu können,
was ich gestern zurückhielt, war so groß, daß ich in
meiner Redseligkeit nicht bemerkte, wie sie selbst nach-
denkend und schweigend war. Sie holte einigemal tief
25 Atem, und ich bat sie aber- und abermal um Verzeihung
wegen des Schrecks, den ich ihr verursacht hatte. Wie
lange wir mögen gesessen haben, weiß ich nicht; aber
auf einmal hörten wir Riekchen! Riekchen! rufen. Es
war die Stimme der Schwester. — Das wird eine
30 schöne Geschichte geben, sagte das liebe Mädchen, zu

ihrer völligen Heiterkeit wieder hergestellt. Sie kommt an meiner Seite her, fügte sie hinzu, indem sie sich vorbog, mich halb zu verbergen: wenden Sie sich weg, damit man Sie nicht gleich erkennt. Die Schwester trat in den Platz, aber nicht allein, Weyland ging mit 5 ihr, und beide, da sie uns erblickten, blieben wie versteinert.

Wenn wir auf einmal aus einem ruhigen Dache eine Flamme gewaltsam ausbrechen sähen oder einem Ungeheuer begegneten, dessen Mißgestalt zugleich empörend 10 und fürchterlich wäre, so würden wir von keinem so grimmigen Entsetzen befallen werden, als dasjenige ist, das uns ergreift, wenn wir etwas unerwartet mit Augen sehen, das wir moralisch unmöglich glaubten. — Was heißt das? rief jene mit der Hastigkeit eines Erschrockenen, 15 was ist das? Du mit Georgen! Hand in Hand! Wie begreif' ich das? — Liebe Schwester, versetzte Friedrike ganz bedenklich, der arme Mensch, er bittet mir was ab, er hat dir auch was abzubitten, du mußt ihm aber zum voraus verzeihen. — Ich verstehe nicht, 20 ich begreife nicht, sagte die Schwester, indem sie den Kopf schüttelte und Weylanden ansah, der, nach seiner stillen Art, ganz ruhig dastand und die Scene ohne irgend eine Äußerung betrachtete. Friedrike stand auf und zog mich nach sich. Nicht gezaudert! rief sie; 25 Pardon gebeten und gegeben! — Nun ja! sagte ich, indem ich der ältesten ziemlich nahe trat: Pardon habe ich vonnöten! Sie fuhr zurück, that einen lauten Schrei und wurde rot über und über; dann warf sie sich aufs Gras, lachte überlaut und wollte sich gar 30

nicht zufrieden geben. Weyland lächelte behaglich und rief: Du bist ein excellenter Junge! Dann schüttelte er meine Hand in der seinigen. Gewöhnlich war er mit Liebkosungen nicht freigebig, aber sein Händedruck hatte
5 etwas Herzliches und Belebendes; doch war er auch mit diesem sparsam.

Nach einiger Erholung und Sammlung traten wir unsern Rückweg nach dem Dorfe an. Unterwegs erfuhr ich, wie dieses wunderbare Zusammentreffen ver-
10 anlaßt worden. Friedrike hatte sich von dem Spaziergange zuletzt abgesondert, um auf ihrem Plätzchen noch einen Augenblick vor Tische zu ruhen, und als jene beiden nach Hause gekommen, hatte die Mutter sie abgeschickt, Friedriken eiligst zu holen, weil das Mittag-
15 essen bereit sei.

Die Schwester zeigte den ausgelassensten Humor, und als sie erfuhr, daß die Mutter das Geheimnis schon entdeckt habe, rief sie aus: Nun ist noch übrig, daß Vater, Bruder, Knecht und Magd gleichfalls an-
20 geführt werden. Als wir uns an dem Gartenzaun befanden, mußte Friedrike mit dem Freund voraus nach dem Hause gehen. Die Magd war im Hausgarten beschäftigt, und Olivie (so mag auch hier die ältere Schwester heißen) rief ihr zu: Warte, ich habe
25 dir was zu sagen! Mich ließ sie an der Hecke stehen und ging zu dem Mädchen. Ich sah, daß sie sehr ernsthaft sprachen. Olivie bildete ihr ein, George habe sich mit Bärben überworfen und schiene Lust zu haben, sie zu heiraten. Das gefiel der Dirne nicht übel; nun
30 ward ich gerufen und sollte das Gesagte bekräftigen.

Das hübsche derbe Kind senkte die Augen nieder und blieb so, bis ich ganz nahe vor ihr stand. Als sie aber auf einmal das fremde Gesicht erblickte, that auch sie einen lauten Schrei und lief davon. Olivie hieß mich ihr nachlaufen und sie festhalten, daß sie nicht ins 5 Haus geriet und Lärm machte; sie aber wolle selbst hingehen und sehen, wie es mit dem Vater stehe. Unterwegs traf Olivie auf den Knecht, welcher der Magd gut war; ich hatte indessen das Mädchen ereilt und hielt sie fest. — Denk' einmal! welch ein Glück! rief 10 Olivie. Mit Bärben ist's aus, und George heiratet Liesen. — Das habe ich lange gedacht, sagte der gute Kerl und blieb verdrießlich stehen.

Ich hatte dem Mädchen begreiflich gemacht, daß es nur darauf ankomme, den Papa anzuführen. Wir 15 gingen auf den Burschen los, der sich umkehrte und sich zu entfernen suchte: aber Liese holte ihn herbei, und auch er machte, indem er enttäuscht ward, die wunderlichsten Gebärden. Wir gingen zusammen nach dem Hause. Der Tisch war gedeckt und der Vater schon im 20 Zimmer. Olivie, die mich hinter sich hielt, trat an die Schwelle und sagte: Vater, es ist dir doch recht, daß George heute mit uns ißt? Du mußt ihm aber erlauben, daß er den Hut aufbehält. — Meinetwegen! sagte der Alte, aber warum so was Ungewöhnliches? 25 Hat er sich beschädigt? Sie zog mich vor, wie ich stand und den Hut aufhatte. Nein! sagte sie, indem sie mich in die Stube führte, aber er hat eine Vogelhecke darunter, die möchten hervorfliegen und einen verteufelten Spuk machen: denn es sind lauter lose 30

Vögel. Der Vater ließ sich den Scherz gefallen, ohne daß er recht wußte, was es heißen sollte. In dem Augenblick nahm sie mir den Hut ab, machte einen Scharrfuß und verlangte von mir das Gleiche. Der
5 Alte sah mich an, erkannte mich, kam aber nicht aus seiner priesterlichen Fassung. Ei ei! Herr Kandidat! rief er aus, indem er einen drohenden Finger aufhob, Sie haben geschwind umgesattelt, und ich verliere über Nacht einen Gehülfen, der mir erst gestern so treulich
10 zusagte, manchmal die Wochenkanzel für mich zu besteigen. Darauf lachte er von Herzen, hieß mich willkommen, und wir setzten uns zu Tische. Moses kam um vieles später; denn er hatte sich, als der verzogene Jüngste, angewöhnt, die Mittagsglocke zu verhören.
15 Außerdem gab er wenig acht auf die Gesellschaft, auch kaum, wenn er widersprach. Man hatte mich, um ihn sicherer zu machen, nicht zwischen die Schwestern, sondern an das Ende des Tisches gesetzt, wo George manchmal zu sitzen pflegte. Als er, mir im Rücken,
20 zur Thür hereingekommen war, schlug er mir derb auf die Achsel und sagte: George, gesegnete Mahlzeit! — Schönen Dank, Junker! erwiderte ich. — Die fremde Stimme, das fremde Gesicht erschreckten ihn. — Was sagst du? rief Olivie, sieht er seinem Bruder nicht recht
25 ähnlich? — Ja wohl, von hinten, versetzte Moses, der sich gleich wieder zu fassen wußte, wie allen Leuten. Er sah mich gar nicht wieder an und beschäftigte sich bloß, die Gerichte, die er nachzuholen hatte, eifrig hinunterzuschlingen. Dann beliebte es ihm auch, ge-
30 legentlich aufzustehen und sich in Hof und Garten etwas

zu schaffen zu machen. Zum Nachtische trat der wahrhafte George herein und belebte die ganze Scene noch mehr. Man wollte ihn wegen seiner Eifersucht aufziehen und nicht billigen, daß er sich an mir einen Rival geschaffen hätte; allein er war bescheiden und gewandt 5 genug und mischte auf eine halb dusselige Weise sich, seine Braut, sein Ebenbild und die Mamsells dergestalt durch einander, daß man zuletzt nicht mehr wußte, von wem die Rede war, und daß man ihn das Glas Wein und ein Stück von seinem eignen Kuchen in Ruhe gar 10 zu gern verzehren ließ.

Nach Tische war die Rede, daß man spazieren gehen wolle; welches doch in meinen Bauerkleidern nicht wohl anging. Die Frauenzimmer aber hatten schon heute früh, als sie erfuhren, wer so übereilt fortgelaufen war, 15 sich erinnert, daß eine schöne Pekesche eines Vettern im Schrank hänge, mit der er bei seinem Hiersein auf die Jagd zu gehen pflege. Allein ich lehnte es ab, äußerlich zwar mit allerlei Späßen, aber innerlich mit dem eitlen Gefühl, daß ich den guten Eindruck, den ich als 20 Bauer gemacht, nicht wieder durch den Vetter zerstören wolle. Der Vater hatte sich entfernt, sein Mittagsschläfchen zu halten, die Mutter war in der Haushaltung beschäftigt wie immer. Der Freund aber that den Vorschlag, ich solle etwas erzählen, worein ich so- 25 gleich willigte. Wir begaben uns in eine geräumige Laube, und ich trug ein Märchen vor, das ich hernach unter dem Titel Die neue Melusine aufgeschrieben habe. Es verhält sich zum neuen Paris wie ungefähr der Jüngling zum Knaben, und ich würde 30

es hier einrücken, wenn ich nicht der ländlichen Wirklichkeit und Einfalt, die uns hier gefällig umgibt, durch wunderliche Spiele der Phantasie zu schaden fürchtete. Genug, mir gelang, was den Erfinder und Erzähler
5 solcher Produktionen belohnt, die Neugierde zu erregen, die Aufmerksamkeit zu fesseln, zu voreiliger Auflösung undurchdringlicher Rätsel zu reizen, die Erwartungen zu täuschen, durch das Seltsamere, das an die Stelle des Seltsamen tritt, zu verwirren, Mitleid und Furcht
10 zu erregen, besorgt zu machen, zu rühren und endlich durch Anwendung eines scheinbaren Ernstes in geistreichen und heitern Scherz das Gemüt zu befriedigen, der Einbildungskraft Stoff zu neuen Bildern und dem Verstande zu fernerm Nachdenken zu hinterlassen.

Dritter Teil.

Es ist dafür gesorgt, daß die Bäume nicht in den Himmel wachsen.

Elftes Buch.

Nachdem ich in jener Laube zu Sesenheim meine Erzählung vollendet, in welcher das Gemeine mit dem Unmöglichen anmutig genug wechselte, sah ich meine Hörerinnen, die sich schon bisher ganz eigen teilnehmend erwiesen hatten, von meiner seltsamen Darstellung aufs 5 äußerste verzaubert. Sie baten mich inständig, ihnen das Märchen aufzuschreiben, damit sie es öfters unter sich und vorlesend mit andern wiederholen könnten. Ich versprach es um so lieber, als ich dadurch einen Vorwand zu Wiederholung des Besuchs und Gelegen- 10 heit zu näherer Verbindung mir zu gewinnen hoffte. Die Gesellschaft trennte sich einen Augenblick, und alle mochten fühlen, daß nach einem so lebhaft vollbrachten Tag der Abend einigermaßen matt werden könnte. Von dieser Sorge befreite mich mein Freund, der sich 15 für uns die Erlaubnis erbat, sogleich Abschied nehmen zu dürfen, weil er, als ein fleißiger und in seinen Studien folgerechter akademischer Bürger, diese Nacht in Drusenheim zuzubringen und morgen zeitig in Straßburg zu sein wünsche. * * *

20 Als ich in der Stadt wieder an meine Geschäfte kam, fühlte ich die Beschwerlichkeit derselben mehr als sonst: denn der zur Thätigkeit geborne Mensch übernimmt sich

in Planen und überladet sich mit Arbeiten. Das gelingt denn auch ganz gut, bis irgend ein physisches oder moralisches Hindernis dazutritt, um das Unverhältnismäßige der Kräfte zu dem Unternehmen ins klare zu
5 bringen.

Das Juristische trieb ich mit so viel Fleiß, als nötig war, um die Promotion mit einigen Ehren zu absolvieren; das Medizinische reizte mich, weil es mir die Natur nach allen Seiten, wo nicht aufschloß, doch
10 gewahr werden ließ, und ich war daran durch Umgang und Gewohnheit gebunden; der Gesellschaft mußte ich auch einige Zeit und Aufmerksamkeit widmen: denn in manchen Familien war mir mehreres zu Lieb' und zu Ehren geschehen. Aber alles dies wäre zu tragen und
15 fortzuführen gewesen, hätte nicht das, was Herder mir auferlegt, unendlich auf mir gelastet. Er hatte den Vorhang zerrissen, der mir die Armut der deutschen Litteratur bedeckte; er hatte mir so manches Vorurteil mit Grausamkeit zerstört; an dem vaterländischen Him-
20 mel blieben nur wenige bedeutende Sterne, indem er die übrigen alle nur als vorüberfahrende Schnuppen behandelte; ja, was ich von mir selbst hoffen und wähnen konnte, hatte er mir dermaßen verkümmert, daß ich an meinen eignen Fähigkeiten zu verzweifeln
25 anfing. Zu gleicher Zeit jedoch riß er mich fort auf den herrlichen breiten Weg, den er selbst zu durchwandern geneigt war, machte mich aufmerksam auf seine Lieblingsschriftsteller, unter denen Swift und Hamann obenan standen, und schüttelte mich kräftiger auf, als er
30 mich gebeugt hatte. Zu dieser vielfachen Verwirrung

nunmehr eine angehende Leidenschaft, die, indem sie mich zu verschlingen drohte, zwar von jenen Zuständen mich abziehn, aber wohl schwerlich darüber erheben konnte. Dazu kam noch ein körperliches Übel, daß mir nämlich nach Tische die Kehle wie zugeschnürt war, welches ich erst später sehr leicht los wurde, als ich einem roten Wein, den wir in der Pension gewöhnlich und sehr gern tranken, entsagte. Diese unerträgliche Unbequemlichkeit hatte mich auch in Sesenheim verlassen, so daß ich mich dort doppelt vergnügt befand; als ich aber zu meiner städtischen Diät zurückkehrte, stellte sie sich zu meinem großen Verdruß sogleich wieder ein. Alles dies machte mich nachdenklich und mürrisch, und mein Äußeres mochte mit dem Innern übereinstimmen.

Verdrießlicher als jemals, weil eben nach Tische jenes Übel sich heftig eingefunden hatte, wohnte ich dem Klinikum bei. Die große Heiterkeit und Behaglichkeit, womit der verehrte Lehrer uns von Bett zu Bett führte, die genaue Bemerkung bedeutender Symptome, die Beurteilung des Gangs der Krankheit überhaupt, die schöne hippokratische Verfahrungsart, wodurch sich, ohne Theorie, aus einer eignen Erfahrung die Gestalten des Wissens heraufgaben, die Schlußreden, mit denen er gewöhnlich seine Stunden zu krönen pflegte, das alles zog mich zu ihm und machte mir ein fremdes Fach, in das ich nur wie durch eine Ritze hineinsah, um desto reizender und lieber. Mein Abscheu gegen die Kranken nahm immer mehr ab, je mehr ich diese Zustände in Begriffe verwandeln lernte, durch welche die Heilung, die Wiederherstellung menschlicher Gestalt und Wesens als möglich erschien. Er mochte mich wohl als einen seltsamen jungen Menschen besonders ins Auge gefaßt und mir die wunderliche Anomalie, die mich zu seinen Stunden hinführte, verziehn haben. Diesmal schloß er seinen Vortrag nicht, wie sonst, mit einer Lehre, die sich auf irgend eine beobachtete Krankheit bezogen hätte, sondern sagte mit Heiterkeit: „Meine Herren! wir sehen einige Ferien vor uns. Benutzen Sie dieselben, sich aufzumuntern; die Studien wollen nicht allein ernst und fleißig, sie wollen auch heiter und mit Geistesfreiheit behandelt werden. Geben Sie Ihrem Körper Bewegung, durchwandern Sie zu Fuß und zu Pferde das schöne Land; der Einheimische wird sich an dem Gewohnten erfreuen, und dem Fremden wird es neue Eindrücke geben und eine angenehme Erinnerung zurücklassen.“

Ich glaubte eine Stimme vom Himmel zu hören, und eilte, was ich konnte, ein Pferd zu bestellen und mich sauber herauszuputzen. Ich schickte nach Weyland; er war nicht zu finden. Dies hielt meinen Entschluß nicht auf, aber leider verzogen sich die Anstalten, und ich kam nicht so früh weg, als ich gehofft hatte. So stark ich auch ritt, überfiel mich doch die Nacht. Der Weg war nicht zu verfehlen, und der Mond beleuchtete mein leidenschaftliches Unternehmen. Die Nacht war windig und schauerlich, ich sprengte zu, um nicht bis morgen früh auf ihren Anblick warten zu müssen.

Es war schon spät, als ich in Sesenheim mein Pferd einstellte. Der Wirt, auf meine Frage, ob wohl in der Pfarre noch Licht sei, versicherte mich, die Frauenzimmer seien eben erst nach Hause gegangen; er glaube gehört zu haben, daß sie noch einen Fremden erwarte- 5 ten. Das war mir nicht recht; denn ich hätte gewünscht, der einzige zu sein. Ich eilte nach, um wenigstens, so spät noch, als der erste zu erscheinen. Ich fand die beiden Schwestern vor der Thüre sitzend; sie schienen nicht sehr verwundert, aber ich war es, als Friedrike 10 Olivien ins Ohr sagte, so jedoch, daß ich's hörte: „Hab' ich's nicht gesagt? da ist er!“ Sie führten mich ins Zimmer, und ich fand eine kleine Kollation aufgestellt. Die Mutter begrüßte mich als einen alten Bekannten; wie mich aber die Ältere bei Licht besah, brach sie in 15 ein lautes Gelächter aus: denn sie konnte wenig an sich halten.

Nach diesem ersten, etwas wunderlichen Empfang ward sogleich die Unterredung frei und heiter, und was mir diesen Abend verborgen blieb, erfuhr ich den andern 20 Morgen. Friedrike hatte voraus gesagt, daß ich kommen würde; und wer fühlt nicht einiges Behagen beim Eintreffen einer Ahnung, selbst einer traurigen? Alle Vorgefühle, wenn sie durch das Ereignis bestätigt werden, geben dem Menschen einen höheren Begriff 25 von sich selbst; es sei nun, daß er sich so zartfühlend glauben kann, um einen Bezug in der Ferne zu tasten, oder so scharfsinnig, um notwendige, aber doch ungewisse Verknüpfungen gewahr zu werden. — Oliviens Lachen blieb auch kein Geheimnis; sie gestand, daß es ihr sehr 30 lustig vorgekommen, mich diesmal geputzt und wohl ausstaffiert zu sehn; Friedrike hingegen fand es vorteilhaft, eine solche Erscheinung mir nicht als Eitelkeit auszulegen, vielmehr den Wunsch, ihr zu gefallen, darin 5 zu erblicken.

Früh beizeiten rief mich Friedrike zum Spazierengehn; Mutter und Schwester waren beschäftigt, alles zum Empfang mehrerer Gäste vorzubereiten. Ich genoß an der Seite des lieben Mädchens der herr- 10 lichen Sonntagsfrühe auf dem Lande, wie sie uns der unschätzbare Hebel vergegenwärtigt hat. Sie schilderte mir die erwartete Gesellschaft und bat mich, ihr beizustehn, daß alle Vergnügungen womöglich gemeinsam und in einer gewissen Ordnung möchten genossen 15 werden. Gewöhnlich, sagte sie, zerstreut man sich einzeln; Scherz und Spiel wird nur obenhin gekostet, so daß zuletzt für den einen Teil nichts übrig bleibt, als die Karten zu ergreifen, und für den andern, im Tanze sich auszurasen.

20 Wir entwarfen demnach unsern Plan, was vor und nach Tische geschehen sollte, machten einander wechselseitig mit neuen geselligen Spielen bekannt, waren einig und vergnügt, als uns die Glocke nach der Kirche rief, wo ich denn an ihrer Seite eine etwas trockene 25 Predigt des Vaters nicht zu lang fand.

Zeitverkürzend ist immer die Nähe der Geliebten, doch verging mir diese Stunde auch unter besonderem Nachdenken. Ich wiederholte mir die Vorzüge, die sie soeben aufs freiste vor mir entwickelte: besonnene 30 Heiterkeit. Naivetät mit Bewußtsein, Frohsinn mit

Voraussehn; Eigenschaften, die unverträglich scheinen, die sich aber bei ihr zusammenfanden und ihr Äußeres gar hold bezeichneten. Nun hatte ich aber auch ernstere Betrachtungen über mich selbst anzustellen, die einer freien Heiterkeit eher Eintrag thaten. 5

Seitdem jenes leidenschaftliche Mädchen meine Lippen verwünscht und geheiligt (denn jede Weihe enthält ja beides), hatte ich mich, abergläubisch genug, in acht genommen, irgend ein Mädchen zu küssen, weil ich solches auf eine unerhörte geistige Weise zu beschädigen be- 10 fürchtete. Ich überwand daher jede Lüsternheit, durch die sich der Jüngling gedrungen fühlt, diese viel oder wenig sagende Gunst einem reizenden Mädchen abzugewinnen. Aber selbst in der sittigsten Gesellschaft erwartete mich eine lästige Prüfung. Eben jene, mehr 15 oder minder geistreichen, sogenannten kleinen Spiele, durch welche ein munterer, jugendlicher Kreis gesammelt und vereinigt wird, sind großenteils auf Pfänder gegründet, bei deren Einforderung die Küsse keinen unbedeutenden Lösewert haben. Ich hatte mir nun 20 ein für allemal vorgenommen, nicht zu küssen, und wie uns irgend ein Mangel oder Hindernis zu Thätigkeiten aufregt, zu denen man sich sonst nicht hingeneigt hätte, so bot ich alles auf, was an mir von Talent und Humor war, mich durchzuwinden und dabei vor der 25 Gesellschaft und für die Gesellschaft eher zu gewinnen als zu verlieren. Wenn zu Einlösung eines Pfandes ein Vers verlangt werden sollte, so richtete man die Forderung meist an mich. Nun war ich immer vorbereitet und wußte bei solcher Gelegenheit etwas zum 30

Lobe der Wirtin oder eines Frauenzimmers, die sich am artigsten gegen mich erwiesen hatte, vorzubringen. Traf es sich, daß mir allenfalls ein Kuß auferlegt wurde, so suchte ich mich mit einer Wendung heraus-
5 zuziehen, mit der man gleichfalls zufrieden war, und da ich Zeit gehabt hatte, vorher darüber nachzudenken, so fehlte es mir nicht an mannigfaltigen Zierlichkeiten; doch gelangen die aus dem Stegreife immer am besten.

10 Als wir nach Hause kamen, schwirrten die von mehreren Seiten angekommenen Gäste schon lustig durch einander, bis Friedrike sie sammelte und zu einem Spaziergang nach jenem schönen Platze lud und führte. Dort fand man eine reichliche Kollation und wollte mit
15 geselligen Spielen die Stunde des Mittagessens erwarten. Hier wußte ich, in Einstimmung mit Friedriken, ob sie gleich mein Geheimnis nicht ahnete, Spiele ohne Pfänder und Pfänderlösungen ohne Küsse zu bereiten und durchzuführen.

20 Meine Kunstfertigkeit und Gewandtheit war um so nötiger, als die mir sonst ganz fremde Gesellschaft geschwind ein Verhältnis zwischen mir und dem lieben Mädchen mochte geahnet haben und sich nun schalkhaft alle Mühe gab, mir dasjenige aufzudringen, was ich
25 heimlich zu vermeiden suchte. Denn bemerkt man in solchen Zirkeln eine angehende Neigung junger Personen, so sucht man sie verlegen zu machen oder näher zusammenzubringen, ebenso wie man in der Folge, wenn sich eine Leidenschaft erklärt hat, bemüht ist, sie
30 wieder auseinander zu ziehen; wie es denn dem ge-

selligen Menschen ganz gleichgültig ist, ob er nutzt oder schadet, wenn er nur unterhalten wird.

Ich konnte mit einiger Aufmerksamkeit an diesem Morgen Friedrikens ganzes Wesen gewahr werden, dergestalt, daß sie mir für die ganze Zeit immer dieselbe blieb. Schon die freundlichen, vorzüglich an sie gerichteten Grüße der Bauern gaben zu verstehn, daß sie ihnen wohlthätig sei und ihr Behagen errege. Zu Hause stand die Ältere der Mutter bei; alles, was körperliche Anstrengung erforderte, ward nicht von Friedriken verlangt; man schonte sie, wie man sagte, ihrer Brust wegen.

Es gibt Frauenspersonen, die uns im Zimmer besonders wohl gefallen, andere, die sich besser im Freien ausnehmen; Friedrike gehörte zu den letztern. Ihr Wesen, ihre Gestalt trat niemals reizender hervor, als wenn sie sich auf einem erhöhten Fußpfad hinbewegte; die Anmut ihres Betragens schien mit der beblümten Erde und die unverwüstliche Heiterkeit ihres Antlitzes mit dem blauen Himmel zu wetteifern. Diesen erquicklichen Äther, der sie umgab, brachte sie auch mit nach Hause, und es ließ sich bald bemerken, daß sie Verwirrungen auszugleichen und die Eindrücke kleiner unangenehmer Zufälligkeiten leicht wegzulöschen verstand.

Die reinste Freude, die man an einer geliebten Person finden kann, ist die, zu sehen, daß sie andere erfreut. Friedrikens Betragen in der Gesellschaft war allgemein wohlthätig. Auf Spaziergängen schwebte sie, ein belebender Geist, hin und wieder und wußte die Lücken auszufüllen, welche hier und da enstehen mochten. Die Leichtigkeit ihrer Bewegungen haben wir schon gerühmt, und am allerzierlichsten war sie, wenn sie lief. So wie das Reh seine Bestimmung ganz zu erfüllen scheint, 5 wenn es leicht über die keimenden Saaten wegfliegt, so schien auch sie ihre Art und Weise am deutlichsten auszudrücken, wenn sie, etwas Vergessenes zu holen, etwas Verlorenes zu suchen, ein entferntes Paar herbeizurufen, etwas Notwendiges zu bestellen, über Rain und Matten 10 leichten Laufes hineilte. Dabei kam sie niemals außer Atem und blieb völlig im Gleichgewicht; daher mußte die allzu große Sorge der Eltern für ihre Brust manchem übertrieben scheinen.

Der Vater, der uns manchmal durch Wiesen und 15 Felder begleitete, war öfters nicht günstig gepaart. Ich gesellte mich deshalb zu ihm, und er verfehlte nicht, sein Lieblingsthema wieder anzustimmen und mich von dem vorgeschlagnen Bau des Pfarrhauses umständlich zu unterhalten. Er beklagte sich besonders, daß er die 20 sorgfältig gefertigten Risse nicht wieder erhalten könne, um darüber nachzudenken und eine und die andere Verbesserung zu überlegen. Ich erwiderte darauf, es sei leicht, sie zu ersetzen, und erbot mich zur Fertigung eines Grundrisses, auf welchen doch vorerst alles an- 25 komme. Er war es wohl zufrieden, und bei der nötigen Ausmessung sollte der Schulmeister an die Hand gehen, welchen aufzuregen er denn auch sogleich forteilte, damit ja der Fuß- und Zollstab morgen früh bereit wäre.

Als er hinweggegangen war, sagte Friedrike: „Sie 30 sind recht gut, die schwache Seite des lieben Vaters zu hegen und nicht, wie die andern, die dieses Gespräch schon überdrüssig sind, ihn zu meiden oder davon abzubrechen. Freilich muß ich Ihnen bekennen, daß wir übrigen den Bau nicht wünschen; er würde der Gemeine zu hoch zu stehen kommen und uns auch. Neues Haus, 5 neues Hausgeräte! Unsern Gästen würde es bei uns nicht wohler sein, sie sind nun einmal das alte Gebäude gewohnt. Hier können wir sie reichlich bewirten, dort fänden wir uns in einem weitern Raume beengt. So steht die Sache; aber unterlassen Sie nicht, gefällig zu 10 sein, ich danke es Ihnen von Herzen."

Ein anderes Frauenzimmer, das sich zu uns gesellte, fragte nach einigen Romanen, ob Friedrike solche gelesen. Sie verneinte es; denn sie hatte überhaupt wenig gelesen; sie war in einem heitern sittlichen 15 Lebensgenuß aufgewachsen und demgemäß gebildet. Ich hatte den Wakefield auf der Zunge, allein ich wagte nicht, ihr ihn anzubieten, die Ähnlichkeit der Zustände war zu auffallend und zu bedeutend. — Ich lese sehr gern Romane, sagte sie; man findet darin so 20 hübsche Leute, denen man wohl ähnlich sehen möchte.

Die Ausmessung des Hauses geschah des andern Morgens. Sie ging ziemlich langsam von statten, da ich in solchen Künsten so wenig gewandt war, als der Schulmeister. Endlich kam ein leidlicher Entwurf zu- 25 stande. Der gute Vater sagte mir seine Absicht und war nicht unzufrieden, als ich Urlaub nahm, um den Riß in der Stadt mit mehr Bequemlichkeit zu verfertigen. Friedrike entließ mich froh; sie war von meiner Neigung überzeugt wie ich von der ihrigen, und die 30

sechs Stunden schienen keine Entfernung mehr. Es war so leicht, mit der Diligence nach Drusenheim zu fahren und sich durch dieses Fuhrwerk, sowie durch ordentliche und außerordentliche Boten in Verbindung
5 zu erhalten, wobei George den Spediteur machen sollte.

In der Stadt angelangt, beschäftigte ich mich in den frühesten Stunden — denn an langen Schlaf war nicht mehr zu denken — mit dem Risse, den ich so sauber als möglich zeichnete. Indessen hatte ich ihr Bücher ge-
10 schickt und ein kurzes freundliches Wort dazu geschrieben. Ich erhielt sogleich Antwort und erfreute mich ihrer leichten, hübschen, herzlichen Hand. Ebenso war Inhalt und Stil natürlich, gut, liebevoll, von innen heraus, und so wurde der angenehme Eindruck, den sie
15 auf mich gemacht, immer erhalten und erneuert. Ich wiederholte mir die Vorzüge ihres holden Wesens nur gar zu gern und nährte die Hoffnung, sie bald und auf längere Zeit wiederzusehn.

Es bedurfte nun nicht mehr eines Zurufs von seiten
20 des braven Lehrers; er hatte mich durch jene Worte zur rechten Zeit so aus dem Grunde kuriert, daß ich ihn und seine Kranken nicht leicht wiederzusehen Lust hatte. Der Briefwechsel mit Friedriken wurde lebhafter. Sie lud mich ein zu einem Feste, wozu auch überrheinische
25 Freunde kommen würden; ich sollte mich auf längere Zeit einrichten. Ich that es, indem ich einen tüchtigen Mantelsack auf die Diligence packte; und in wenig Stunden befand ich mich in ihrer Nähe. Ich traf eine große und lustige Gesellschaft, nahm den Vater beiseite,
30 überreichte ihm den Riß, über den er große Freude

bezeigte; ich besprach mit ihm, was ich bei der Ausarbeitung gedacht hatte; er war außer sich vor Vergnügen, besonders lobte er die Reinlichkeit der Zeichnung: die hatte ich von Jugend auf geübt und mir diesmal auf dem schönsten Papier noch besondere Mühe gegeben. 5 Allein dieses Vergnügen wurde unserm guten Wirte gar bald verkümmert, da er gegen meinen Rat in der Freude seines Herzens den Riß der Gesellschaft vorlegte. Weit entfernt, daran die erwünschte Teilnahme zu äußern, achteten die einen diese köstliche Arbeit gar 10 nicht; andere, die etwas von der Sache zu verstehn glaubten, machten es noch schlimmer, sie tadelten den Entwurf als nicht kunstgerecht, und als der Alte einen Augenblick nicht aufmerkte, handhabten sie diese saubern Blätter als Brouillons, und einer zog mit harten Blei- 15 stiftstrichen seine Verbesserungsvorschläge dergestalt derb über das zarte Papier, daß an Wiederherstellung der ersten Reinheit nicht zu denken war.

Den höchst verdrießlichen Mann, dem sein Vergnügen so schmählich vereitelt worden, vermochte ich kaum 20 zu trösten, so sehr ich ihm auch versicherte, daß ich sie selbst nur für Entwürfe gehalten, worüber wir sprechen und neue Zeichnungen darauf bauen wollten. Er ging dem allen ungeachtet höchst verdrießlich weg, und Friedrike dankte mir für die Aufmerksamkeit gegen den 25 Vater ebenso sehr, als für die Geduld bei der Unart der Mitgäste.

Ich aber kannte keinen Schmerz noch Verdruß in ihrer Nähe. Die Gesellschaft bestand aus jungen, ziemlich lärmenden Freunden, die ein alter Herr noch 30

zu überbieten trachtete und noch wunderlicheres Zeug angab, als sie ausübten. Man hatte schon beim Frühstück den Wein nicht gespart; bei einem sehr wohl besetzten Mittagstische ließ man sich's an keinem Genuß
5 ermangeln, und allen schmeckte es, nach der angreifenden Leibesübung bei ziemlicher Wärme, um so besser, und wenn der alte Amtmann des Guten ein wenig zu viel gethan hatte, so war die Jugend nicht weit hinter ihm zurückgeblieben.

10 Ich war grenzenlos glücklich an Friedrikens Seite: gesprächig, lustig, geistreich, vorlaut, und doch durch Gefühl, Achtung und Anhänglichkeit gemäßigt. Sie in gleichem Falle, offen, heiter, teilnehmend und mitteilend. Wir schienen allein für die Gesellschaft zu leben und
15 lebten bloß wechselseitig für uns.

Nach Tische suchte man den Schatten; gesellschaftliche Spiele wurden vorgenommen, und Pfänderspiele kamen an die Reihe. Bei Lösung der Pfänder ging alles jeder Art ins Übertriebene: Gebärden, die man ver-
20 langte, Handlungen, die man ausüben, Aufgaben, die man lösen sollte, alles zeigte von einer verwegenen Lust, die keine Grenzen kennt. Ich selbst steigerte diese wilden Scherze durch manchen Schwank, Friedrike glänzte durch manchen neckischen Einfall; sie erschien
25 mir lieblicher als je; alle hypochondrischen, abergläubischen Grillen waren mir verschwunden, und als sich die Gelegenheit gab, meine so zärtlich Geliebte recht herzlich zu küssen, versäumte ich's nicht, und noch weniger versagte ich mir die Wiederholung dieser Freude.

Die Hoffnung der Gesellschaft auf Musik wurde endlich befriedigt; sie ließ sich hören, und alles eilte zum Tanze. Die Allemanden, das Walzen und Drehen war Anfang, Mittel und Ende. Alle waren zu diesem Nationaltanz aufgewachsen, auch ich machte meinen geheimen Lehrmeisterinnen Ehre genug, und Friedrike, welche tanzte, wie sie ging, sprang und lief, war sehr erfreut, an mir einen geübten Partner zu finden. Wir hielten meist zusammen, mußten aber bald Schicht machen, weil man ihr von allen Seiten zuredete, nicht weiter fortzurasen. Wir entschädigten uns durch einen einsamen Spaziergang Hand in Hand, und an jenem stillen Platze durch die herzlichste Umarmung und die treulichste Versicherung, daß wir uns von Grund aus liebten.

Ältere Personen, die vom Spiel aufgestanden waren, zogen uns mit sich fort. Bei der Abend-Kollation kam man ebenso wenig zu sich selbst; es ward bis tief in die Nacht getanzt, und an Gesundheiten, sowie an andern Aufmunterungen zum Trinken fehlte es so wenig als am Mittag.

Ich hatte kaum einige Stunden sehr tief geschlafen, als ein erhitztes und in Aufruhr gebrachtes Blut mich aufweckte. In solchen Stunden und Lagen ist es, wo die Sorge, die Reue den wehrlos hingestreckten Menschen zu überfallen pflegen. Meine Einbildungskraft stellte mir zugleich die lebhaftesten Bilder dar; ich sehe Lucinden, wie sie nach dem heftigsten Kusse leidenschaftlich von mir zurücktritt, mit glühender Wange, mit funkelnden Augen jene Verwünschung ausspricht, wodurch nur ihre Schwester bedroht werden soll und wodurch sie unwissend fremde Schuldlose bedroht. Ich sehe Friedriken gegen ihr über stehn, erstarrt vor dem Anblick, bleich und die Folgen jener Verwünschung 5 fühlend, von der sie nichts weiß. Ich finde mich in der Mitte, so wenig imstande, die geistigen Wirkungen jenes Abenteuers abzulehnen als jenen Unglück weissagenden Kuß zu vermeiden. Die zarte Gesundheit Friedrikens schien den gedrohten Unfall zu beschleunigen, und nun 10 kam mir ihre Liebe zu mir recht unselig vor; ich wünschte über alle Berge zu sein.

Was aber noch Schmerzlicheres für mich im Hintergrunde lag, will ich nicht verhehlen. Ein gewisser Dünkel unterhielt bei mir jenen Aberglauben; meine 15 Lippen — geweiht oder verwünscht — kamen mir bedeutender vor als sonst, und mit nicht geringer Selbstgefälligkeit war ich mir meines enthaltsamen Betragens bewußt, indem ich mir manche unschuldige Freude versagte, teils um jenen magischen Vorzug zu bewahren, 20 teils um ein harmloses Wesen nicht zu verletzen, wenn ich ihn aufgäbe.

Nunmehr aber war alles verloren und unwiederbringlich; ich war in einen gemeinen Zustand zurückgekehrt, ich glaubte, das liebste Wesen verletzt, ihr 25 unwiederbringlich geschadet zu haben; und so war jene Verwünschung, anstatt daß ich sie hätte los werden sollen, von meinen Lippen in mein eigenes Herz zurückgeschlagen.

Das alles raste zusammen in meinem durch Liebe 30 und Leidenschaft, Wein und Tanz aufgeregten Blute, verwirrte mein Denken, peinigte mein Gefühl, so daß ich, besonders im Gegensatz mit den gestrigen behaglichen Freuden, mich in einer Verzweiflung fühlte, die ohne Grenzen schien. Glücklicherweise blickte durch eine Spalte im Laden das Tageslicht mich an; und alle 5 Mächte der Nacht überwindend, stellte mich die hervortretende Sonne wieder auf meine Füße; ich war bald im Freien und schnell erquickt, wo nicht hergestellt.

Der Aberglaube, so wie manches andre Wähnen, verliert sehr leicht an seiner Gewalt, wenn er, statt 10 unserer Eitelkeit zu schmeicheln, ihr in den Weg tritt und diesem zarten Wesen eine böse Stunde machen will; wir sehen alsdann recht gut, daß wir ihn los werden können, sobald wir wollen; wir entsagen ihm um so leichter, je mehr alles, was wir ihm entziehn, zu 15 unserm Vorteil gereicht. Der Anblick Friedrikens, das Gefühl ihrer Liebe, die Heiterkeit der Umgebung, alles machte mir Vorwürfe, daß ich in der Mitte der glücklichsten Tage so traurige Nachtvögel bei mir beherbergen mögen; ich glaubte sie auf ewig verscheucht zu 20 haben. Des lieben Mädchens immer mehr annäherndes, zutrauliches Betragen machte mich durch und durch froh, und ich fand mich recht glücklich, daß sie mir diesmal beim Abschied öffentlich wie andern Freunden und Verwandten einen Kuß gab. 25

In der Stadt erwarteten mich gar manche Geschäfte und Zerstreuungen, aus denen ich mich oft durch einen jetzt regelmäßig eingeleiteten Briefwechsel mit meiner Geliebten zu ihr sammelte. Auch in Briefen blieb sie immer dieselbe; sie mochte etwas Neues erzählen oder 30

auf bekannte Begebenheiten anspielen, leicht schildern, vorübergehend reflektieren, immer war es, als wenn sie auch mit der Feder gehend, kommend, laufend, springend so leicht aufträte als sicher. Auch ich schrieb sehr gern
5 an sie: denn die Vergegenwärtigung ihrer Vorzüge vermehrte meine Neigung auch in der Abwesenheit, so daß diese Unterhaltung einer persönlichen wenig nachgab, ja, in der Folge mir sogar angenehmer, teurer wurde. * * * Meine Leidenschaft wuchs, je mehr
10 ich den Wert des trefflichen Mädchens kennen lernte, und die Zeit rückte heran, da ich so viel Liebes und Gutes, vielleicht auf immer, verlieren sollte.

Wir hatten eine Zeit lang zusammen still und anmutig fortgelebt, als Freund Weyland die Schalkheit
15 beging, den Landpriester von Wakefield nach Sesenheim mitzubringen und mir ihn, da vom Vorlesen die Rede war, unvermutet zu überreichen, als hätte es weiter gar nichts zu sagen. Ich wußte mich zu fassen und las so heiter und freimütig, als ich nur konnte. Auch die
20 Gesichter meiner Zuhörer erheiterten sich sogleich, und es schien ihnen gar nicht unangenehm, abermals zu einer Vergleichung genötigt zu sein. Hatten sie zu Raymond und Melusine komische Gegenbilder gefunden, so erblickten sie hier sich selbst in einem Spiegel,
25 der keineswegs verhäßlichte. Man gestand sich's nicht ausdrücklich, aber man verleugnete es nicht, daß man sich unter Geistes- und Gefühlsverwandten bewege. * * *

Für den Zustand der Liebenden an dem schönen
30 Ufer des Rheins war diese Vergleichung, zu der sie ein

Schalk genötigt hatte, von den anmutigsten Folgen. Man denkt nicht über sich, wenn man sich im Spiegel betrachtet, aber man fühlt sich und läßt sich gelten. So ist es auch mit jenen moralischen Nachbildern, an denen man seine Sitten und Neigungen, seine Gewohn- 5 heiten und Eigenheiten, wie im Schattenriß, erkennt und mit brüderlicher Innigkeit zu fassen und zu umarmen strebt.

Die Gewohnheit, zusammen zu sein, befestigte sich immer mehr; man wußte nicht anders, als daß ich 10 diesem Kreise angehöre. Man ließ es geschehn und gehn, ohne gerade zu fragen, was daraus werden sollte. Und welche Eltern finden sich nicht genötigt, Töchter und Söhne in so schwebenden Zuständen eine Weile hinwalten zu lassen, bis sich etwas zufällig fürs Leben 15 bestätigt, besser, als es ein lange angelegter Plan hätte hervorbringen können.

Man glaubte sowohl auf Friedrikens Gesinnungen als auch auf meine Rechtlichkeit, für die man wegen jenes wunderlichen Enthaltens selbst von unschuldigen 20 Liebkosungen ein günstiges Vorurteil gefaßt hatte, völlig vertrauen zu können. Man ließ uns unbeachtet, wie es überhaupt dort und damals Sitte war, und es hing von uns ab, in kleinerer oder größerer Gesellschaft die Gegend zu durchstreifen und die Freunde der Nach- 25 barschaft zu besuchen. * * * Unter diesen Umgebungen trat unversehens die Lust, zu dichten, die ich lange nicht gefühlt hatte, wieder hervor. Ich legte für Friedriken manche Lieder bekannten Melodien unter. Sie hätten ein artiges Bändchen gegeben; wenige davon 30 sind übrig geblieben, man wird sie leicht aus meinen übrigen herausfinden.

Da ich meiner wunderlichen Studien und übrigen Verhältnisse wegen doch öfters nach der Stadt zurück-
5 zukehren genötigt war, so entsprang dadurch für unsere Neigung ein neues Leben, das uns vor allem Unangenehmen bewahrte, was an solche kleine Liebeshändel als verdrießliche Folge sich gewöhnlich zu schließen pflegt. Entfernt von mir, arbeitete sie für mich und
10 dachte auf irgend eine neue Unterhaltung, wenn ich zurückkäme; entfernt von ihr, beschäftigte ich mich für sie, um durch eine neue Gabe, einen neuen Einfall ihr wieder neu zu sein. Gemalte Bänder waren damals eben erst Mode geworden; ich malte ihr gleich ein paar
15 Stücke und sendete sie mit einem kleinen Gedicht voraus, da ich diesmal länger, als ich gedacht, ausbleiben mußte. Um auch die dem Vater gethane Zusage eines neuen und ausgearbeiteten Baurisses noch über Versprechen zu halten, beredete ich einen jungen Bauver-
20 ständigen, statt meiner zu arbeiten. Dieser hatte so viel Lust an der Aufgabe als Gefälligkeit gegen mich, und ward noch mehr durch die Hoffnung eines guten Empfangs in einer so angenehmen Familie belebt. Er verfertigte Grundriß, Aufriß und Durchschnitt des
25 Hauses; Hof und Garten war nicht vergessen; auch ein detaillierter, aber sehr mäßiger Anschlag war hinzugefügt, um die Möglichkeit der Ausführung eines weitläufigen und kostspieligen Unternehmens als leicht und thulich vorzuspiegeln.

Diese Zeugnisse unserer freundschaftlichen Bemühungen verschafften uns den liebreichsten Empfang; und da der gute Vater sah, daß wir den besten Willen hatten, ihm zu dienen, so trat er mit noch einem Wunsche hervor: es war der, seine zwar hübsche, aber einfarbige Chaise mit Blumen und Zieraten staffiert zu sehen. Wir ließen uns bereitwillig finden. Farben, Pinsel und sonstige Bedürfnisse werden von den Krämern und Apothekern der nächsten Städte herbeigeholt. Damit es aber auch an einem Wakefieldschen Mißlingen nicht fehlen möchte, so bemerkten wir nur erst, als alles auf das fleißigste und bunteste gemalt war, daß wir einen falschen Firnis genommen hatten, der nicht trocknen wollte: Sonnenschein und Zugluft, reines und feuchtes Wetter, nichts wollte fruchten. Man mußte sich indessen eines alten Rumpelkastens bedienen, und es blieb uns nichts übrig, als die Verzierung mit mehr Mühe wieder abzureiben, als wir sie aufgemalt hatten. Die Unlust bei dieser Arbeit vergrößerte sich noch, als uns die Mädchen ums Himmels willen baten, langsam und vorsichtig zu verfahren, um den Grund zu schonen, welcher denn doch nach dieser Operation zu seinem ursprünglichen Glanze nicht wieder zurückzubringen war.

* * *

Nun sollte aber unsere Liebe noch eine sonderbare Prüfung ausstehn. Ich will es Prüfung nennen, obgleich dies nicht das rechte Wort ist. Die ländliche Familie, der ich befreundet war, hatte verwandte Häuser in der Stadt, von gutem Ansehn und Ruf und in behaglichen Vermögensumständen. Die jungen Städter waren öfters in Sesenheim. Die ältern Personen, Mütter und Tanten, weniger beweglich, hörten so mancherlei von dem dortigen Leben, von der wachsenden Anmut der Töchter, selbst von meinem Einfluß, 5 daß sie mich erst wollten kennen lernen und, nachdem ich sie öfters besucht und auch bei ihnen wohl empfangen war, uns auch alle einmal beisammen zu sehen verlangten, zumal als sie jenen auch eine freundliche Gegenaufnahme schuldig zu sein glaubten.

10 Lange ward hierüber hin und her gehandelt. Die Mutter konnte sich schwer von der Haushaltung trennen, Olivie hatte einen Abscheu vor der Stadt, in die sie nicht paßte, Friedrike keine Neigung dahin; und so verzögerte sich die Sache, bis sie endlich dadurch ent- 15 schieden ward, daß es mir unmöglich fiel, innerhalb vierzehn Tagen aufs Land zu kommen, da man sich denn lieber in der Stadt und mit einigem Zwange als gar nicht sehen wollte. Und so fand ich nun meine Freundinnen, die ich nur auf ländlicher Scene zu sehen 20 gewohnt war, deren Bild mir nur auf einem Hintergrunde von schwankenden Baumzweigen, beweglichen Bächen, nickenden Blumenwiesen und einem meilenweit freien Horizonte bisher erschien — ich sah sie nun zum ersten Mal in städtischen, zwar weiten Zimmern, aber 25 doch in der Enge, in Bezug auf Tapeten, Spiegel, Standuhren und Porzellanpuppen.

Das Verhältnis zu dem, was man liebt, ist so entschieden, daß die Umgebung wenig sagen will; aber daß es die gehörige, natürliche, gewohnte Umgebung 30 sei, dies verlangt das Gemüt. Bei meinem lebhaften

Gefühl für alles Gegenwärtige konnte ich mich nicht gleich in den Widerspruch des Augenblicks finden. Das anständige, ruhig-edle Betragen der Mutter paßte vollkommen in diesen Kreis, sie unterschied sich nicht von den übrigen Frauen; Olivie dagegen bewies sich ungeduldig, wie ein Fisch auf dem Strande. Wie sie mich sonst in dem Garten anrief oder auf dem Felde beiseite winkte, wenn sie mir etwas Besonderes zu sagen hatte, so that sie auch hier, indem sie mich in eine Fenstertiefe zog; sie that es mit Verlegenheit und ungeschickt, weil sie fühlte, daß es nicht paßte, und es doch that. Sie hatte mir das Unwichtigste von der Welt zu sagen, nichts als was ich schon wußte: daß es ihr entsetzlich weh sei, daß sie sich an den Rhein, über den Rhein, ja in die Türkei wünsche. Friedrike hingegen war in dieser Lage höchst merkwürdig. Eigentlich genommen, paßte sie auch nicht hinein; aber dies zeugte für ihren Charakter, daß sie, anstatt sich in diesen Zustand zu finden, unbewußt den Zustand nach sich modelte. Wie sie auf dem Lande mit der Gesellschaft gebarte, so that sie es auch hier. Jeden Augenblick wußte sie zu beleben. Ohne zu beunruhigen, setzte sie alles in Bewegung und beruhigte gerade dadurch die Gesellschaft, die eigentlich nur von der Langenweile beunruhigt wird. Sie erfüllte damit vollkommen den Wunsch der städtischen Tanten, welche ja auch einmal von ihrem Kanapee aus Zeugen jener ländlichen Spiele und Unterhaltungen sein wollten. War dieses zur Genüge geschehn, so wurde die Garderobe, der Schmuck, und was die städtischen, französisch gekleideten Nichten besonders auszeichnete, betrachtet und ohne Neid bewundert. Auch mit mir machte Friedrike sich's leicht, indem sie mich behandelte wie immer. Sie schien mir keinen andern Vorzug zu geben, als den, daß sie ihr Begehren, ihre Wünsche 5 eher an mich als an einen andern richtete und mich dadurch als ihren Diener anerkannte.

Diese Dienerschaft nahm sie einen der folgenden Tage mit Zuversicht in Anspruch, als sie mir vertraute, die Damen wünschten mich lesen zu hören. Die Töchter 10 des Hauses hatten viel davon erzählt: denn in Sesenheim las ich, was und wann man's verlangte. Ich war sogleich bereit, nur bat ich um Ruhe und Aufmerksamkeit auf mehrere Stunden. Dies ging man ein, und ich las an einem Abend den ganzen Hamlet ununter- 15 brochen, in den Sinn des Stücks eindringend, wie ich es nur vermochte, mit Lebhaftigkeit und Leidenschaft mich ausdrückend, wie es der Jugend gegeben ist. Ich erntete großen Beifall. Friedrike hatte von Zeit zu Zeit tief geatmet und ihre Wangen eine fliegende Röte 20 überzogen. Diese beiden Symptome eines bewegten zärtlichen Herzens, bei scheinbarer Heiterkeit und Ruhe von außen, waren mir nicht unbekannt und der einzige Lohn, nach dem ich strebte. Sie sammelte den Dank, daß sie mich veranlaßt hatte, mit Freuden ein und ver- 25 sagte sich nach ihrer zierlichen Weise den kleinen Stolz nicht, in mir und durch mich geglänzt zu haben.

Dieser Stadtbesuch sollte nicht lange dauern, aber die Abreise verzögerte sich. Friedrike that das Ihrige zur geselligen Unterhaltung, ich ließ es auch nicht 30 fehlen; aber die reichen Hülfsquellen, die auf dem

Lande so ergiebig sind, versiegten bald in der Stadt, und der Zustand ward um so peinlicher, als die Ältere nach und nach ganz aus der Fassung kam. Die beiden Schwestern waren die einzigen in der Gesellschaft, welche sich deutsch trugen. Friedrike hatte sich niemals anders 5 gedacht und glaubte überall so recht zu sein; sie verglich sich nicht; aber Olivien war es ganz unerträglich, so mägdehaft ausgezeichnet in dieser vornehm erscheinenden Gesellschaft einherzugehn. Auf dem Lande bemerkte sie kaum die städtische Tracht an andern, sie verlangte 10 sie nicht; in der Stadt konnte sie die ländliche nicht ertragen. Dies alles zu dem übrigen Geschicke städtischer Frauenzimmer, zu den hundert Kleinigkeiten einer ganz entgegengesetzten Umgebung, wühlte einige Tage so in dem leidenschaftlichen Busen, daß ich alle schmeichelnde 15 Aufmerksamkeit auf sie zu wenden hatte, um sie, nach dem Wunsche Friedrikens, zu begütigen. Ich fürchtete eine leidenschaftliche Scene. Ich sah den Augenblick, da sie sich mir zu Füßen werfen und mich bei allem Heiligen beschwören werde, sie aus diesem Zustande zu 20 retten. Sie war himmlisch gut, wenn sie sich nach ihrer Weise behaben konnte, aber ein solcher Zwang setzte sie gleich in Mißbehagen und konnte sie zuletzt bis zur Verzweiflung treiben. Nun suchte ich zu beschleunigen, was die Mutter mit Olivien wünschte und was Friedri- 25 ken nicht zuwider war. Diese im Gegensatze mit ihrer Schwester zu loben, enthielt ich mich nicht; ich sagte ihr, wie sehr ich mich freue, sie unverändert und auch in diesen Umgebungen so frei wie den Vogel auf den Zweigen zu finden. Sie war artig genug, zu erwidern, 30

daß ich ja da sei, sie wolle weder hinaus noch herein,
wenn ich bei ihr wäre.

Endlich sah ich sie abfahren, und es fiel mir wie ein
Stein vom Herzen: denn meine Empfindung hatte den
5 Zustand von Friedriken und Olivien geteilt; ich war
zwar nicht leidenschaftlich geängstigt wie diese, aber ich
fühlte mich doch keineswegs wie jene behaglich.

* * * * * *

Solchen Zerstreuungen und Heiterkeiten gab ich mich
um so lieber und zwar bis zur Trunkenheit hin, als
10 mich mein leidenschaftliches Verhältnis zu Friedriken
nunmehr zu ängstigen anfing. Eine solche jugendliche,
aufs Geratewohl gehegte Neigung ist der nächtlich ge=
worfenen Bombe zu vergleichen, die in einer sanften,
glänzenden Linie aufsteigt, sich unter die Sterne mischt,
15 ja einen Augenblick unter ihnen zu verweilen scheint,
alsdann aber abwärts, zwar wieder dieselbe Bahn, nur
umgekehrt, bezeichnet und zuletzt da, wo sie ihren Lauf
geendet, Verderben hinbringt. Friedrike blieb sich
immer gleich; sie schien nicht zu denken noch denken zu
20 wollen, daß dieses Verhältnis sich so bald endigen
könne. Olivie hingegen, die mich zwar auch ungern
vermißte, aber doch nicht so viel als jene verlor, war
voraussehender oder offener. Sie sprach manchmal
mit mir über meinen vermutlichen Abschied und suchte
25 über sich selbst und ihre Schwester sich zu trösten. Ein
Mädchen, das einem Manne entsagt, dem sie ihre Ge=
wogenheit nicht verleugnet, ist lange nicht in der pein=
lichen Lage, in der sich ein Jüngling befindet, der mit
Erklärungen eben so weit gegen ein Frauenzimmer

herausgegangen ist. Er spielt immer eine leidige Figur: denn von ihm, als einem werdenden Manne, erwartet man schon eine gewisse Übersicht seines Zustandes, und ein entschiedener Leichtsinn will ihn nicht kleiden. Die Ursachen eines Mädchens, das sich zurückzieht, scheinen immer gültig, die des Mannes niemals.

Allein wie soll eine schmeichelnde Leidenschaft uns voraussehen lassen, wohin sie uns führen kann? Denn auch selbst alsdann, wenn wir schon ganz verständig auf sie Verzicht gethan, können wir sie noch nicht loslassen; wir ergötzen uns an der lieblichen Gewohnheit, und sollte es auch auf eine veränderte Weise sein. So ging es auch mir. Wenn gleich die Gegenwart Friedrikens mich ängstigte, so wußte ich doch nichts Angenehmeres, als abwesend an sie zu denken und mich mit ihr zu unterhalten. Ich kam seltener hinaus, aber unsere Briefe wechselten desto lebhafter. Sie wußte mir ihre Zustände mit Heiterkeit, ihre Gefühle mit Anmut zu vergegenwärtigen, so wie ich mir ihre Verdienste mit Gunst und Leidenschaft vor die Seele rief. Die Abwesenheit machte mich frei, und meine ganze Zuneigung blühte erst recht auf durch die Unterhaltung in der Ferne. Ich konnte mich in solchen Augenblicken ganz eigentlich über die Zukunft verblenden; zerstreut war ich genug durch das Fortrollen der Zeit und dringender Geschäfte. Ich hatte bisher möglich gemacht, das Mannigfaltigste zu leisten, durch immer lebhafte Teilnahme am Gegenwärtigen und Augenblicklichen; allein gegen das Ende drängte sich alles gar gewaltsam über einander, wie es immer zu gehen pflegt, wenn man sich von einem Orte loslösen soll. * * *

In solchem Drang und Verwirrung konnte ich doch nicht unterlassen, Friedriken noch einmal zu sehen. Es
5 waren peinliche Tage, deren Erinnerung mir nicht geblieben ist. Als ich ihr die Hand noch vom Pferde reichte, standen ihr die Thränen in den Augen, und mir war sehr übel zu Mute. Nun ritt ich auf dem Fuß-pfade gegen Drusenheim, und da überfiel mich eine der
10 sonderbarsten Ahnungen. Ich sah nämlich, nicht mit den Augen des Leibes, sondern des Geistes, mich mir selbst, denselben Weg, zu Pferde wieder entgegen kommen, und zwar in einem Kleide, wie ich es nie getragen: es war hechtgrau mit etwas Gold. Sobald ich mich
15 aus diesem Traum aufschüttelte, war die Gestalt ganz hinweg. Sonderbar ist es jedoch, daß ich nach acht Jahren in dem Kleide, das mir geträumt hatte und das ich nicht aus Wahl, sondern aus Zufall gerade trug, mich auf demselben Wege fand, um Friedriken noch ein-
20 mal zu besuchen. Es mag sich übrigens mit diesen Dingen, wie es will, verhalten, das wunderliche Trugbild gab mir in jenen Augenblicken des Scheidens einige Beruhigung. Der Schmerz, das herrliche Elsaß mit allem, was ich darin erworben, auf immer zu verlassen,
25 war gemildert, und ich fand mich, dem Taumel des Lebewohls endlich entflohn, auf einer friedlichen und erheiternden Reise so ziemlich wieder.

NOTES

NOTES.

The Greek motto is a maxim by Menander, a comic poet born in Athens 342 B.C.; it means literally 'a boy is not educated without being flayed,' i.e. without severe experiences.

PREFACE.

1. **3.** The 'letter of a friend' is fictitious; but wishes like those which it contains had probably been expressed to Goethe by some of his friends. **4.** **bedenklich**, 'risky.' **6.** **nunmehr**, a little stronger than nun. A new and uniform edition of Goethe's poetical works in twelve volumes appeared in 1806–1808. It contained some works not previously published, e.g. *Die Laune des Verliebten*, *Elpenor*, *Achilleis*, and those portions of the first part of *Faust* not included in the *Fragment* of 1797. **15.** Goethe's 'career as an author' had practically begun with the publication of his *Götz von Berlichingen* in 1773.

2. **1.** **äußere bestimmte Gegenstände**, etc. The external circumstances of Goethe's life, as well as marked grades in his inner development, are reflected in his works, hence Goethe's own remark (cf. 180. 3 sqq.) that his published works are all "parts of a great confession." **12.** **verjährt**, here = langjährig, 'of many years' standing'; ordinarily, as a legal term, 'legalized (or 'outlawed,' as the case may be) by continuance beyond a prescribed number of years' (by the Statute of Limitations). **13.** **vorkommend**, 'occurring'; transl. 'such difficulties as present themselves.' **17.** **warum**, now meaning only 'why,' here = worum, um was. **18.** In the new edition, the arrangement of Goethe's works had been determined in part 'by certain internal relations'; e.g. the lyrics had been put together in a volume, the dramatic works, as far as the size of the volumes would permit, had been given in systematic order, etc. In this way the chronological order had been disturbed and it was difficult to appreciate the relations of the various works to the circumstances of the poet's life and to his inner development. **30.** unterhal'ten, 'entertain,' 'amuse' (cf. 3. 5); here with the reflexive-reciprocal sich, 'converse,' 'hold intercourse.'

3. **1** sqq. It is, of course, quite unlikely that any of Goethe's friends suggested to him that he had reached the age when really great works could no longer be expected of him. **3.** Erkenntnis as differing from Kenntnis, 'knowledge [of facts],' denotes 'insight [into the relations of facts].' **4.** Bewußtsein, 'consciousness,' 'knowledge of one's self.' **5.** jenes Hervorgebrachte, etc., 'treat those works again as material and work them over into a final production.' **8** sq. sich an jem. bilden, 'cultivate one's mind by the study of some one,' or 'by the example of some one.' Künstler, here = Dichter. **12.** in früherer Zeit, now 'formerly'; here = in der Jugend. **16.** aufregen, now 'agitate,' 'excite,' is often used by Goethe in the sense of 'stimulate,' 'incite,' for which anregen now generally serves. **17.** mag, here 'happens to.' **18** sq. Dichtwerke, 'literary productions,' a word occasionally used by Goethe and Schiller, but nowadays almost obsolete; it is less comprehensive than Werke, which would include scientific works, and more so than Dichtungen, which is rarely used of prose. **19.** auszeichnen, 'mark,' 'label'; refers here probably to the compilation of a list of titles, which was subsequently arranged chronologically. **23.** Anzeigen, 'information.' **24** sqq. The 'works already published' did not include Goethe's earliest attempts, nor the earlier and less perfect versions of some of his later compositions, nor his scientific treatises.

4. **1.** gedenken, 'mention.' Wissenschaften, e.g. botany, comparative anatomy, optics; Künsten, e.g. drawing, etching. **11.** Regungen, 'impulses,' 'tendencies.' die theoretisch, etc., 'the stages of advancement in theory and practice reached by me.' **30.** als welches, 'as something which'; a form of expression now obsolete.

5. 3. dürfte — geworden sein, 'might have become,' here 'would probably have become.' **4.** Wirkung nach außen, 'influence on others.' **11.** The 'half poetical, half historical treatment' is indicated in the subtitle Dichtung und Wahrheit, by which the Autobiography is generally known. Cf. Introduction.

BOOK I.

Book I covers the period from the poet's birth, 1749, to the outbreak of the Seven Years' War, 1756.

7. 3. Die Konstellation, etc. It must not be supposed that Goethe seriously believed in astrology. He was at one time very much interested in astrology, magic, and other forms of superstition that had been current in the Middle Ages and had been held by some of the most intelligent men of their time, and as they appealed to his poetic imagination, he liked to revert to them in a playful mood and, so to speak, jingle their glittering formulas. So in this case. A serious discussion of the meaning of this astrological cant would therefore be out of place. **13.** welche * * * wußten, 'to which the astrologers afterwards managed to attribute a very important influence.' **20.** Goethe's maternal grandfather was Schultheiß, 'chief magistrate,' 'mayor,' of Frankfort. The word meant originally 'judge,' and as the judicial, legislative, and administrative functions of government were formerly not as carefully separated as they are now, the Schultheiß of Frankfort was both chief justice and chief executive of the city. **21.** daher Anlaß nahm, 'took occasion from this [to bring it about].' Hebammenunterricht, 'training of nurses.' **23.** welches denn; transl. 'and this naturally.' Goethe is peculiarly fond of adding to a completed sentence a subordinate clause by means of a relative pronoun or adverb generally followed by denn in the sense of a weak 'therefore,' 'consequently,' 'of course'; such a subordinate clause frequently contains a thought of sufficient consequence and sufficiently distinct from that expressed in the principal clause to make it seem desirable, in translating, to use a co-ordinate principal clause; sometimes a final clause introduced by 'so that' may suit better. **25.** uns; einem and einen ordinarily serve as dative and accusative to man, but they are avoided in elegant diction.

8. **1.** Fall, here 'situation'; say 'it often happens.' wir, here used for variety. gehört; the exceedingly frequent omission of the auxiliary in subordinate clauses is a characteristic of Goethe's prose style. **2** sq. was * * * besitzen, 'what we remember from personal experience.' The expression anschauende Erfahrung is here equal to Erfahrung durch Anschauung, or Anschauung und Erfahrung; such use of a present participle in imitation of a well-known Latin construction is not infrequent in Goethe's prose. (Cf. C. OLBRICH, *Goethe's Sprache und die Antike*, Leipzig: 1891, pp. 91 sqq.) **6** sq. durchgebrochenen, 'connected' by breaking through [the partition-walls]. **7.** turmartig, 'as in a tower'; say 'spiral.' **10.** Goethe's younger sister Cornelia was born December 7, 1750. Several younger children died early, and Wolfgang and Cornelia being thus left alone became very much attached to each other. Cornelia died in 1777 as the wife of J. G. Schlosser (cf. 168. 4 sqq.), one of Goethe's friends. **11.** Hausflur, more commonly masculine. **16.** Geräms, n., a collective of Rahmen, formerly Rahme, m., 'frame,' 'framework.' **18.** besprachen sich, 'conversed.' **21.** indem * * * war, 'because one was accustomed to (lit. 'that which was public') publicity.' In imitation of the classical languages, Goethe uses substantivized adjectives in place of abstract nouns with greater freedom than they are generally used in German; so here das Öffentliche = die Öffentlichkeit. **24.** The von is a part of the name and therefore untranslatable. **24** sq. hinterlassen, 'surviving.' **26.** neckten sich mit mir, 'played with me.' **28.** Eulenspiegeleien, 'waggeries,' 'practical jokes.' TYLL EULENSPIEGEL was a professional jester and wag who in the first half of the fourteenth century is known to have travelled through Northern Germany, Italy, and Poland. He died in 1350 at Mölln, near Lübeck, where his tombstone, marked with a mirror and an owl, may be seen to this day. In course of time many old tales of jest became associated with his name, and toward the beginning of the sixteenth century these were collected in a *Volksbuch* (cf. 41. 20 sqq. and note) written in Low German, of which a High German translation was published in 1515. Translations into other European tongues soon followed, first among them one into English under the title *Howleglas his life.* The popularity of the book is shown by the French words *espiègle*, 'wag,' and *espièglerie*, 'waggery.'

9. 1. **Topfmarkt**, 'crockery fair'; cf. 24. 6, note. **4. im kleinen**, 'on a small scale.' **spielender Beschäftigung** = Spiel und Beschäftigung; cf. 8. 2, note. **6 sq. trieb — mein Wesen**, 'carried on,' 'amused myself.' **7 sq. da * * * wollte**, 'as nothing else would come of it,' 'when I found that no other fun could be gotten out of them.' **9. die von Ochsenstein**; formerly a nobleman was often spoken of as der von —— (name of his estate) instead of der Herr von ——; the former now sounds stilted; cf. 8. 24, note. **10. ergetzen**, now generally ergötzen; Goethe uses both forms. **23. der Reihe nach** = einen nach dem andern. **24. sich zufrieden geben**, 'content one's self.' **25. erschleppen** = heranschleppen.

10. 1. Goethe's paternal grandmother was already eighty-one years old when he was born; she died March 26, 1754. **bei * * * wohnten**, transl. 'who really owned the house in which we lived.' **2 sq. Zimmer hinten hinaus**, 'back room'; it opened into the spacious lower hall; cf. 8. 11. **11. Hirschgraben**, lit. 'Stag-Moat.' When a fortified town grew more populous, it often became necessary to extend its area by building a new and wider belt of fortifications. The old moats were then often not filled in at once, but merely drained and used as gardens. Later, as in the case of the Hirschgraben, they were filled in and built upon. One of the principal streets in Vienna is called the Graben, and the origin of the Paris boulevards is similar. The name Hirschgraben is still in use; the street is narrow and crooked like most of the streets in the older parts of Frankfort. **15.** What is to be supplied after gelegen? What after gewesen, l. 16, worden, l. 17, etc.? Cf. 8. 1, note. **22 sq. der Stadt * * * störten**, 'curtailed and interfered with the city's right of chase.' **25. zahme Wildbahn**, 'preserve for tame deer.' **26. bei unsern Zeiten**; zu is now used. **29. un-**

abſehbar is that of which one cannot see the end; transl. 'unbounded.' Fläche, 'stretch.'

11. 1. In parceling the commons formerly situated beyond the old Hirſchgraben and changing them into private gardens, the houses nearest the corner or apex of the angle had received but little land, while those nearest the Roßmarkt (name of a square) had appropriated large lots for rear-extensions and back-yards. 12 sq. mein * * * Aufenthalt, 'my favorite retreat, where I gave myself up not really to sadness, but to sentimental longing.' Such free use of adjectives which can primarily be used only of persons is another peculiarity of Goethe's style due to the influence of the classical languages. 15. Höchſt is a small town on the Main, about four miles west of Frankfort. 16. Sommerszeit; we should now say zur Sommerszeit. 17. wartete ab, ordinarily 'waited for'; here 'watched.' 19. mich — ſatt genug ſehen, 'look my fill'; transl. 'never grow weary looking at . . .'; ſatt genug is, of course, a pleonasm. 25 sq. dem * * * entſprechend, 'in conjunction with the seriousness and awe implanted in me by nature'; cf. 8. 21, note. Goethe is very fond of the word ahnungsvoll, which is somewhat difficult to translate. It means 'full of presentiment,' 'filled with awe'; then also that which causes such feelings, 'awe-inspiring,' 'mysterious.' 27. in der Folge, 'in time'; Folgezeit is now more common in this sense. 29 sq. Beſchaffenheit, lit. 'condition'; transl. 'arrangement.'

12. 6. unmöglich fallen, with a dative of person, = unmöglich ſein; similarly ſchwer fallen, leicht fallen. 13 sq. ein doppeltes Furchtbare, 'a twofold terror,' 'two terrors.' 14. einklemmen, 'fix,' 'place.' 17 sq. Pfirſchen, 'peaches'; more common forms of this word are der Pfirſich, pl. Pfirſiche, and die Pfirſiche, pl. Pfirſichen. 22. Proſpekt, m. 'view,' especially 'architectural view.' 23. ſtechen, 'engrave'; cf. Stich, m. 'engraving.' 24. GIAMBATTISTA PIRANESE (1720–78), an Italian painter and engraver, edited *Le Antichità Romane* ('Roman Antiquities'), a magnificent work in four volumes with numerous copper-plates, published at Rome in 1756. Views like those here referred to may now be seen hanging in the lower hall of the Goethe House at

Frankfort. **24** sq. sich auf — verstanden, 'well understood how to manage'; sich verstehen auf [acc.] is most often used of arts and handicrafts. **26.** Nadel, 'engraving-point,' 'graver'; the adjectives apply rather to the result of the work than to the instrument. **27** sqq. Piazza del Popolo, 'People's Square,' in Rome, at the foot of the Monte Pincio. Coliseo, the modern Italian name for the 'Colosseum' or, properly, *Amphitheatrum Flavium*, erected by the emperor Vespasian (A.D. 70–79). Petersplatz, 'St. Peter's Square.' Engelsburg, 'Castle of St. Angelo,' originally erected as a sepulchre for the emperor Hadrian (A.D. 117–138), used in the Middle Ages by the Popes as a fortress. **29.** Gestalten, 'forms,' 'images,' here 'sights'; not often used of architectural subjects.

13. **5.** Goethe's father had been in Italy in 1740. **8.** Redaktion, 'final revision'; the word generally refers to the editing of journals and newspapers and the preparation of manuscript for the printer; as a concrete collective, it means 'the editors'; Redakteur, 'editor'; redigieren, 'edit.' **9.** heftweise, 'in parts'; Heft, n., a small book in paper cover, 'copy book.' **11.** daran; present usage prefers helfen bei, behülflich sein bei. **14.** accompagnieren = begleiten. In accordance with the usage of the eighteenth century, Goethe employs many foreign words which have now been supplanted by words of German origin. da — denn, 'in consequence of which,' 'so that'; cf. 7. 23, note. *Solitario*, etc. The beginning of a song by the Italian poet METASTASIO (1698–1782), which was then very popular. It was set to music several times, but it is not certain with which composition Goethe thus became familiar. The stanza runs as follows:

Solitario, o bosco ombroso,
A te vien l'afflitto cor,
Per trovar qualche riposo
Nel silenzio e nell orror.

('In solitude, O shady grove, comes the afflicted heart to thee, to find some rest in silence and in gloom.')

17. lehrhafter Natur, 'of a didactic turn,' 'naturally fond of teaching.' **18.** bei seiner Entfernung von Geschäften. Having completed his legal studies and spent some time in travel, Goethe's father had applied to the council of his native city, Frankfort, for a small municipal office, offering his services gratuitously if the council would dispense with the formality of an election by ballot. This offer was not accepted, and he thereupon resolved never to enter the service of the city. He obtained, in 1742, from the emperor Charles VII. the title of 'Imperial Councillor' which put him on an equality with the highest dignitaries of the city and made it impossible for him ever after to accept a municipal office. Soon afterwards he married the eldest daughter of the *Schultheiss*, which also excluded him from city offices, since according to the laws of Frankfort persons related to, or connected by marriage with, the chief magistrate could not be appointed to positions in the service of the city. Cf. 54. 25 sqq.

14. 1. Puppenspiel. Puppet-shows were formerly very popular, and even now public exhibitions may be witnessed in the small towns and villages of Germany. The exhibition here referred to was given to the children at Christmas 1753. Remains of the stage and puppets are exhibited in the Goethe House at Frankfort. In the first book of *Wilhelm Meister's Lehrjahre*, Goethe gives an account of the presentation of a puppet-play called 'David and Goliath' and shows at length how the boyish imagination of his hero was stimulated by this and similar performances. It has been conjectured from this that the play exhibited to young Wolfgang and his sister was 'David and Goliath.' **5** sq. der * * * nachklang, 'which continued to vibrate with a great and lasting effect' (Oxenford's Translation). Nachklang denotes the weaker vibrations following the main body of sound. **9.** Belebung, antithesis to stumm, l. 7; 'animation.' **13.** Cf. 10. 1. **20.** Hauptbau, generally 'main building,' here 'extensive building operations.' auch, here 'accordingly'; vornehmen, 'take up,' 'commence.' **23** sqq. nicht allein * * * überzubauen, 'make not only the second, but each successive story project over the lower one.' According to German usage, der erste Stock is the first story above the ground-floor, i.e. the second story according to ordinary English usage. The plural of Stock in the sense of 'stick' is Stöcke; in the sense of 'story,' Stocke, but now more commonly Stockwerke; but ein einstöckiges Haus, similarly zweistöckig, etc.

15. **11.** sich (dat.) vornehmen, 'determine.' **28.** ins Gleiche setzen (for the now more common bringen), lit. 'equalize,' 'calm,' 'settle.' **29.** Jugend, here collectively 'young people,' 'children.'

16. **6.** Wall-paper did not come into general use till after this period. The walls in the Goethe House, as in most old houses, had been covered with oilcloth (Wachstuch); these hangings had been taken down and had been used as a temporary ceiling. **20** sqq. wie ich denn, etc., transl. 'in accordance with the greater freedom and absence of restraint with which,' etc. **28.** The beautiful bridge across the Main, connecting Frankfort with the town of Sachsenhausen, was built in the middle of the fourteenth century; it is about 950 feet long and rests on 14 arches; the material is red sandstone.

17. **3.** zog — nach sich. Merely 'attract' is auf sich ziehen; the use of nach suggests motion, as the eyes follow the course of the river. **4.** Both the cross and the gilded cock are very old; they may be seen on a picture of the year 1405. Regarding the significance of the cock, there has been much discussion; it is probably symbolical of ever watchful justice, the cross marking the spot where the current of the river is swiftest and where in ancient times condemned criminals were drowned. **6** sq. ward spaziert, the impersonal passive; es is omitted when any other element is placed at the head of the sentence. After walking across the bridge and through Sachsenhausen, Goethe returned by the ferry. **7.** Kreuzer, a small coin. The Gulden, worth about 40 cents, was divided into 15 Batzen, the Batzen into 4 Kreuzer. **13.** Ging es, etc., 'when I (we) entered,' 'on entering.' **14.** Saalhof, one of the most ancient buildings in Frankfort. The original building was used for a royal residence; Louis the Pious received here the ambassadors of Harold, king of the Danes; Charles the Bald was born, and Louis the German died here. It was several times altered and partially rebuilt, so that now nothing remains of the original structure. Parts of the present building, however, go back to the time of the Hohenstauffens. For a fuller description of the building as it was in Goethe's time, cf. 138. 18 sqq. **19.** Bartholomäuskirche, the Roman Catholic Cathedral of Frankfort, in which the coronations of the German emperors took place. It is now generally called simply „der Dom." **24.** Pfarreisen, originally a footpath leading across the church-yard and closed by an iron gate. The area thus enclosed was the property of the church and not within the jurisdiction of the civic authorities, hence the name. Along this footpath booksellers and curiosity-dealers had put up shops and booths. **26.** Batzen, cf. 17. 7, note. **28.** mochte, here 'liked.'

18. **1.** Fleischbänke, 'meat-stalls.' **2.** Römerberg, a continuation of the Marktplatz, named so from the Römer or City Hall (cf. 20. 1 and note). **3** sq. die neue Kräm, a street leading from the Römerberg to the Liebfrauenkirche. **6.** Zeile, generally called Zeil, to this day the principal business street of Frankfort. **13** sq. Nürnberger Hof, once the residence of the Nuremberg merchants attending the Frankfort fair. The Compostell, the residence of the archbishop of Mayence. The origin of the name is uncertain; it is conjectured that it is connected with the Spanish S. Jago di Compostella. **14.** The Braunfels had since the fifteenth century occasionally served the emperors as residence; Gustavus Adolphus lodged here in 1632. derer, cf. 9. 9, note. The Stallburg residence also dates back to the fifteenth century. **16.** Gewerbsbenutzungen, 'industrial purposes.'

19. **2.** Belagerung von Frankfurt, in 1552; the map referred to was engraved the following year by the Dutch engraver Hans Grav. A genuine copy hangs in the Goethe House at Frankfort. **3.** wobei noch; transl. by a coördinate sentence; cf. 7. 23. **10.** ziehen sich, 'extend.' Zwinger is in walled towns the open space running parallel to the walls between these and the rows of gardens, back yards, and houses. It was kept open to facilitate access to the walls and defence of the town. **13.** Putz- and Schau- are synonymous; translate freely 'ornamental pleasure-gardens.' **15.** Bleichplätze, commons used chiefly for drying and bleaching linen; public places for this purpose are even now found in small German towns. **21.** der bekannte hinkende Teufel, in the well known story, *Le diable boiteux*, by LE SAGE (1707). **27.** Zeugherren, 'keepers of the arsenal': Zeughaus, 'armory,' 'arsenal.'

20. **1.** Römer, the proper name of the City Hall at Frankfort. The origin of the name is veiled in mystery; most probably the building originally belonged to a family of that name. It was purchased by the city in 1405. It has undergone very many changes, receiving its present form in 1740. **8.** mittelsten. The adjective mittel may be used in the comparative and superlative; when speaking of a small number, as for instance the walls of a room, the comparative is more elegant. **9.** Inschrift. The exact wording of the inscription is:

Eyns mans redde ein halbe redde
man sal sie billich verhören bede.

Goethe quotes from memory and gives the ancient saying (cf. the Latin *audiatur et altera pars*) in its most current German form. **16.** Schöffen. The 'Senate' or 'Council' of Frankfort was composed of three classes of members, viz. (1) the *Schöffen*, regularly appointed and paid magistrates, who also acted as jury and judges in law-cases; (2) representatives of the patrician class, especially of the rich merchant-guilds; (3) representatives of the craft-guilds. **20.** zog sich; cf. 19. 10, note. **22.** Protokollführer, 'secretary,' 'clerk.' Protokoll, n. means 'minutes'; führen, in such a connection, 'keep,' e.g. Buchführer, 'book-keeper.' **24.** auch wohl, 'once in a while even.' burgemeisterlich; Burgemeister is the old and etymologically correct form, the first part being the noun Burg; but now the form Bürgermeister is more often used.

21. **2.** Kaisertreppe. The new 'Imperial Stairs' were built in 1742. **3.** verschnörkelt, or schnörkelhaft, 'full of flourishes'; in ornamentation 'volute,' 'curved,' qualities especially characteristic of the rococo style. **5.** Thürstücke, paintings filling the spaces over the doors. **6.** Ornat, 'robe.' **7.** Reichsinsig=

nien; cf. 126. 16 sq. and note. **9** sq. mit Augen zu erleben, 'live to see with our own eyes'; an unusual expression which seems to be a mixture of mit [eigenen] Augen zu sehen and zu erleben. **10.** The Kaisersaal was used for the coronation banquets. **14.** The Brustbilder, 'half-length portraits' of the German emperors from Charles the Great (800–814) to Francis II. (1792–1806), which Goethe saw, were replaced in 1840 by new paintings by different German artists. **19.** Rudolf von Habsburg (1273–1291); during the *Interregnum* (1254–1273) preceding his reign, Germany had suffered much from disorder and anarchy. **22** sq. By an imperial edict Charles IV. (1346–1378) regulated in 1356 the elections of future German emperors by seven electoral princes (Kurfürsten). This edict, from the golden capsule attached to it and containing the imperial seal, was commonly called die Goldene Bulle (*Bulla Aurea*). A copy was preserved at Frankfort, as it established the character of the city as the place where the emperors were elected. There is a slight error here; the peinliche Halsgerichtsordnung, 'Code of Criminal Law,' was not issued during the reign of Charles IV., but in 1552, during the reign of Charles V. (1519–1556). Both peinlich in the sense of 'penal' (its present meaning is 'painful,' 'disagreeable'), and Halsgericht, 'court dealing with capital offences,' 'criminal court,' have since become obsolete terms in law. **25.** Günther von Schwarzburg was in 1349 by some of the princes elected emperor in opposition to Charles IV. He soon resigned his claims, however, and died suddenly a few days later. He was buried in the city of Frankfort, which had supported him in his contest with Charles. entgelten, 'make retribution for,' now generally takes the accusative (formerly the genitive) of the thing; it is most often used as it is here, with lassen: jemanden etwas entgelten lassen, 'make one pay for something.' **26.** Maximilian I. (1493–1519), of the house of Habsburg, the grandfather of Charles V., often called "the last knight."

22. **5.** eines, here accented, 'of one.' Later room was made for the portraits of Joseph II. and Leopold II., but after that there was really no space for others. **8.** einmal, 'once in a while.' **13.** gleich daneben befindlich, 'directly adjoining it.' **14.** Konklave, the chapel in which the elections of an emperor were held. **23** sq. Gesperr (collective noun from sperren, 'block,' 'barricade'), that which is in the way, 'lumber,' 'rubbish.'

23. **6**. gehalten hätte; tense and mood of an unrealized condition emphasize the impossibility of the assumption. **7** sqq. Karls des Siebenten, etc. In 1740 the male line of the house of Habsburg became extinct by the death of Charles VI. (1711–1740). According to the *Pragmatic Sanction*, the Austrian possessions were to devolve, undivided, upon his daughter Maria Theresa. Charles Albert of Bavaria, however, who had not recognized that law of succession, laid claim to the inheritance, and, by the aid of France, and while Frederick II. of Prussia made war on Maria Theresa for the possession of Silesia, secured, in 1742, his coronation in Frankfort. Soon after, however, when peace had been made with Prussia, the Austrians drove Charles out of his capital; their allies, English, Hanoverians, Hessians, defeated his army at Dettingen (1743) and he was compelled to take refuge at Frankfort. Charles died in 1745, and in the same year Francis, of the house of Lorraine-Tuscany, husband of Maria Theresa, was elected emperor and was crowned at Frankfort. **19.** die Frauen, e.g. Goethe's mother, who, as a maiden of eleven years, had been an enthusiastic worshipper of the emperor. **23** sq. der Aachner Friede; the peace of Aachen (Aix-la-Chapelle), concluded in 1748, settled the various disputes connected with the Austrian succession. **27** sqq. was — mehr sonst sein mochten; transl. 'all the other . '

24. 4. patriotische Beschränkung refers to Goethe's interest in the history and archæology of his native town. **6.** Messen, 'Fairs.' The word is the same as Messe, 'mass,' because fairs were first held in connection with certain church festivals. Some of these fairs, from circumstances of place and season, soon acquired a much greater commercial importance than others and began to attract buyers and sellers from remote places. The Leipsic fairs (cf. 154. 24 sqq.) were probably the greatest in the world, next to them those at Frankfort. Their great commercial importance was due to the fact that in the days when railroads and telegraphs and other modern means of communication did not exist, merchants found it easier to do all or most of their wholesale business in certain places, at stated seasons. Although fairs have naturally now lost much of their former usefulness, they are still maintained in Leipsic and Frankfort and a number of smaller towns, and for some articles of commerce, traffic in which is for convenience or by necessity confined to certain seasons, fairs are still found useful. Cf. 9. 1. **10.** Wogen, 'surging' used of the motions of a multitude. Treiben, 'rush.' **18.** alles is often used after wer and was with a generalizing force; omit in translating, or say 'of all the things which.' **19.** gegen, 'toward,' here 'for.' **25.** Geleitstag, 'Escort Day,' the meaning of which will appear later, came four days before the beginning of the Fair. **26.** Fahrgasse, proper name; this street leads from the *Zeil* (cf. 18. 6, note) to the Bridge. **27.** Sachsenhausen; cf. 16. 28, note. **28.** den Tag über = während des Tages. was = etwas.

25. **1.** auf etwas ankommen, 'depend on a thing'; transl. 'the event of real interest.' **4.** nämlich, unlike the English *namely*, is not only used to specify by means of a single term or several parallel terms (e.g. ich kenne nur zwei von Schillers Dramen, nämlich ‚Wilhelm Tell' und ‚Wallenstein'), but it often serves as an introduction to a lengthy explanation, in which case it may be rendered by 'for,' 'that is to say,' or a similar phrase, or, as here, may be left untranslated. wo, 'in which,' 'when'; cf. 26. 27, note. **8.** plagen und placken, 'plague and pester'; German is very fond of such collocations of alliterative or rhyming synonyms **9.** Stände, 'Estates of the Realm,' but this term should be clearly understood. It denotes the various political bodies, duchies, principalities, baronies, free cities, etc., independent of each other, but composing some higher political organization, such as the German Empire; secondarily, the authorized representatives of these bodies assembled in parliament. Here, of course, it refers chiefly to the free cities. die Ihrigen, 'their dependents.' 11 sq. Ich vergebe mir etwas means, 'I give away [wrongly] something belonging to me'; hence 'I do something injurious to my interests, or prejudicing my rights, or compromising my position, or derogatory to my dignity.' Instead of the reflexive pronoun, seinem Rechte, seiner Ehre, or a similar dative may be used. **13.** denn, a weak 'therefore,' 'consequently,' 'of course'; cf. 7. 23, note. **22.** zeither = seither, 'in the past.' Verhandlungen pflegen, 'carry on negotiations'; gepflogen, the archaic past participle of pflegen is now only used in this and a few similar formulas. Cf. 122. 5 sq. **23.** Rezeß, m. 'agreement,' a law term. **26** sq. beilegen, 'lay aside,' 'settle [a dispute],' 'arrange [matters].' **30.** bürgerliche Kavallerie, 'city cavalry,' militia.

26. 3. Reiter oder Husaren; the distinction between 'troopers' and 'hussars' is not clear. **7.** da denn; cf. 7. 23, note. **8.** weder * * * vermochte, a case of *zeugma*, since erhalten can properly refer only to sich selbst, not to Pferd; halten would be used with reference to a horse. **13** sq. man trug sich mit der Rede, 'it was a common saying.' **22.** deswegen auch, 'and hence'; cf. 7. 23, note. **25.** Pfeifergericht, 'Pipers' Court,' the meaning of which will appear later. In this account Goethe follows closely a monograph by FRIES, *Vom sogenannten Pfeifergericht* (Frankfort: 1752). **27.** Zeiten wo, 'times in which'; hence wo often means 'when,' and even 'if'; cf. l. 29. sich von den Zöllen, etc., an anacoluthic construction; we should expect sich von den Zöllen — zu befreien, oder wenigstens, etc.

27. **1.** ihrer, viz. der Städte; as the towns grew richer and more powerful, the emperors used them to balance the power of the princes. **4.** The Schultheiß (cf. 7. 20, note) was originally appointed by the emperor; but in 1372 Charles IV. granted to the city, for a money consideration, the right of choosing the chief magistrate. **5.** wohl, 'perhaps.' Oberzöllner, 'chief collector of tolls.' **6.** The Bartholomäi-Messe, so called from St. Bartholomew's Day, Aug. 24. At this time, however, the Autumn Fair did not begin till Sept. 8. Bartholomäi, Latin genitive. **7.** Anstand, 'propriety,' 'decorum,' hence 'ceremony,' 'solemnity.' 8. Schöffen; cf. 20. 16, note. 9. gesetzt; einsetzen is now used in the sense of 'appoint. 13. Alt-Bamberg; only the old part of Bamberg rendered this tribute. 15 Mariä Geburt, 'the Nativity of the Virgin Mary,' Sept. 8. Mariä, Latin genitive. 17. umschränkt, 'railed in.' erhöht, 'on a platform.' 19. Prokurator, 'attorney.' 20. Aktuarius, 'clerk.' 22. oder, supply thun. 26. Schalmei, 'shawm,' 'reed pipe.' Baß, 'bassoon.' 30. Gesandten, 'deputies.'

28. 10. gelten für, 'pass for,' 'stand for.' 13. geschlitzt, 'slashed.' 14 besteppt, 'stitched.' bequastet, 'tassled.' als Zeichen, etc. According to the ancient Saxon code of laws (*Sachsenspiegel*), a pair of gloves served as a symbol of an oral declaration on the part of the Emperor: here the municipal authorities make use of the same symbol. 17. Stäbchen; a staff is a sign of authority; hence it came to be regarded as the symbol of jurisdiction. When sentence was pronounced on a criminal, a small wand was broken by the judge in three parts; cf. *Faust*, l. 4590. 19 sqq. The 'silver coins' symbolized the tolls, the 'felt hat' stood for the chief article of manufacture of Worms.

29. 3. Virtuosen, artists, musicians 4. Mitstadt, 'sister city.' 12. Gewürzladen, Lade, f., pl. Laden, 'drawer,' to be distinguished from Laden, m., pl. Läden, 'shop.' Transl. 'spice-boxes.' 13. Stäbchen may be plural, or it may be that the article is omitted here, although Stäbchen is neuter and Becher masculine; Goethe frequently does this in spite of the rule made by the grammarians. Handschuh; provincially, the form Schuh is used in the plural in place of Schuhe; cf. 28. 13. 13 sq. Räderalbus, the name of a small silver coin, so called because it was stamped with a cross surrounded with a circle, which looked like a 'wheel'; Albus (from Lat. *albus*, 'white'), also called Weißpfennig, a silver coin.

30. 2. frei, i.e. not enclosed, 'open'; cf. 66. 23. 3. lustig, 'cheery,' 'pleasant,' a rather peculiar use of the word which is ordinarily used only of persons in the sense of 'gay,' 'jolly.' This reading, however, is found in all the older editions, though, of course, it may be due to a misprint in the first edition. The modern commentators generally substitute luftig 'airy.' 5. Ausbau, 'completion.' 10. Franz= oder Halbfranz=band, 'calf or half-calf'; the word was probably first a bookseller's abbreviation for französisch; cf. 'French calf.' 12. holländischen; the famous Elzevir editions of the classics were published at Amsterdam, Leyden, etc., from 1592–1680. 16. elegantere Jurisprudenz, 'the nicer points in jurisprudence.' 18. den Tasso; the definite article is often used before the name of a person to express familiarity, hence often before the name of a well-known character, especially when the name of an artist or author stands for his works. TORQUATO TASSO (1544–1595), the great Italian poet, author of *Gerusalemme Liberata* ('Jerusalem Delivered'). 20. J. G. Keyßler wrote *Neueste Reisen durch Deutschland, Ungarn, Böhmen*, etc. 2d ed. Hanover: 1751. 21. J. C. Nemeitz wrote *Séjour de Paris oder Anleitung wie Reisende sich in Paris zu verhalten haben.* 4th ed. 1750. Both are now forgotten. 24. Real=lexiken, say 'encyclopedias,' though that is somewhat too comprehensive a term. The words real, Realien are used when speaking of things, as distinguished from words. Realschule thus denotes a school in which sciences are taught rather than languages and literature. sich — Rats erholen, 'obtain information,' lit. 'strengthen one's self with advice.' 30. Nachschaf=fen, 'subsequent acquisition.'

31. 1. Einreihen, 'insertion [in the proper place],' 'arrangement.' 2. die gelehrten Anzeigen, a literary review published in Frankfort. Goethe himself wrote for it during the year 1772: the volume to which he contributed has been reprinted in the series called *Deutsche Litteratur-Denkmale des 18. Jahrhunderts.* (Vols. 7–8. Heilbronn: 1882–83.) The publication of the journal ceased in 1790. 10 sq. Stäbchen, here 'narrow mouldings.' 12. öfters. Comparatives are often used without a strictly comparative meaning, to express a fair degree of the quality denoted by the adjective; thus eine längere Reise may mean, according to circumstances, 'a longer journey' or 'a fairly long journey,' 'quite a long journey.' The adverb öfter is used in both senses, öfters generally in the positive sense. **14.** wenden, 'spend.' **15** sq. mit unterlaufen, 'slip in with [other considerations]'; transl. 'come in.' **17.** beschaffen, 'constituted'; wie ist es hiermit beschaffen? 'how is it with this?' **18.** wenn — gleich = obgleich. **25.** Liebhaber is especially often used with reference to the arts, 'a lover of art,' 'amateur,' 'dilettante.'

32. **7.** staffieren, 'equip,' 'provide'; in painting, = mit Beiwerk versehen, 'put in the accessories,' e.g. animals or persons into a landscape. **8.** den Rembrandt; cf. 30. 18, note. Rembrandt (1606–1669), the greatest Dutch painter. **8** sq. eingeschlossene Lichter, 'enclosed lights,' i.e. strong lights surrounded by dark shadows, as e.g. the interior of a forge. **10.** es weit bringen, 'get along,' 'achieve success'; the es in such phrases may be compared to the *it* in 'lord *it* over one,' 'rough *it*,' etc. **11.** Pendant = Seitenstück, 'companion-piece'; pronounce as in French. **13.** auf dem Wege, rare for in der Weise. H. Sachtleben (1609–1685), a Dutch landscape-painter. **14.** bearbeiten, 'treat.' Junckern; formerly proper names were quite generally inflected in the dative and accusative cases, and this is still done in colloquial language, while in the language of literature inflection of proper names is now generally confined to the genitive. **16.** nach dem Vorgange, 'after the manner of the Dutch school.' **21.** darmstädtischer; Darmstadt is only a few miles from Frankfort. **23.** umständlicher, 'more in detail.' **26** sq. im Ganzen, 'in everything,' here 'everywhere'; the adverbial phrase im ganzen generally means 'upon the whole.' **27.** Spiegelscheiben. The dimensions of the 'large panes of plate glass' were 6 inches by 9½ inches.

33. **8.** Weltereignis, 'an event affecting (or 'interesting') the whole world.' **12.** eingewohnt, 'accustomed.' Although the peace of Aix-la-Chapelle (cf. 23. 23, note) was not concluded till 1748, the war had practically ceased in 1745. **13.** Residenz = Hauptstadt, 'capital.' **20.** meldet sich = zeigt sich. **21.** This statement is exaggerated; the city had about sixty thousand inhabitants, of whom about one fourth perished.

34. **5.** den heilsamen, 'medicinal'; e.g. in Teplitz, Bohemia, the hot springs stopped flowing. **10.** die Philosophen; Voltaire and Rousseau wrote on the subject, and in Frankfort, as in other places, a special Bußtag, 'a day of repentance and prayer,' was proclaimed. **17.** mehrere, a double comparative, generally used in the sense of 'several,' but here 'more.' umständlichere; cf. 32. 23, note. **23.** der Erden, gen. sing. Feminine nouns of the weak declension were formerly inflected throughout the singular, as masculines are now, and this inflection survives in certain formulas. **23** sq. Erklärung, 'explanation,' viz. according to Luther's Catechism. **27** sq. sich herstellen, 'restore one's self,' 'recover one's balance.' gegen, 'in view of'; say 'resist these impressions.' **29** sq. Schriftgelehrten, 'those learned in the scriptures,' the term used in the German Bible for 'scribes.'

35. **7.** zusammen, lit. 'in a heap,' say 'into a thousand pieces.' Möbeln; the plural Möbel is now more common in the language of literature. verderben, as a transitive verb, was formerly regularly weak; now the strong forms have generally prevailed, except in the figurative sense of 'corrupt.' **13.** gefaßt, 'composed.' **14.** Fensterflügel; windows in Germany, as generally on the Continent, are hinged on the two sides like double doors, hence the two 'wings' can be 'torn open and lifted off the hinges.' **24.** A Gymnasium is a classical school; the curriculum corresponds about to that of an American high school and the first two or three years of the old-fashioned classical college course. Cf. 30. 24, note. Goethe's father was born in 1710, entered the *Gymnasium* at Coburg in 1725, studied in Giessen from 1730 to 34, and in Leipsic from 1734 to 37, and then returned to Giessen to graduate (promovieren).

36. **1.** The full title of the dissertation was *Dissertatio electa de aditione hereditatis ex jure Romano et patrio sistens.* It was referred to by A. F. J. THIBAUT (1772–1840) in his *System des Pandektenrechtes* (1803). **4.** abgehen = fehlen, mangeln, 'be wanting.' **11.** einzelne Stunden, etc., 'provide for instruction in certain special subjects by professional teachers.' **14.** Trübsinnigkeit, lit. 'gloominess,' 'dullness.' Already Goethe's grandfather had had too poor an opinion of the Frankfort *Gymnasium*, to send his son there. **18.** Metier, Fr. *métier*, 'business,' 'profession,' pronounced as in French; cf. 13. 14, note. Leute vom Metier, 'professional men'; we now say Leute vom Fach, or Fachleute. Transl. 'teachers by profession.' **29.** Verarbeiten, 'working over,' 'working out,' 'assimilating.'

37. **2.** begründet, 'well grounded.' **5.** aufheben, 'remove,' 'abolish,' 'annul.' **7.** der gereimte angehende Lateiner, lit. 'the Beginning Latinist in Rhymes,' a Latin primer in rhymes; viz. CHRISTOPHER CELLARIUS' *Liber memorialis Latinitatis probatae et exercitae.* (Berlin: 1724.) Goethe also used the same author's *Erleichterte lateinische Grammatik*, and his annotated edition of Cornelius Nepos. **12.** Ober-Yssel, a province of Holland. **15.** Chrie (from Greek χρεία, 'maxim'), a 'composition' on the subject of some general maxim or common saying, then any kind of composition written according to the rules of rhetoric. **16.** es jemanden zuvorthun, 'surpass one'; cf. 32. 10, note. **17.** wegen Sprachfehler; this expression might now almost be called a „Sprachfehler," as the use of a noun in the genitive plural is generally avoided unless an adjective or other limiting word having a distinctive ending in the genitive plural accompanies the noun and shows that it is not nominative or accusative. hintanstehen, 'take a back seat.' **21.** die Schwester, viz. Cornelia; cf. 8. 10, note. **22.** Cellarius, cf. l. 7, note. **23.** Pensum, 'task,' 'lesson.' **27.** in Absicht auf, 'in regard to'; we should now say mit (or in) Beziehung auf.

38. **1.** Kombination, 'power of combination'; we should expect Kombinationsgabe. **3.** Akademie, formerly often used for Universität. **6.** Jura, 'law,' 'jurisprudence'; plural of Lat. *jus* = die Rechte, i.e. Roman Law, Common Law, Canon Law, etc. **9.** The University of Göttingen had been founded in 1734 and had already obtained a great reputation, particularly as a center of classical studies. **12.** Wetzlar, a small city on the river Lahn, was at that time the seat of the supreme court of the old German Empire, the Reichskammergericht. Goethe really went there in 1772 to acquaint himself with the forms of procedure at this court. His personal experiences at Wetzlar, in which the study of law played a very small part, are told in

Book XII of the Autobiography; they also form the basis of his famous novel *Die Leiden des jungen Werthers* (1774). **13.** Regensburg, 'Ratisbon,' a city in Bavaria, at that time the seat of the Diet (Reichstag) of the German empire. **27.** Schlendrian, 'beaten track,' from schlendern, 'saunter.' **29** sq. Chrestomathien, 'Chrestomathies' or 'Readers' made up from the most interesting passages from different works or authors, were as yet unknown.

39. **4.** Of course Goethe means the New Testament in Greek. **5.** Pasor, author of a *Manuale in Novum Testamentum*, first published in the seventeenth century. **16** sq. Mitwerber, 'competitors'; we now use Mitbewerber. **18.** Fall; cf. 8. 1, note. **19.** bedenklich, 'doubtful,' 'suspicious.'

40. **7** sq. aus dem Stegreif, 'improvised,' 'without preparation.' **8.** aufgeben, 'impose,' 'set as a task'; Aufgabe, f. 'task.' **10.** Bibliotheken, 'libraries,' i.e. here '[series of] publications.' **14.** Amos Comenius (1592–1670), a native of Moravia, the founder of modern pedagogy and originator of the object method in teaching (Anschauungsunterricht). His *Orbis pictus sensualium, hoc est omnium fundamentalium rerum et in vita actionum pictura et nomenclatura* (1657) was the first picture-book for children, with reading matter in German and Latin. In 1892 the 300th anniversary of Comenius' birth was observed throughout the civilized world. **16.** Kupfer, here = Kupferstich, 'engraving [on copper].' M. Merian the Elder (1593–1650), a Swiss engraver and illustrator. **17.** J. P. ABELIN, who died about 1636 in Strassburg, wrote under the name of J. L. Gottfried and other pseudonyms a number of historical works in the manner of chronicles, which are still regarded as important sources of history, among them the first two volumes of the well-known *Theatrum Europaeum* and a *Historische Chronica* (Frankfort: 1633). **19.** *Acerra*, lit. 'incense-box,' in the seventeenth and eighteenth centuries a favorite title for collections of fables and anecdotes; which of several works of this title Goethe used is not certain, probably that originally compiled by PETER LAUREMBERG (Rostock: 1633), which was several times enlarged and republished. **21.** Goethe probably read

OVID'S *Metamorphoses* at this time in a translation. **27** sq. verarbeiten; cf. 36. 29, note. **29** sq. jene — Altertümlichkeiten, 'those stories from antiquity.' **30** sq. Fénelon's most famous work *Les aventures de Télémaque* (1669) was first translated into German verse by B. NEUKIRCH in 1727.

41. **4**. DEFOE'S Robinson Crusoe (1714) was translated into German in 1720 and soon became so popular that it called forth numerous imitations, among them *Die Insel Felsenburg* by J. H. SCHNABEL (1731). **7**. Lord Anson's *Voyage round the World* (edited by R. WALTER and B. ROBINS), appeared in 1748; it became very popular and was soon translated into German. **12** sq. sollte — bevorstehen, 'was in store.' **20**. Volksbücher, 'folk-books,' 'chap-books'; versions of legends and other popular subjects in which tradition is a much more important element than the work of the editor or compiler, so that they are generally anonymous; cf. Volkslied, 'folk-song.' The most popular *Volksbücher* originated in the sixteenth century. At the beginning of the nineteenth century, when Romanticism caused a wide-spread interest in popular traditions, the *Volksbücher* together with the *Volkslieder* came to be regarded by scholars as most important sources for the study of the life and thought of a people. **22**. Abgang, 'sale.' mit stehenden Lettern, 'from stereotype plates.' **25**. Mittelzeit; for the more common Mittelalter. **26**. Büchertrödler, say 'dealer in cheap books'; a Trödler is a dealer in cheap and second-hand things. **27**. Kreuzer; cf. 17. 7, note. Among the *Volksbücher* with which he thus became acquainted, Goethe does not mention the most popular of them all, the famous *Faustbuch*, first published at Frankfort in 1587. Later, Goethe mentions the puppet-play on the same subject; cf. 221. 17 sqq. **27**. Eulenspiegel; cf. 8. 28, note. **28** die vier Haimonskinder, a French legend of the fights between Charlemagne and the four sons of Duke Aymon, first translated into German in 1535; the *Volksbuch* is a translation of a Dutch version. Melusine, the most renowned of French fairies, who was condemned to become every Saturday a fish from the waist downward. **28** sq. Kaiser Octavian, the hero of an old French legend belonging to the circle of legends that clustered about Charlemagne. The *Volksbuch* appeared in 1535. **29.** die schöne Magelone, a French romance about the daughter of the king of Naples, and Peter, son of the Count of Provence. A German translation appeared in 1536. Fortunatus received from a fairy, Fortuna, an inexhaustible purse and from the Sultan a wishing-cap which would transport him in a moment to any place. mit der ganzen Sippschaft, etc., 'and the whole company [of similar characters] down to the Wandering Jew.'

42. **9.** einen geistreichen Vortrag, 'an intelligent presentation.' **10.** zusagen, 'please.' **11.** sich ergeben, 'follow,' 'result.' **12.** gesetzlich, here 'established.' **12** sq. Separatisten, those who had separated from the established church. **13.** Pietisten, a name given to sects that emphasize personal religion and disregard the forms of the orthodox church. Herrnhuter, a sect, so called from Herrnhut, a small town in Saxony, where they originated in 1722. They resemble the Quakers in the simplicity of their forms, and the followers of Wesley in their doctrines. In England and America they are called 'Moravian Brethren.' die Stillen im Lande, 'the Quiet in the Land,' another name for such sects. **25.** ihren refers to Tugenden. **28.** Zunftgenosse, 'fellow-guildsman,' 'colleague.'

43. **7** sq. Zornäußerungen; cf. 33. 8 sqq., 35. 1 sqq. **12** sq. Glaubensartikel; cf. 34. 24. **17.** genauer, 'closer.' **25.** Gleichnis, 'symbol.' **28.** vorhandnen und zufällig vermehrten, 'which he possessed and increased as chance enabled him.' **29.** Stufen und Exemplare, 'pieces of minerals and specimens.'

44. **3.** Pult, now generally neuter. **4.** Abstufungen, 'shelves,' on which to rest music-books. **7.** stufenweise, 'shelf by shelf.' Abgeordneten, 'representatives.' **9.** bedeutend, now simply 'important,' is often used by Goethe in the stronger sense of 'significant,' 'full of meaning,' in which sense bedeutsam is now used. Goethe is very fond of the word. **10.** anstellen, 'institute'; say 'celebrate.' **15.** Räucherkerzchen, 'pastille.' **18.** Verdampfen, 'consumption in vapor.' **23.** Schale = [Unter-] Tasse, 'saucer.'

45. **2.** gelegen, 'opportune.' **7.** ihm refers to Schaden; abhelfen with dat., 'remedy.' **8.** nämlich; cf. 25. 4, note. **13.** größesten; the contracted form größten is now generally used.

BOOK II.

Book II covers the period from the outbreak of the Seven Years' War, 1756, to the end of 1758.

46. **1.** vortragen, 'present,' 'narrate.' **8.** Handel und Wandel, 'trade and commerce'; cf. 25. 8, note. **11.** Beherrschen, etc., 'even though such cities may not rule.' **12.** Wohlhäbigkeit, 'wealth.' Wohlhabenheit is more common. **19.** jener weltbekannte Krieg, the Seven Years' War. Frederick II. of Prussia, knowing the plans of the other powers looking to the dismemberment of Prussia, surprised his enemies by taking the offensive. During the seven years that followed he maintained himself, in spite of many defeats, against the allied powers of the rest of Europe and finally secured a favorable peace. **23.** vorgängig = vorhergehend. **26.** ungeheuer, 'momentous.'

47. **5.** Schöff; cf. 20. 16, note. **6.** Krönungshimmel, 'coronation-canopy'; cf. 23. 7, note. **7.** gewichtig, more often used figuratively. **12.** gemütlich, here 'feelingly'; ordinarily it means 'good-natured,' 'good-humored.' **16.** verschwägert, 'related by marriage,' from Schwager, 'brother-in-law.' **18.** sich überwerfen, 'quarrel.' **19.** losbrechen, 'burst out.' **21.** tüschen, or tuschen (cf. 200. 15), 'allay,' 'quiet'; vertuschen, 'hush up.' **25.** jene leidenschaftliche Tante, viz. Frau Melber, whom the author has mentioned in a passage omitted in the present edition. **28.** Agitation = Aufregung; cf. 13. 14, note. Frederick occupied Dresden on Sept. 9, 1756, and on Oct. 1 he defeated at Lowositz the Austrian army which approached to aid the Saxons; this victory caused the surrender of the Saxon army two weeks later.

48. **3.** anführen, 'mention.' es setzt, a colloquialism for es gibt in its more primitive sense of 'it produces,' 'it results in,' 'there ensues.' **6.** Händel, 'quarrels.' **8** sq. preußisch — Fritzisch gesinnt, 'a Prussian—a Fritzian in my views.' Fritzisch, a word coined for the purpose, from Fritz, an abbreviation for

Friedrich; Frederick was afterwards familiarly spoken of as **der alte Fritz**. **gesinnt**, lit. 'minded,' e.g. **recht gesinnt**, 'fair-minded.' **12. Siegeslieder**, especially probably the *Preussische Kriegslieder von einem Grenadier* (1758) by J. W. L. Gleim (1719–1803), which occupy a prominent place in the literature of the time by their vigor and genuineness of feeling; cf. 173. 30 sq. and 175. 11 sqq. **18. wollte * * * schmecken**, 'not a morsel *would* taste well,' i.e. 'I could not make a morsel taste well,' 'I could not enjoy, etc.' Observe this use of **wollen** with a negative; thus **es wollte nicht gehen**, 'it would not go,' 'it refused to go,' 'it could not be made to go,' 'it was impossible.' **22. Bei den Eltern**, i.e. 'at home.' **25. zurückweisen**, lit. 'refer back'; here 'throw back.'

49. **1. gehört dazu**, 'belongs to it,' 'is necessary to it,' 'is required.' **6. es heißt**, 'it is said'; **hieß es immer**, 'was always the cry.' **7. auch**, 'therefore.' **recht**, 'just,' 'fair-minded.' **15. Pöbel**, is used only contemptuously, 'mob.' **21. Gleichgesinnten**; cf. 48. 8 sq., note. **23. gelten lassen**, 'allow to be of value,' 'admit the value of,' 'recognize.' **25. einem etwas verargen**, 'criticise one for a thing.' **Graf Daun** (1705–1766), commander of the Austrian forces, a good strategist, but slow in action. **Schlafmütze**, lit. 'nightcap'; say 'slow-coach.'

50. **1 sq. ins Gleiche bringen**; cf. 15. 28, note. **3 Gewahrwerden**, 'perception.' **parteiisch**, 'partisan.' **6. immer**, here 'continuously,' 'rapidly.' **8. verdrießliches Behagen**, 'a sort of disagreeable pleasure'; inasmuch as the scene of war was far away and Frankfort was not directly affected, the pleasures of victories and sorrows of defeat were purely imaginary, the quarrels resulting from them unnecessary. **14 sqq.** Cf. the words of the old burgher in *Faust*, ll. 860 sqq.:

> Nichts Bessers weiß ich mir an Sonn- und Feiertagen,
> Als ein Gespräch von Krieg und Kriegsgeschrei,
> Wenn hinten, weit, in der Türkei,
> Die Völker auf einander schlagen.
> Man steht am Fenster, trinkt sein Gläschen aus
> Und sieht den Fluß hinab die bunten Schiffe gleiten;
> Dann kehrt man Abends froh nach Haus,
> Und segnet Fried' und Friedenszeiten.

18. **bei**, 'in case of.' France became Austria's ally in May, 1757. **23.** **Puppenspiel**; cf. 14. 1. **27** sq. **Platz und Raum**, synonyms; say 'plenty of room.'

51. **1.** **stecken in**, 'be inherent in,' 'be peculiar to.' **4.** **allenfalls**, 'in any case,' 'if necessary.' **in der Ordnung**; in Ordnung is now used. **6** sq. **auf etwas eingerichtet**, 'arranged for a thing,' 'adapted to a thing.' **9.** **Garderobe**, 'wardrobe'; here 'costumes.' **13.** **verkümmern**, 'spoil.' **21.** **Zirkel**, m., here 'compasses.' **umgehen mit**, 'go about with,' hence 'occupy one's self with,' 'use.' **23** sq **in das Thätige verwandte**, 'changed into activity,' i.e. 'applied practically'; cf. 8. 21, note. **24.** **Pappenarbeit**, commonly Papparbeit, 'pasteboard work'; Pappe, f. 'pasteboard.' **beschäftigen**, 'occupy'; here 'interest.' **25** sq. **stehen bleiben bei**, 'stop with,' 'confine one's self to.' **27.** **artig**, 'pretty.' **Freitreppe**, 'perron' (in architecture), i.e. 'outside stairs' leading to the first story of a building above a high basement; these together with the 'flat roofs' are characteristic of Italian villas. **29.** **zustande kommen**, serves as passive to zustande bringen, 'carry out.'

52. **1.** In the sixth book we are told that the methodical and economical Rat Goethe preferred to employ tailors as servants, who could repair and even make clothes for himself and his family when they had nothing else to do; cf. 161. 4 sqq. **4.** **über den Kopf wachsen**, 'outgrow.' **8.** **es bei etwas bewenden lassen**, 'stop with,' 'confine one's self to,' 'content one's self with.' **12.** **Parteiung**, 'division.' **hinweisen auf**, 'point to,' 'tend toward,' 'result in.' **15.** **an** (now generally zu) **jemand halten**, 'cling to.' **16.** **auf der Gegenseite**, really an anacoluthic construction, since halten auf with a dative in this sense would be very unusual; halten auf with an accusative is common in the sense of 'insist on,' 'observe.' **25.** **in eigner Person**, 'in the first person.' **28.** **kein Arges**, 'no bad [thoughts],' 'no suspicion.' **29.** **können**; the personal verb is omitted.

53. **5.** **zum besten haben**, 'fool.' **6.** **Naturell**, n., from Fr. *naturel*, = Natur, f. **7.** **Luftgestalt**, 'fancies'; cf. Luftschloß, 'castle in the air.' **Windbeutelei**, say 'vision'; from Windbeutel, lit. 'air-bag'; 'gas-bag'; 'liar.' **8.** **verarbeiten**, 'work over,' 'transform.' lernen, for gelernt in connection with another infinitive. **9.** aufschneiderische Anfänge, 'boastful beginnings'; Aufschneider, 'braggart'; aufschneiden means 'carve,' 'serve up' (cf. kalter Aufschnitt, 'sliced cold meats'); hence [mit einem großen Messer] aufschneiden came to mean 'tell a story [of the Baron Münchhausen type].' In some old German taverns a large carving-knife may be seen suspended from the ceiling which, when a string is pulled, strikes a bell, a sign that one of the guests is telling an incredible yarn. **16.** The author now proceeds to give a specimen of the tales which he composed for the entertainment of his friends, entitled „der neue Paris," which, on account of its length, has been omitted in the present edition. After an account of the abuse and ill-treatment which he occasionally suffered from his schoolmates who did not enjoy the same social position and refining home influences, he passes on to the following account of social life in Frankfort and prominent characters with whom he as a boy came more or less in contact. **23.** nachdem, 'according as'; commonly je nachdem is used in this sense. **24** sqq. When the great events of the war finally affect the quiet citizen directly, as for instance Goethe's father was affected when the French occupied Frankfort, the external discomforts are often increased by his party-feeling. **31.** Vorteil, 'interest.' **31** sq. wahren und erhalten, 'guard and protect.'

54. **1** sq. The meaning of in völlig bürgerlicher Ruhe is not perfectly clear. As it stands, völlig is an adverb qualifying bürgerlicher; the latter may mean 'civil' as opposed to 'military'; or 'municipal' as opposed to 'national'; or, as seems probable in view of what follows, 'public' as opposed to 'private.' With the last two interpretations the use of the adverb völlig, 'completely,' can hardly be reconciled, and Düntzer thinks the adjective völliger should have been used. The general sense seems to be that while publicly Frankfort was not affected by the war, privately much concern was felt. It should be added that the year 1758 also was spent in 'public' peace; cf. 64. 3 sqq. **5.** Wiederherstellungen, Frederick's 'recoveries' from his defeats. **6.** verschlangen sich, lit. 'devoured one another'; they occurred in rapid succession, destroying one another's effects and driving one another out of the public mind. aufheben, 'balance.' **15.** drei Religionen, viz. the Lutheran, the Reformed or Zwinglian, and the Roman Catholic. There was also a considerable Jewish element, but this did not then count as a social or political factor; and there were besides, as we have seen, a few who had withdrawn from the regular established churches. The prevailing religion was the Lutheran. Goethe mentions the existence of these several religions, because the population of a German city is generally either almost wholly Protestant or almost wholly Catholic. **17.** zum Regiment gelangen, 'take part in the government.' **19.** auf sich; more commonly in sich. Liebhaberei; cf. 31. 25, note. **25.** He had returned from his Italian journey (cf. 13. 5 sqq.) about 1740. **30.** Ballotage, pronounced as in French, but with the final -e as in German.

55. **7.** Charak'ter (plur. now Charakte're; cf. l. 18), here 'title'; at that time such titles without pay or function were frequently given to persons on their own solicitation, often for money. Cf. 13. 18, note. **16.** Societät = Gesellschaft; cf. 13. 14, note. **19** sqq. mochte — haben, 'probably had'; mögen is often thus used to express probability. sich einen Begriff machen, 'form an idea.' **20.** frei, 'open'; say 'the great world.' **25.** von Uffenbach; cf. 8. 24, note. **27** sq. sich legen auf, 'devote one's self to.' **30.** bei ihm, 'at his house.'

56. **4.** Landsleute, here = Mitbürger. lustig, 'jesting.' **8.** Antoniusgasse, now called Töngesgasse. **13.** Honoratioren, from Lat. *honoratus*, only used in the plural; 'persons of note.' **20.** wohlgebildet, here used literally, 'handsome.' **26.** dem Namen nach gedenken, 'mention by name.' **28.** erwähnen may take the genitive or the accusative.

57. **5.** sind * * * schuldig geworden, 'have become much indebted to him'; he did much for the study of them. **5** sqq. herausgeben, 'edit.' Anmerkungen, 'notes,' commentary.' **6.** Frankfurter Reformation, a code of laws which was published in 1731–74. **12.** oben, viz. 8. 24 **13.** bei seiner eingezogenen

Art zu sein, 'in view of his retired manner of life'; a simpler expression would have been bei seiner Eingezogenheit. **20** sqq. die — einen herkömmlichen Verdienst hatten, 'who were accustomed to earn something.' **22.** erhuben; hub for hob is now obsolete. **23.** Stände, 'classes.' **24.** Ochsenleichen; Leiche is used provincially for Begräbnis, Begängnis, 'funeral.' **25** sq. überhandnehmen, 'increase,' 'gain ground.' **26** sq. Prunkbegängnisse; cf. l. 19. **29.** Gleichstellung, unwillingness to claim superiority; say 'modesty.' Goethe means that the democratic tendencies of the time began to show themselves among the upper classes in many little things, before they produced such great and unexpected events as the French revolution.

58. **3.** Liebhabern; cf. 31. 25, note. **8.** keine Sammlung, i.e. they had not been embodied in a printed collection. in Druck und Schrift, i.e. printed and written documents. **21.** Schenkischen; the Dutch engravers JAN and LEONHARD SCHENK produced excellent maps at that time. **26.** gesondert, 'assorted.' **27.** bei vorfallenden Auktionen, 'when auctions took place.'

59. **1.** F. G. Klopstock (1724–1803) published in 1748 the first three cantos of his *Messias*, which at once became popular and greatly influenced the further development of German literature. Indeed the classical period of German literature is often said to date from that time. The *Messias* was completed in 1773. Klopstock also wrote Odes which are still held in high esteem. Aus der Ferne, because Klopstock lived chiefly in Hamburg and Copenhagen. **4.** wunderlich heißen; kloppen is used dialectically for klopfen. Cf. the name of *Shakespeare*. **8.** heraufkommen, 'come into prominence.' **9.** gereimt, 'written in rhyme'; the *Messias* is written in unrhymed hexameters. **10** sq. F. R. von Canitz (1654–1699), author of many poems of occasion in smooth and elegant language. F. von Hagedorn (1708–1754), imitator of the contemporary French poets, author of songs and fables in light and graceful language. R. F. Drollinger (1688–1742), an imitator of English poets, especially Pope, wrote lyric and didactic poems, distinguished for ease and clearness of language. C. F. Gellert (1715–1769), wrote fables with homely morals and hymns distinguished for deep feeling which are still popular, also comedies and a novel *Die schwedische Gräfin*; cf. 172. 6. Gellert was one of the most prominent literary figures of his time. Cf. 158. 14 sq. J. K. K. von Creuz (1724–1770), dramatic and lyric poet. A. von Haller (1708–1777), a scientist and author of didactic and descriptive poems and several novels. **12.** Franzbänden; cf. 30. 10, note. **13.** Neukirch; cf. 40. 30, note. J. F. Kopp published a translation of TASSO's *Gerusalemme Liberata* in 1744; cf. 30. 18, note. memorieren = auswendig lernen. **18.** im Gegenteil seems rather ponderous here for aber. **20.** The prejudice against blank verse was wide-spread. Even Lessing wrote of those advocating it, that they probably objected to rhymes because they could not command them. (*Werke*, Hempel ed., VIII, 7.) **23.** Rat Schneider, an old friend of Goethe's father, was the agent of several German states at Frankfort. He regularly dined on Sundays with the Goethe family. einschwärzen, colloquial for einschmuggeln. **23** sq. zustecken, 'hand secretly.' **26.** gleich, 'at once'; say 'at its first appearance'; cf. 59. 1, note. **29.** Sprache, 'diction.' **30.** gelten lassen, here 'let pass'; cf. 49. 23, note. übrigens, 'generally.'

60. **2.** The first ten cantos, 'of which we are really speaking,' were published together in 1755. **3.** solches = dieses. **4.** Karwoche, 'Holy Week,' 'Passion Week'; Karfreitag, 'Good Friday.' The word was formerly incorrectly spelt Char-, being supposed to come from the Greek, while it is an old German word, connected with English *care*, but now obsolete except in the above two compounds. **14.** es gab, 'there ensued'; cf. 48. 3, note. **15** sq. sich gefallen lassen, 'consent to be pleased,' 'submit.' **17** sq. Sonntagssuppe; Suppe by way of the rhetorical figure of synecdoche or *pars pro toto* is often used to denote a whole meal; hence jemanden zu einem Teller (or even Löffel) Suppe einladen, 'invite one to dinner'; cf. the English 'invite to *tea*.' **23.** Exemplar, 'copy.' **25.** wir Geschwister, 'we children.'

61. **1.** Portia, the name given to the wife of Pilate; cf. Matth. xxvii. 19, and *Messias* vii. 366 sqq. um die Wette, 'in rivalry,' 'with great enthusiasm.' **3.** Andramelech, one of the rebelling angels; cf. *Messias* viii. 153, and x. 96 sqq. **8.** flossen nur so, 'just flowed'; nur so is often thus used to express that a rather strong statement is to be taken literally, that the word used is the 'only' proper one, etc. Thus wir flogen nur so dahin, 'we literally flew along.' **11.** Samstag, more common in Southern Germany than Sonnabend. **12.** bei Licht, 'by candle-light.' Sonntags früh; it should be remembered that church services in Germany begin comparatively early, the first service now generally at seven o'clock. **28** Chirurgus, 'surgeon'; in olden times barbers also acted as surgeons, and even now the title Chirurg is given to barbers trained and licensed to act as assistants to surgeons, to bleed persons, etc.

62. **1.** Seifenbecken, 'soap-basin'; barbers in Germany use small shallow brass basins instead of cups; such basins are hung over the doors of their shops as signs of their trade. gab es; cf. 60. 14, note. **2.** Aufstand, 'commotion.' **5 sq.** von uns abzulehnen, 'relieve ourselves of.' **6.** sich zu etwas bekennen, lit. 'confess one's self as connected with'; transl. 'we confessed.' **9.** verrufen, here 'condemn.'

BOOK III.

Book III covers the period from Jan. 1, 1759, when the French occupied Frankfort, to June 1761, when Count Thorane left Rat Goethe's house.

63. **4.** warf sich in, 'slipped into,' 'donned.' **11.** sie is here untranslatable. In a period of comparison the second clause, introduced by wie or als, often contains a pronoun representing the object of the comparison, which is always untranslatable in English. Stadtmusici, 'town musicians,' a licensed band having certain privileges and duties. Three words are used to denote 'musician': Musikant, a professional performer of music; Musicus, pl. Musici, meaning the same, but now a rarer and somewhat more dignified term; and Musiker, now the most common and dignified term, denoting not only a performer of music, but in general one who understands music, e.g. a composer. **12.** wer sonst alles, 'heaven knows who else'; cf. 24. 18, note. **13.** überschrieben, 'superscribed,' 'addressed.' **14.** geringern, 'humbler.' **16.** Honoratioren; cf. 56. 13, note. **17** sq. Staatsbeamten; Frankfort as a Reichsstadt was really a small state. **21** sq. Biskuit never denotes the American 'biscuit'; it sometimes denotes the English 'biscuit' (American 'cracker'), but more generally a species of cake. **22.** Marzipan, 'marchpane,' a species of cake made principally of almonds and sugar. **23.** wozu noch kam, daß, 'to which was added, that'; or simply, 'besides.' **24.** Burgemeister; cf. 20. 24, note. **24** sq. Stiftung, 'endowment,' 'foundation.' **25.** Silberzeug, 'pieces of silverware.'

64. **1.** verehren, 'present solemnly.' im kleinen; cf. 9. 4, note. **5.** bedenklich und ahnungsvoll, both used here in a causative sense, 'causing anxiety and forebodings.' **7.** öfters; cf. 31. 12, note. häufig is almost synonymous with öfters and merely strengthens the latter. **9.** Nach * * * Sitte, 'according to the old custom of free cities.' **10.** Hauptturm; 'the principal tower' was that of the *Dom* or St. Bartholomew's Church; cf. 17. 19. **11.** It is, however, recorded that on this day the warder was busy collecting New Year's gifts and that he therefore failed to announce the approach of the troops. **16.** According to agreement between the Imperial government and the magistrates of Frankfort, the French were to be allowed to pass through, one battalion at a time. It was afterwards rumored that the magistrates had been bribed to let the French occupy the city. **21.** Konstablerwache, 'guard-house of the constables,' under the command of "town-major" Textor, a brother of Goethe's grandfather. **22.** Kommando, 'detachment.' **23.** gedacht, 'above-mentioned,' 'said.' **25.** Augenblicks, an adverbial genitive, now rare; augenblicklich is the usual expression. **28.** Einquartierung, 'billeting.' **30.** Frankfort had not been occupied by foreign troops since 1631.

65. **1.** niemanden; the dative is now either niemand or niemandem. **5.** Staatszimmer, 'apartments of state,' 'best rooms,' i.e. those on the second floor. **7.** preußisch gesinnt; cf. 48. 8, note. **11** sqq. The clause da * * * konnte can be grammatically taken only as a parenthesis, referring to what precedes, and meaning 'which he might have done since he spoke French well,' etc., though it seems on the whole more natural to connect it with what follows. **15. Königsleutnant**, Fr. *Lieutenant de roi*, 'King's Lieutenant,' the representative of royal authority; his functions are defined in the following lines. **18.** The name of the count was really THORANC or THORENC. Goethe's memory evidently failed him here, for he allowed THORANE, which may possibly first have been a misprint, to stand. (Cf. *Goethe-Jahrbuch:* 1886, pp. 406 sqq.) In this form the name has become famous, and it has therefore been allowed to stand in the present edition. The events connected with Thorane's stay in the Goethe House have been dramatized by KARL GUTZKOW (1811–1878) in his comedy *Der Königsleutnant* (1849). **22. zusammengenommen**, 'reserved'; sich zusammennehmen, 'control one's self,' 'exert one's self.' **23. Hausbewohner**, a somewhat peculiar expression for Hausherr. **27. erbat er sich**, here = bat er um Erlaubnis.

66. **15. Tapeten**, 'hangings'; they were of oilcloth, decorated in the Chinese style; cf. 88. 9 and 200. 13. **19. Arrestant**, here, as now generally, used in a passive sense, instead of Arrestat, 'a person arrested,' 'prisoner.' **27. Zum**, 'for a.'

67. **1. Dolmetscher**, 'interpreter'; Goethe uses this and the older form Dolmetsch (weak declension) indiscriminately; cf. 85. 18 and 23. **3. sich in — schicken**, 'accommodate himself to.' **14. Einquartierter**; cf. 64. 28, note. **15. die einigen**, 'the several'; this use of einige with the definite article is now obsolete. **19. niemanden**; cf. 65. 1, note. **22. ein Kind aus der Taufe heben**, originally 'lift a child out of the baptismal font,' a common term for 'stand godfather to a child.' The word Gevatter, fem. Gevatterin, 'gossip,' denotes the mutual relationship between parent and godparent of a child. **25. abmüßigen**, 'save [from one's work] for leisure'; say 'every spare moment.' **27. einlernen**, 'teach'; like the English *teach* and *learn*, so the German lehren and lernen are occasionally confounded in the popular language; in the compound einlernen this confusion extends to the language of literature. **28. habe**, subjunctive of indirect discourse; 'which she would have to address to the count personally.' welches denn, etc.; cf. 7. 23, note. **29.** schmeicheln is generally intransitive, requiring the dative (cf. 100. 24), and is therefore, strictly speaking, without a passive; but in certain phrases, particularly sich geschmeichelt fühlen, 'feel flattered,' such a passive is common.

68. **1.** geistreich, 'witty.' **13.** Unkosten, almost the same as Kosten, 'expenses,' except that the prefix Un- here, as in a few other words, adds the idea of wrong or impropriety. **17.** das Gefrorene, 'the ices.'

69. **3.** umquartieren, umlogieren, 'change some one's lodgings,' 'assign to new lodgings.' **10.** aufgab; cf. 40. 8, note. **20** sq. er * * * legte, lit. 'attributed a peculiar value'; say 'made it a special point.' **25.** Don Pedro Tellez y Giron, Duke of OSSUNA, Viceroy of Naples, was famous for his witticisms. They were, however, different from those of Count Thorane, as he was by nature cruel and fond of sarcasm. **26** sq. daß nicht = ohne daß.

70. **4** sq. sich (dat.) einer Sache bewußt sein, 'be conscious of a thing'; selbst may be regarded as strengthening either sich or the subject. **6.** wo; cf. 25. 4, note. **7.** Unmut, not 'lack of courage,' but 'ill humor.' **12.** daß * * * hätte = Audienz zu geben. This construction may have been used here to avoid two infinitives with zu; cf. 23. 6, note. **23.** als, here 'as for example,' 'to mention especially,' 'namely,' now a rare and rather provincial use of the word. **24.** For a description of the work of four of these artists, cf. 32. 3 ff. J. A. NOTHNAGEL is mentioned in Book IV as the proprietor and manager of an oilcloth factory, which had turned out the hangings referred to in 66. 15, 88. 9, 200. 13. **26.** sich zueignen, 'appropriate'; here 'acquire.' **29.** war willens, here 'intended' rather than 'was willing.' **30.** Seekatz; cf. 32. 20. Pinsel, 'brush'; here, of course, 'work'; cf. 12, 26 and note.

71. **1.** unschuldig, 'simple'; Vorstellung, lit. 'representation'; here 'that which is represented,' 'subject.' **4.** mochte; cf. 55. 19, note. **6.** Wandabteilungen, 'divisions of the walls,' viz. into suitable panels. **13.** wollten, also wollte in l. 18; cf. 48. 18, note. **16.** unangenehm, used of persons, generally refers to manner rather than appearance, here probably to a fretful, jealous disposition, although the attribute 'good-natured' does not seem to be in accord with this interpretation. **17.** nicht wohl, 'not easily.' **20.** He was compelled to paint on a larger scale than he had been accustomed; hence, for instance, 'there was too much detail in his foliage.' Staffeleigemälde, 'easel pictures,' i.e. pictures painted on an easel, small pictures, as distinguished from Wandgemälde. **23.** nicht zu schelten = zu loben, an example of the rhetorical figure of litotes; cf. the English 'not to be despised.' **24.** sich finden in with acc., 'find one's way (lit. 'one's self') into,' i.e. 'accommodate one's self to,' 'adapt one's self to.' **29.** Ausführung und Haltung, 'detail and character.' When artists accustomed to work on a small scale only, attempt to paint large pictures, they often either put in too much detail, as Seekatz did (cf. l. 21), or their work lacks definiteness, character, the right distribution of light and shade, etc.

72. **1.** rembrandtisierte, 'painted in the style of Rembrandt'; cf. 32. 8, note. **4.** Aufriß, technically 'elevation,' as distinguished from Grundriß, 'plan'; 'designs' is accurate enough here. **7** sq. ausführlich, 'elaborate,' used here in an active sense, 'given to elaboration.' **9.** Tapetenstil, 'tapestry style [of painting]'; the paintings were intended to cover the entire walls, in place of other hangings. **14.** um * * * mochte, 'liked to have me about him'; leiden mögen, leiden können, often mean simply 'like.' **15.** Aufgabe (cf. 40. 8, note), here 'the act of imposing a task,' 'the giving out of a subject'; translate this and the other nouns in -ung by a clause beginning with 'when.' **17** sqq. sich herausnehmen, 'presume,' 'take the liberty.' **27.** vermögen, with a personal object, 'induce.' **29** sq. Lust und Liebe; cf. 25. 8, note. **30.** umständlich, 'elaborate'; cf. 32. 23, note.

73. 5. Beschämung, 'mortification.' **7.** nämlich; cf. 25. 4, note. **16.** Anstalt machen, 'prepare,' 'endeavor.' **17.** fertig werden mit, lit. 'get done with'; say 'manage it.' **19.** eröffnen is now generally used figuratively; öffnen would be more natural. **28.** Seekatzen; cf. 32. 14, note. The construction Seekatzen seinen

Kaffee is practically equivalent to Seekatzens Kaffee; such datives followed by a possessive adjective or pronoun are very common in the spoken language. **30.** da er denn, 'so that he'; cf. 7. 23, note.

74. 1 sq. er * * * wäre, 'he came near being angry with me'; potential subjunctive. **3.** umständlicher; cf. 32. 23, note. **5.** doch, 'as you know.' **9.** was sonst von, 'all the other'; cf. 23. 27, note. **12.** vermitteln, 'mediate,' 'aid.' **14.** wo nicht, 'if not'; cf. 26. 27, note. **17.** gegen, 'over against,' 'in comparison with.' **18.** Freibillet, 'complimentary ticket'; Billet is a half-naturalized word, being pronounced *bil-yet'*. **19.** mit Widerwillen; wider den Willen would now sound more natural. **21.** Parterre, 'pit.' **30.** Das Taktartige, 'the rhythmic beat'; taktartig, lit. 'resembling time (in music).' The Alexandrine, a verse of twelve syllables, is the regular meter used in the French drama.

75. **1.** Das Allgemeine, 'the abstract [character of the] language'; cf. 8. 21, note. The classical French drama is full of general maxims which it is easy to understand even if one cannot understand the context. **2.** es * * * so, 'it was not long before.' **3.** den; cf. 30. 18, note. J. RACINE (1639–1699), one of the greatest French dramatists, wrote a number of tragedies, *Andromaque*, *Britannicus*, *Iphigénie en Aulide*, *Phèdre*, *Athalie*, and one comedy, *Les plaideurs*. **10.** eingelernt, 'trained'; cf. 67. 27. **16.** P. N. DESTOUCHES (1680–1754) endeavored to elevate French comedy; he wrote *Le glorieux*, *Le dissipateur*, *La fausse Agnès*, *Le médisant*, *Le poète campagnard* (cf. 162. 23 and note), and other plays; cf. LESSING'S *Hamburgische Dramaturgie*, nos. 12, 17, 51. P. C. DE MARIVAUX (1688–1763) wrote a novel, *Vie de Marianne*, and many comedies, among them *Jeux de l'amour et du hasard*, *Fausses confidences*, *La surprise d'amour*. His stilted language gave rise to the term *marivaudage*. He also founded a periodical, *Spectateur français*, in imitation of ADDISON'S *Spectator*. Cf. LESSING'S *Hamburgische Dramaturgie*, nos. 18, 28. **17.** P. C. N. DE LA CHAUSSÉE (1692–1754) was the originator in France of the domestic or *bourgeois* drama, which, however, in his hands soon degenerated into the *comédie larmoyante.* His most successful plays were *Le préjuge à la mode*, *École des mères*, *La gouvernante*, *Amour pour amour*; cf. LESSING'S *Hamburgische Dramaturgie*, nos. 8, 21. kamen — vor, 'appeared,' 'were presented.' **19.** J. B. P. MOLIÈRE (1622–1673), the greatest French writer of comedies, wrote *Le misanthrope*, *Tartuffe*, *L'avare*, *Le bourgeois gentilhomme*, *Les femmes savantes*, *Le malade imaginaire*, etc. His language and thought were probably too difficult for the boy Goethe to understand. **21.** A. M. LEMIERRE (1723–1793) wrote a number of tragedies, among them *Hypermnestre* (1758). **24** sq. *Le devin du village* by J. J. ROUSSEAU (1712–1778). *Rose et Colas*, an operetta by M. J. SEDAINE (1719–1797), was first performed in Paris 1764; Goethe must therefore have been mistaken in including it here. *Annette et Lubin*, a rustic comedy with songs by Mme. FAVART, was first performed in Paris in 1762. The troupe of comedians remained in Frankfort for some time after the withdrawal of the French, December 2, 1762. **25.** bebändert, 'decorated with ribbons.'

76. **6.** beiläufig, 'casually.' **8.** geltend machen, 'make of value,' 'turn to good account.' **13.** Aufschneider, 'braggart'; cf. 53. 9, note. scharmant, from the French *charmant*, colloquial for reizend. **23.** als, 'as coming from.'

77. **4.** aufheben, 'remove,' 'destroy.' **5.** In the preface to his *Sémiramide*, VOLTAIRE protests against the custom of seating a part of the audience on the stage; and as the action in this drama was such as to emphasize the absurdity of this custom, his protest was heeded, and after the first performance the stage was, in Paris at least, reserved for the actors. In the provinces, however, the old custom survived much longer. Cf. LESSING'S *Hamburgische Dramaturgie*, nos. 10, 80. In England also, seats on the stage were sold to the gallants at high prices. **19.** das Kunstwidrige daran, lit. 'that in it which was contrary to art'; say 'such a violation of the principles of art.' **20.** nämlich; cf. 25. 4, note. **24.** das Gewehr beim Fuß, in military language, 'ground arms.' **25** sq. der hinterste Vorhang, 'the back scene.' **29** sq. lösten — ab, 'relieved guard.' einfallen, 'strike up.' **30.** Kulissen, Fr. *coulisse*, 'wings.'

78. **2.** Anstalt, 'institution,' 'practice.' **5.** D. DIDEROT (1713–1784), famous French encyclopædist and critic. *Le père de famille* („der Hausvater"; cf. l. 15) was the most successful among the dramatic works in which he endeavored to apply the principles he had laid down. **11** sq. gedachten; cf. 64. 23, note. **15.** C. PALISSOT DE MONTENOY (1730–1814) satirized in his comedy *Les philosophes*, Rousseau, Diderot and their followers, who had rebelled against the conventionalities of modern society and advocated a return to nature. **25.** in jenem Märchen; cf. 53. 16, note. **27.** Bügel, 'hilt.' **28.** unser Wesen getrieben; cf. 9. 6 sq.

79. **7.** gehörig, 'belonging to,' 'proper,' 'appropriate.' **9** sq. die Stöße gingen nebenaus, 'the thrusts went by our sides,' i.e. they did not hit. **16.** Mandelmilch, 'milk flavored with almonds.' **24.** The PRINCE OF SOUBISE (1715–1787) had been in command of the French army when it was utterly routed by a much smaller Prussian army under Frederick the Great in the battle of Rossbach, November 5, 1757. Cf. 80. 8. **26.** The DUKE OF BROGLIO (1718–1804) was a much abler man than his colleague in command, the Prince of Soubise, but he could not always carry out his plans against the latter's opposition. He was made Marshal of France after the battle of Bergen (cf. 81. 1), but later on he succumbed to court intrigues and was relieved from his command. At the outbreak of the Revolution, he was called by Louis XVI. to the ministry of war, and during the wars following he distinguished himself in various capacities and in the service of various countries.

80. **1** sq. uns * * * gefunden; cf. 71. 24. **3.** die * * * verbreitete, 'a rumor was circulated.' die Allierten, viz. the Prussians with Hanoverian auxiliaries. **4.** DUKE FERDINAND OF BRUNSWICK (1721–1792), one of Frederick's ablest generals. **7.** Vorstellung, 'idea'; here 'opinion.' **8.** Cf. 79. 24, note. **10.** alle preußisch Gesinnten; cf. 48. 8, note. **16.** man, 'they,' i.e. the French. **19.** wäre es auch nur, 'though it were only.' **21.** Bombardement, another half-naturalized word from the French; pronounce the last syllable as in French, the rest as in German. **25.** bei — anbringen, 'communicate to.'

81. **1.** Bergen, a small town about 5½ miles northeast of Frankfort. **9.** Cf. 79. 26, note. **10.** Karwoche; cf. 60. 4, note. The battle took place April 13, 1759. **15.** Boden, 'attic.' **17.** Massenfeuer, 'volleys'; Gewehr, 'musket'; here collectively, 'musketry.' **22.** Lazarett, 'military hospital' from the Italian *lazzaretto*, 'pest-house,' which comes from *Lazarus* (Luke xvi. 20). Liebfrauenkloster; cf. 18. 5. In reality it was the Carmelite Convent that was used for a hospital. **26.** blessierte = verwundete, from Fr. *blesser*. **29.** was — nur, 'whatever.'

82. **7.** Friedberg is a town northeast of Frankfort in what is now the Prussian Province of Hesse. It was customary for the residents of walled towns to have gardens outside the gates. Cf. *Faust*, l. 3118 sq.:

> Mein Vater hinterließ ein hübsch Vermögen,
> Ein Häuschen und ein Gärtchen vor der Stadt.

9. Bornheim, also northeast of Frankfort, now a part of the city. **14.** geraten, 'advisable.' **25.** wir, not to be translated. If a relative pronoun as subject of a clause refers to a pronoun of the first or second person, the latter is generally repeated after the relative pronoun and the verb put in the first or second person; more rarely it is not repeated and the verb put in the third person. **29.** Orakel ihres Schatzkästleins; a superstition still exists that by sticking a needle into the Bible or some other favorite book, the passage thus found indicates the outcome of any particular event one has in mind. It is known that in 1768, during Goethe's severe illness, his mother thus consulted the Bible and found in it great comfort. Cf. Goethe's correspondence with his mother in KEIL'S *Frau Rat* (Leipzig: 1871), pp. 144, 197, 181. Also Goethe's *Noten und Abhandlungen zum west-östlichen Divan*, under the title *Buch-Orakel* (Weimar edition, VII, 122 sq.). BOGATZKY'S *Güldenes Schatzkästlein der Kinder Gottes*, first published in 1718, which is probably the book she consulted on this occasion, has to this day enjoyed great popularity as a book of devotion and has been translated into English and other languages.

83. **3.** was, 'as much as.'

84. **1.** frei; cf. 30. 2, note, and 66. 23. **5.** mehreres, 'several things,' neuter singular; cf. alles, etc. abthun, 'settle,' 'attend to.' **15.** umsonst, 'for nothing,' 'with impunity.' **20.** bedenklich, 'hazardous,' 'dangerous.'

85. **3.** Gesinnung, the sum of one's opinions, 'sentiments'; here 'disposition.' **12.** bei means more than mit; 'in view of,' 'as might be expected from.' Beherrschung seiner selbst = Selbstbeherrschung. **15.** bösen Mut, 'ill temper,' 'anger.' **17.** hätte; cf. 23. 6, note. **19.** Führung, 'course'; ein Gespräch führen, 'carry on a conversation.' **20.** sich etwas auf etwas (acc.) zu gute thun, 'pride one's self with,' 'boast of.' **23.** eröffnen; cf. 73. 19, note. **24.** höchst verpönt, 'strictly forbidden.' **28.** Saint Jean; cf. 70. 15. **29.** Dolmetsch; cf. 67. 1, note. **30.** dazu gehört, 'that requires.'

86. **9.** anhören, 'listen to,' 'tolerate.' **15.** Reichsstädter, 'citizens of an Imperial city.' **16.** wollen, here 'pretend to.' Cf. 23. 7 sqq., note. **20.** It is hardly necessary to say that the 'faithful allies' had other and less unselfish intentions than to defend the lands of the Emperor against Frederick. **22.** die * * * trifft, 'which comes to them as their part'; say 'their small part of the burden.' **25.** es, viz. those who hold these views.

87. **1.** sich unterstehen, 'presume.' **2.** in den bedeutendsten Augenblicken, 'in the most momentous times'; cf. 44. 9, note. **5.** sich merken, 'mind,' 'realize.' **18.** brav in colloquial language means 'good.' **21.** dunkel, 'not enlightened,' 'ignorant.' unwillig, 'not willing,' 'obstinate'; nowadays it generally means 'angry.' **22** sq. es machen, 'behave,' 'conduct one's self.' For the use of es in this and the following idiom, cf. 32. 10, note. **24.** es über sich gewinnen, 'bring one's self [to do a thing].' **26.** leiden kann; cf. 72. 14, note. **27** sq. diese * * * verblendet, a literal translation from the French; the natural German construction would be what? **30.** In his lively description the count passes from the conditional into the present indicative. schlagen uns, 'fight [our way].'

88. **2.** Retirade, like many military terms taken from the French, has become completely naturalized and is pronounced like a German word; the synonym of German origin is Rückzug.

3 sq. die Hände in den Schoß legen, 'sit down and do nothing.' **5.** dieser Hausbesitzer, etc.; cf. 87. 27 sq., note. **7.** platzte, folgte, preterite subjunctives used as conditionals. Feuerkugel, 'bomb'; cf. 155. 25, note. **9.** Pekingtapeten, 'Chinese hangings'; cf. 66. 15. genieren, Fr. *gêner*, a half-naturalized word, pronounced with the French *g*-sound (like *s* in the English *pleasure*), means 'inconvenience,' 'trouble'; used reflexively, 'put one's self to an inconvenience,' 'restrain one's self'; also 'hesitate [to do a thing],' 'be timid, bashful.' **11.** sie, viz. diese Menschen. **16.** Gift, in the sense of 'poison,' is now neuter, except in dialects. In the eighteenth century its gender was still unsettled; cf. *Faust*, l. 1053: Ich habe selbst den Gift an Tausende gegeben. **27** sq. jemandem recht geben, 'decide (or 'admit') that one has the right on his side.' **29.** machen daß is often used colloquially, to mean 'see to it that [a thing is done at once],' 'hasten to [do a thing].'

89. 5. zuvorkommen, 'get ahead of,' 'anticipate.' **11.** über; wegen would now be used. **14.** Gastfreund has no precise equivalent in English; it corresponds to Gr. ξεῖνος, Lat. *hospes*, and denotes both 'guest' and 'host' in their mutual relationship, always with the idea of 'friend' added. **15.** ein Verirrter, 'a deluded man.' **17.** das müßte, etc., 'that would have to come about in a strange way,' 'that would be odd.'

90. 1. im Augenblick, generally 'in a moment'; here 'at the moment' **3.** nichts zu vergeben; cf. 25. 11, note. **12.** das Begehren, collectively 'the demands.' **14.** beilegen; cf. 25. 26 sq., note. **16.** Androhen, 'threatening approach.' **17.** verschlafen, 'miss by sleeping'; 'sleep quietly through.' **19** sq. wie * * * pflegt; many portions of Goethe's autobiography bear witness to his own capacity for doing so. Cf. Introduction. **25.** Zeremoniell, 'ceremonial,' 'parade.' **28.** geistreich; cf. 68. 1, note. **30** sq. die abstrusen einsamen Frankfurter; cf. 55. 15 sqq.; abstrus here = zurückgezogen, verborgen, ordinarily = Engl. *abstruse*.

91. 9. Monseigneur is used in French in addressing princes, bishops, etc.; say 'my lord.' **17.** Zum Beispiel; evidently translated from the French *par exemple*, which is often used as an exclamation in the sense of 'well,' 'now then,' 'let us see.' **27.** aufführen, 'present.'

92. 1 sq. wenn * * * will, 'if it is at all possible'; cf. 48. 18, note. **4** sq. nach dem Schauspiel. Theatrical performances, concerts, etc., begin earlier in Germany than in America, and at that time they began still earlier than now, probably at five or half past five in the afternoon; cf. *Faust*, l. 53. On the other hand, supper is usually eaten later, generally at eight or half past eight. **14.** ins Gleichgewicht bringen = ins Gleiche bringen; cf. 15. 28, note. **15** sq. Miß Sara Sampson, with which Lessing in 1755 introduced the domestic or *bourgeois* drama into German literature (cf. 75. 17, note), was at that time very popular. **16.** der Kaufmann von London; a translation of *George Barnwell, the merchant of London* (1731), by G. LILLO (1693–1739), appeared in 1755; it soon became very popular on the stage. **17.** hervorheben, 'select,' 'mention especially.' **17** sq. den kürzern ziehen, lit. 'draw the shorter [lot]', 'get worsted.' *Les fourberies de Scapin* (1671) by MOLIÈRE; cf. 75. 19, note. **19.** Zettel, here = Theaterzettel, 'play-bill.' **20.** mußte vorwerfen lassen, 'had to submit to being reproached for.' **23.** Beide is redundant in connection with einander; 'neither party convinced the other.' **26.** zunehmen, 'increase'; here 'advance'; we should now say an Kenntnis der französischen Sprache. **27.** nun einmal is often difficult to translate; it means 'now and once for all' and adds to the simple statement the idea that 'it cannot be helped.' Translate: 'Men are so constituted and probably always will be.' **28.** vornehmen, 'undertake.' er habe * * * oder, 'whether he has * * * or.' **29.** bald, 'almost.' **30.** durchgemacht, 'gone through.'

93. **3.** den; cf. 30. 18, note. Goethe has made no mention of such precocity in the preceding books of the Autobiography. There is, however, evidence that he read Terence „als Knabe." Cf. *Zahme Xenien*, IV. 23. **5** sqq. auch * * * zu wiederholen, 'to copy also the French models as well as I could.' **8.** A. PIRON (1689–1773) wrote songs, witty epigrams, and a number of plays, of which only *La métromanie* (1738) is still popular. Cf. Goethe's *Anmerkungen* to his translation of DIDEROT'S *Le* *neveu de Rameau* (ed. Düntzer, pp. 179 sqq.). **14.** wenn — gar, 'if indeed.' **16.** Cf. 40. 21, note. **17.** The *Pantheon Mythicum* by F. A. POMEY (1619–1673) was published at Lyons in 1659. **27** sq. Gönnermiene, 'patronizing air.' **29.** nachweisen, 'point out.' **30.** bei gehöriger Muße, 'when he had the necessary leisure.'

94. **5.** beschützen, here 'interest one's self in.' **11.** Piece, Fr. *pièce*, another half-naturalized word; pronounce as in French, but with the final -e as in German. **23.** gewähren lassen, 'allow to continue.' **24.** drei Einheiten des Aristoteles. The French dramatists felt bound to observe the 'three unities' of time, place, and action in accordance with what they believed to be Aristotle's theory as laid down in his *Poetics*. Lessing in his *Hamburgische Dramaturgie* afterwards (1767–69) showed that whatever Aristotle's theory may have been, it certainly cannot apply to the modern stage, and that the unity of action is the only one which the modern dramatist, in accordance with Shakespeare's example, is bound to observe. **26.** Wahrscheinlichkeit, here used in a technical sense. **28.** begründet; cf. 37. 2, note. **29.** Engländer; Shakespeare especially failed to observe the unities of time and place.

95. **1.** Litanei, 'litany,' is often used to denote set phrases which one is accustomed to hear or pronounce without much thinking; transl. 'all the hackneyed maxims of dramaturgy.' **2.** hören stands for gehört in connection with the infinitive wiederholen; the personal verb is omitted. **3.** in der Fabel refers to Goethe's own fable *Dilettant und Kritiker* (Weim. ed., II, 205). A boy has a pigeon of which he is very proud and which he proceeds to show to a fox. The fox immediately begins to find fault with it, pulls out its feathers, because they are too short, and finally pulls the bird all to pieces. **3** sq. meine zerfetzte Geburt, 'my mangled offspring.' **8.** Schreibenden, for the common Schreiber, 'writer,' 'clerk.' **15.** Unart, 'impoliteness.' anmaßlich, 'arrogant.' **18.** P. CORNEILLE (1606–1684), one of the greatest French dramatists, wrote *Le Cid*, *Horace*, *Polyeucte*, and many other dramas. He also wrote several treatises on the drama; the second of these, here referred to, has the title

Les trois unités, d'action, de jour, et de lieu. **23.** **Händeln über den Cid.** Corneille's *Cid*, published in 1636, met with an unexampled success. Cardinal Richelieu, who had befriended Corneille, and who prided himself much on his own poetic talent, felt piqued at this, as the work had not been first submitted to him for approval. He commissioned the French Academy to judge of the merits of the play, and this body, fearing to offend the mighty cardinal, felt constrained to commend it rather coldly and find some faults in it. Out of this arose the 'disputes about the *Cid*.' **24.** Vorreden, viz. the *Prefaces* to CORNEILLE'S *La veuve*, *La galérie du palais*, and RACINE'S *Andromaque*. Cf. 75. 3, note.

96. **3.** Schöff; cf. 20. 16, note. Of Olenschlager as well as of this performance of *Britannicus* Goethe speaks more in detail in Book IV (Weimar edition, XXVI, 248 sqq.). **7.** fertig werden; cf. 73. 17, note. **10.** Salbaderei, 'everlasting twaddle.' **11.** das Kind mit dem Bade ausschütten, lit. 'pour out the child with the bath,' proverbial for 'reject the good with the bad.' **12.** Plunder, 'rubbish.' **17.** doch, 'after all.' auch refers to die Autoren, l. 13; say 'even the authors themselves.' **18** sq. dem lebendig Vorhandenen, 'that which was living and real.'

97. **5** sqq. mochte — bringen; cf. 55. 19, note. **7.** Hierzu kam noch; cf. 63. 23, note. **12** in sich gezogen, 'to himself,' 'retired.' **14.** Partie, 'number,' 'lot.' **17.** gedacht, 'abovementioned'; cf. 70. 27. **17** sq. Bahne für Bahne, 'strip by strip of canvas.' Bahne denotes 'breadth' of cloth, and as the paintings were to take the place of regular wall-hangings, the word suggested itself naturally enough. **26.** nämlich; cf. 25. 4, note.

98. **4.** gehörig, 'needed,' 'required'; cf. 49. 1, note. **5** sq. es kommt mir nicht darauf an, 'it is of no consequence to me,' 'I am not particular about it,' 'I do not mind.' **9.** sich — einander; the reflexive is often used for the reciprocal pronoun; the latter may then be added for emphasis. **17.** durcheinander, 'into each other.' **21.** daher, transl. 'so that'; cf. 7. 23, note. The more common construction after wenig fehlte would be so hätten sich die Künstler, etc. **27.** einzelne, 'detail.' **29.** worin — denn; cf. 7. 23, note.

99. **1.** die Teilnehmenden for the more common die Teilnehmer. **3.** in sich gezogen; cf. 97. 12, note. **6.** in sich gekehrt means about the same; transl. 'occupied only with himself and independent of his surroundings.' **9.** immer has here the same force as in wer nur immer, 'whoever,' etc.; transl. 'the *very* greatest diligence * * * of which.' **12.** staffieren; cf. 32. 7, note. **13** sq. ins Buntscheckige arbeiten, 'transform into a motley mess.' **15** entschied sich, 'became more decided'; not a common use of the word. **16.** Gevatter; cf. 67. 22, note. Rat Goethe had become godfather to one of Seekatz' sons. **21.** ohne weiteres, 'without further trouble.' **24.** zu guter Letzt may be translated 'at the very last,' though Letzt is here etymologically not quite the same as letzt, 'last'; it is the same as Letze, f., 'refreshment,' 'parting cup'; cf. letzen, 'refresh'; the final -t is due to confusion with letzt. **27.** Thürstücke; cf. 21. 5, note. **28.** Beiwerk; cf. 1. 12.

100. **1.** sollte — herüber; the verb of motion is omitted. **5** sq. die Absendung, etc., 'the time for shipping the pictures was at hand'; es, viz. what Seekatz was to do. **15.** Nach den fortgeschafften Bildern, a Latinism very unusual in German; we should expect nachdem die Bilder fortgeschafft waren. **16.** im Mansard; the usual form is die Mansarde; cf. 70. 27. **22.** seinen Grundsatz, etc.; cf. 31. 12 sqq. **24.** ihm; cf. 67. 29, note. **30** sqq. solle, etc., indirect discourse, giving the opinions of Rat Goethe.

101. **4.** markten, 'bargain,' 'haggle,' hence 'disparage,' 'find fault with.' mäkeln means the same; cf. 25. 8, note. **6.** Verhältnis, here used pregnantly for freundliches Verhältnis. **11.** zusammentretend; some editions have zusammentreffend, 'meeting,' which sounds more natural. an diesen Kunstwerken belongs to ein gemeinsames Gefallen. **14.** Kisten und Kasten; another alliterative collocation. **15** sq. Betrieb, 'effort.' **16.** wieder anknüpfen, 'begin again,' 'resume.' **19.** dahin, 'to the point,' 'to pass.' **19** sq. Quartierherren, say 'billeting-commissioners not military officers, but citizens, as the providing of quarters is usually left to the civil authorities. **20.** umlogiert; cf. 69. 3, note. **21.** seit einigen Jahren, i.e. since New Year's Dav 1759, cf. 64. 3 sqq. Thorane left the Goethe house in the summer of 1761, when he went for a time to some watering-place; he did not permanently leave Frankfort till 1763. **30.** versetzen, in the language of the public service, 'transfer to another post,' 'assign to other duties.'

102. **1.** ließ es sich gefallen, 'consented.' **5.** Chargen = Ämter; pronounce as in French, but with the German ending. **8.** angebracht, 'put up.' **9.** mehr, here = mehrmals, öfters; cf. 31. 12, note. **10.** verschiedenes, 'different things'; cf. 84. 5, note. **12** sqq. As a matter of fact, Thorane died in his native town, Grasse, in 1794.

BOOK IV.

Book IV relates miscellaneous reminiscences of the years 1761 to 1763. The boy began the study of music and drawing; the latter his father considered as especially important, so that he set his children an example by devoting much time to it himself and copying, with great perseverance, a set of numerous copper-plates. About this time also Goethe's interest in the natural sciences awoke, and he made many experiments in electricity and magnetism. The study of languages, ancient and modern, was continued under several teachers, and in order to acquire facility in writing, the boy composed, at the age of twelve or thirteen, a novel in the form of letters supposed to have been written by six or seven brothers and sisters in as many different languages. (Cf. 167. 11 sqq.) The study of Hebrew aroused in him a great interest in the Old Testament and in the history of the Jewish people, and he was much attracted by modern poetical works dealing with Biblical subjects. He came in contact with the artists whom his father continued to employ and learned much by their conversation. The Book closes with reminiscences of a number of curious Frankfort characters, most of them men living in retirement and devoted to studies.

BOOK V.

Book V deals with events of the years 1763 and 1764, particularly Goethe's first love-affair and the coronation of Joseph II.

103. **9.** aufgelegt, 'inclined.' **10.** Handhabe, lit. 'handle.' **16.** oben; cf. 52. 18. **18** sq. nicht * * * standen, 'were not on the best terms.' **20.** der alte freundschaftliche Jubel, 'the pleasure of the old friendship.' **21.** Alleen, 'park avenues.' **22.** Sankt-Gallenthor, 'St. Gall Gate.' The gate was at first called Galgenthor, 'Gallows Gate,' which in time became Gallenthor; this name then became associated with that of the well-known saint, and hence the Sankt was prefixed to it; in modern times it was changed to Gallusthor. **24** sq. Es geht mir, etc., 'I still have the same experience with,' etc.

104. **2.** Laß es gut sein, 'never mind.' **9.** Mit nichten, 'not at all.' **10.** hingehen lassen, 'let pass,' 'overlook.' **11** sqq. konnte es * * * nicht lassen, 'could not help it.' **12.** für, 'toward.' allzu wohlgesinnt, 'altogether too friendly.' **15.** und is really superfluous and causes an anacoluthon. **24.** aus dem Stegreif; cf. 40. 7, note. ließ es mir gefallen; cf. 102. 1, note.

105. **4** sq. faßte ich die Situation in den Sinn, 'I fixed my mind upon the situation.' **5.** artig, 'pleasant.' **8.** ohne Anstand, 'without hesitation.' **9** sq. in einem * * * Silbenmaße, 'in a meter varying between doggerel and madrigal.' A madrigal is a delicate, tender love-poem, usually iambic in meter and with an involved rhyme-system. **10** sq. möglichst, 'as much as possible.' **19.** öfters, here 'again.' **20.** ausmachen, 'agree.' **22.** Partie, here 'excursion'; more rarely 'party'; cf. Partei, '[political] party'; Gesellschaft, '[social] party.' **23.** Schlag, 'kind,' 'class.' **25.** Kopf, here 'ability.' **27.** Notice the distinction which Goethe makes between Kenntnis, 'knowledge,' and Bildung, 'culture.' **28.** Erwerbzweig, 'manner of earning a living.' **29.** sich durchhelfen, 'get along.'

106. **1.** Trivialschulen, a very unusual expression for gewöhnliche Schulen, 'common schools,' or öffentliche Schulen, 'public schools.' **3.** repetieren, 'review.' **4.** Wege laufen, 'do errands.' **5** sqq. sich etwas zu gute thun, 'enjoy one's self.' **9.** herausstreichen, colloquial for rühmen, loben, 'laud.' **11.** nämlich; cf. 25. 4, note. **12.** mit * * * Beziehungen, 'after inserting a few personal allusions.' **13.** zuschieben ordinarily means to put a thing in a person's hands in a roundabout way, without directly giving it to him; transl. 'pass.' **20.** inständig, 'urgently.' **22.** Mystifikationen, 'practical jokes,' 'hoaxes.' **24.** läßlich, 'pardonable'; now rare. **28** sq. uns * * * einander; cf. 98. 9, note. **29.** anführen, 'fool.' **30.** Attrape, f., from the French *attrape*, 'trap,' 'snare,' 'trick.'

107. 8. ausstatten, 'furnish,' 'provide.' 14 sq. aufgeweckt, 'wide-awake,' 'bright.' 19. Verstellung, 'simulation'; here 'deception.' 21. ich brachte — hin, here = ich hätte — hingebracht, a rare use of the preterit indicative. 24. gedeckt, 'set.'

108. 5. Gretchen, diminutive abbreviation of Margarete; pronounce the first e long. 6. ein Katzensprung, 'a stone's throw.' 10. Hals is the round part of the neck, also the throat, Nacken the lower part of the neck where it is joined to the back. 20. kam, here 'came to sit.' 28. Wegen und Stegen; cf. 25. 8, note. 29. bleibend, 'permanent.'

109. 2. mochte, 'cared to.' zuliebe has lost its original force and means merely 'for the sake of.' 4. mich satt sehen; cf. 11. 19, note. 7. gegen, 'in exchange for.' 12. Frauenzimmer, originally meaning 'woman's apartment,' then, collectively, 'the women of a court or household,' came to be used in the seventeenth century of women as individuals, first as a term of respect, corresponding to 'lady,' which sense it has in the present passage. In more recent times, finally, the word has acquired a derogatory sense. 23 sq. aus * * * heraus, lit. 'out of,' here 'resulting from,' 'in accordance with.' 30 sq. sollte, 'was to.'

110. 9. schielen, 'look askance'; here 'look slyly,' 'glance.' 12. der Vetter; it appears that Gretchen was a cousin of Goethe's friends. 19. artikulieren, here 'explain point by point,' 'explain in detail.' 26. sich mancherlei notierte, 'made all kinds of memoranda.' 30. es will nicht gehen; cf. 48. 18, note.

111. 2. gesetzt, 'sedate,' 'calm,' 'grave.' 3. Händel, 'business.' 5 sq. hielt — eine Strafpredigt, 'gave a lecture'; cf. eine Rede halten, 'make a speech.' 9. Frevel, 'mischief'; not quite as strong as Verbrechen, 'crime.' 12. drauf, colloquial for darauf; sich auf etwas (acc.) verlassen, 'rely on.' 13. Present usage would require ändern Sie. 14. einstecken = in die Tasche stecken. 15 sq. ins Gleiche bringen; cf. 15. 28, note. 16 sq. ein Wörtchen mit drein reden, 'have something to say in this matter.' 29 sq. in einer Folge, 'connectedly.'

112. 6. Konzept, 'draft.' 9. Pointe, pronounced as in

French, but with the final -e sounded as in German, 'point,' 'turn.' **21.** zuschieben, here literally 'push toward'; cf. 106. 13, note. **25.** was = etwas.

113. **9.** Jugend has the several meanings of *youth* except that of 'young man'; here it is probably an abstract noun, though it may be a concrete collective, 'young people.' Wendung, 'direction.' **11.** sinnlich, 'by means of the senses'; we are first attracted by what our senses perceive, but this soon leads to higher intellectual and spiritual enjoyment. **24.** Niederrad, a village about two miles southwest of Frankfort. **27.** thun with an adverb, 'act.'

114. **1.** böse, 'angry.' **4.** aufgehen, 'occur.' **5.** dabei, 'at the same time.' **6.** sich etwas auf [with acc.] einbilden, lit. 'imagine something on [the strength of],' i.e. 'be proud of.' **10.** zu gute thun; cf. 106. 5, note. **12.** gastieren = bewirten. **13.** einrichten, 'prepare.' **15.** auf [with acc.] halten; cf. 52. 16, note. **18.** das Weitre, 'the rest.' **24.** da, here 'while.' **26.** Leichencarmen, 'obituary poem'; such 'poems of occasion' (cf. 115. 2) were very much in vogue in those days, and many poetasters eked out a living by writing them. They were generally printed on single sheets and distributed among friends and acquaintances. **29.** traktieren = bewirten; cf. l. 12.

115. **3** sq. ansehnliche Verheiratungen, 'prominent (or 'fashionable') weddings.' **9** sq. Personalien, 'personal affairs. **17.** Honorar, 'fee.' **20.** genießen, here as a neuter verb, 'enjoy one's self.' **21.** jem. auf einen Einfall bringen, 'suggest an idea to one.' **24** sq. ins Reine schreiben, 'make a neat copy.' **26.** ward lang, 'seemed long.'

116. **1.** Jene, 'the others,' i.e. Gretchen and her cousins. **4.** Schöne, here 'sweetheart.' **5.** Brautleute, 'betrothed,' 'lovers.' **6.** obgleich, etc., 'though of recent date.' **8.** niemanden; the regular form of the dative is now niemand or niemandem. **14** sq. so bald nicht, 'not very soon.' **16.** Geste, f., = Gebärde, f., 'gesture.' **17.** gehörig, 'proper.' **21.** Lustpartieen; cf. 105. 22, note. **22** sq. das Höchster Marktschiff, a boat originally intended to carry farmers and their truck to the Frankfort market, and then devoted also to general traffic;

cf. 11. 15, note. **23.** einpacken, 'pack'; here 'crowd.' **24 sq.** sich mit jem. einlassen, 'enter into conversation with one.' **27.** Mainz, 'Mentz' or 'Mayence,' a prominent city situated at the confluence of Main and Rhine, about 20 miles west of Frankfort. **28.** gut besetzt, 'well appointed,' 'well spread.' **29.** die Besseren, etc., say 'the better sort of travellers'; Auf- and Ab- of course refer to 'up' and 'down' the river Main. **30 sq.** und alsdann, etc., an anacoluthic construction, because this clause is no longer logically dependent on wo; say 'whereupon every one,' etc.

117. 2 sq. nach eingenommenem Mittagsessen, originally an imitation of the well-known Latin construction, but now a common formula; cf. 100. 15, note. **6.** Zug, 'expedition.' **13.** Stadtwesen, 'city affairs.' **15.** sich empfehlen, 'take leave politely.' **17.** gelegentlich, often 'occasionally'; here 'on occasion.' **22.** mittlere Stelle, 'moderate position,' neither very high nor very low. **25.** jemandem zusetzen, 'press one.' **26.** Hatte ich doch, etc.; the inverted order is sometimes used with doch or ja to produce an effect similar though not quite as strong as that which is produced in English by a rhetorical question in the negative, 'had I not already often noticed' = 'for I had already often noticed.' **27.** bei solchen Ämtervergebungen, 'in the appointments to such offices.' **28.** Gnadensachen, 'matters of favor.' Vorsprache = Fürsprache, Fürwort (l. 21); in Goethe's time the present distinction between vor and für was not always observed.

118. 3. verbinden, 'obliged.' **10 sq.** rückte * * * hervor, 'came forward.' **14.** bewenden lassen; cf. 52. 8, note. **29.** Galanteriehändlerin, here 'milliner'; Galanteriewaren are 'fancy-goods.' italienische Blumen, 'artificial flowers'; cf. the English *milliner*, from *Milaner*, 'inhabitant of Milan.'

119. 2. fielen * * * aus, 'turn out.' **3.** Liebe, here 'favor.' **8.** Mantille, 'cape.' **23.** liebte, here 'found pleasure in'; a peculiar use of the word. **25.** Maske, 'disguise'; viz. lace cap and silk cape. **27.** mochte verlieren; cf. 55. 19, note. **30.** und sie selbst, another anacoluthon; cf. 116. 30, note.

120. 2. Mädchen, 'servant,' not Gretchen. **4.** die Eröffnung that = mitteilte. **5.** Erzherzog Joseph, the son of Maria Theresa and Francis I. (cf. 23. 7 sqq., note), was born in 1741. On the death of his father, in 1765, he became emperor; he died in 1790. **5** sq. zum Römischen König. By the Golden Bull (cf. 21. 22, note), the election of a German King was definitely confided to seven Kurfürsten, 'Prince-Electors.' The German King, thus elected, was then entitled to be crowned King of Italy at Milan, and Emperor of the Holy Roman Empire at Rome. In course of time it became customary to elect the successor of an emperor during the lifetime of the latter, in which case he received the title König von Rom, or römischer König. **11** sq. Wahlkapitulationen, 'election-agreements,' promises exacted from the candidate in return for the election. **18.** Gegenstände, 'affairs.'

121. **1.** The 'recent conversation' has been omitted in the present edition; its purport is clear enough from this reference. **2.** sich — geltend machen, here 'make a place for himself.' **3** sq. ein weibliches Wesen, simply 'a woman.' **9.** so viele, a 'certain number.' **10** sq. sich * * * bequemen, 'conform to a certain dress.' **16.** galant, 'fashionable.' **17.** mir, 'in me,' 'in my behavior'; say 'I betrayed nothing.' **20.** staatsrechtlich, 'political.' **20** sqq. es wird Ernst damit, 'the matter is getting serious,' often 'it is seriously thought of'; transl. 'was rapidly approaching its realization.' **23.** Augsburg; this city had been chosen for the meeting of the Electoral College on account of her central location, but declined the honor on account of her inability to entertain worthily so many distinguished guests. **26.** regten sich, lit. 'bestirred themselves,' 'were hastened.' **28** sq. Kanzleiperson, 'employee in an office,' 'official'; Goethe speaks as a citizen of Frankfort.

122. **5.** Bei Rat; the omission of the article in this formula is analogous to that in the English phrases 'in congress,' 'in parliament,' 'in council.' **6.** gepflogen; cf. 25. 22, note. **7.** Erbmarschall, 'Hereditary Marshal [of the Empire].' The Prince-Electors also held the chief court offices (Erzämter); thus the Count Palatine was Lord High Steward (Erztruchseß), the Elector of Saxony Lord Marshal (Erzmarschall), the Elector of Brandenburg Lord Chamberlain (Erzkämmerer), the king of Bohemia Lord Cup-bearer (Erzschenk), etc. In course of time these functions were delegated as hereditary offices (Erbämter) to other distinguished families, while the Electors continued to hold the original titles. Hence the Erbmarschall, Count Pappenheim, ranked below the Erzmarschall, the Elector of Saxony, etc. **10.** im kurpfälzischen Sprengel, 'in the Palatine district.' The word Kur was often prefixed to the names of states having the Electorate, hence Kurpfalz for Pfalz. If, as in this case, the state became divided, the prefix Kur served as a convenient distinction for that portion which retained the Electorate. **15.** Geschäftsträger, 'chargé d'affaires.' **21.** The author now proceeds to give a detailed account (which has been omitted in the present edition) of the many magnificent ceremonies preliminary to the coronation proper, e.g. the entries into the city of several of the Prince-Electors and of the ambassadors of the other German powers, the formal visits paid by them to each other, and, finally, the entry of the imperial majesties themselves. His father desired that the boy should not only feast his eyes and satisfy his curiosity, but should increase his knowledge of history by learning the meaning of the various ceremonies and formalities.

123. **6.** sich etwas auf [with acc.] zu gute thun, almost = sich etwas auf [with acc.] einbilden, 'be proud of'; cf. 114. 6, note and 106. 5 sqq., note. **7.** mein diesmaliger Vortrag, 'my account this time.' **9** sq. augenblicklich, 'sudden,' 'unexpected.' **11.** nicht; the pleonastic use of a negative in a clause introduced by als dependent on a comparative was common in the seventeenth and eighteenth centuries, but is no longer permitted. **20.** mittelst requires the genitive case; cf. 37. 17, note. **23.** Reichskleinodien; cf. 126. 16 sq., note. **24.** wo möglich; cf. 26. 27, note.

124. **7.** jene Fremden, the 'unknown persons' mentioned 123. 12. **21** sq. gegen uns über, obsolete; now uns gegenüber. **23.** über einander schlagen, 'fold,' 'cross.' mit aufliegendem Gesicht, 'with his face lying on them.'

125. **6** sq. nach — zu, 'toward'; der kleine Hirschgraben is the somewhat narrower continuation of the *Hirschgraben*; cf. 10. 11, note. The 'peep-window' may be seen in the picture, closed by a shutter. **13.** beim Thee, 'at breakfast.' meiner, 'on my part.' **14.** beschönigen, 'explain.' **19.** Römer; cf. 20. 1. **20.** Etage, with the g pronounced as in French, = Stockwerk, 'story.' **21** sq. mit dem frühsten, 'very early in the morning,' viz. before six o'clock, the hour when the bell announced the beginning of the ceremonies; cf. 126. 12. **22.** Ort und Stelle, a collocation of synonyms strengthening each other; 'the very spot,' here, however, as often, used in a weaker sense. **24** sq. in nähern Augenschein nehmen, 'take a closer view of.' **27.** Doppeladler; the Austrian 'double eagle' has two heads. Ständer, m., 'pedestal.' **30.** Haber, dialectic for Hafer, 'oats'; the object of this pile of oats will soon appear.

126. **3.** schmoren means properly 'steam,' but it does not necessarily mean here anything distinct from braten; another case of collocated synonyms. **7.** Wogen; cf. 24. 10. **8.** bewegt, here 'restless.' **11.** Bei, 'along with,' hence often 'in spite of.' **12.** Sturmglocke, a bell which was sounded in case of fire or other public dangers and on specially momentous occasions like the present; transl. 'the tocsin was tolled'; cf. 125. 22 sq., note. **16** sq. Reichskleinodien or Reichsinsignien, 'Insignia of the Empire.' Some of them, viz. a manuscript of the Gospels and a sword, both of which were said to have been in the possession of Charlemagne, and some of the earth consecrated by the blood of St. Stephen, were kept at Aix-la-Chapelle; the others were kept at Nuremberg; among them were the imperial robes of Charlemagne, his crown, sceptre, sword and the golden globe, representing the earth, which was called the Reichsapfel. **17.** Dom; cf. 17. 19, note. **20.** Nunmehr, 'now,' viz. at nin o'clock. Only the three ecclesiastical Prince-Electors of Mayence, Cologne, and Treves were present in person; the other Prince-Electors were represented by ambassadors; cf. 136. 24 sqq. **20** sq. begeben; as the events follow each other rapidly and the narration becomes lively, Goethe occasionally uses the historical present. **22.** Kur-Mainz, here the '**Elector** of Mayence'; the terms Kur-Mainz,

Kur-Pfalz, etc., originally meaning the states, are sometimes used of the Electors themselves. **26** sq. wir andern Unterrichteten, 'those of us others (not in the church) who were well informed.' The strong inflection is now preferred after a personal pronoun: Wir Deutsche, du Böser, etc. **27.** sich denken, 'imagine.' **28.** fuhren — auf, 'drove to'; cf. auf das Schloß, auf das Rathaus, etc. **29.** Baldachin, 'coronation-canopy.'

127. **4.** gestrählt, 'combed straight,' i.e. not curled as in a wig. **8** sq. hätte — sein mögen, 'might have wished to be.' **10.** durchaus qualifies wünschte; 'desired strongly.' **12.** Hausornat; Ornat, 'state dress,' 'official robes'; the emperor's son wore the real imperial robes belonging to the state, while the emperor himself wore some made in imitation of the former for his own private (or 'house') use. **13.** karolingischen, 'Carlovingian,' viz. that of Charlemagne. **14.** Erbämter, 'hereditary offices' for 'officers'; cf. 126. 22, note. **16.** Habit', n., = Kleidung. **22.** einher, prefixed to a verb of motion, adds the idea of gravity, stateliness. **23.** Wahlbotschafter, the ambassadors representing the absent Prince-Electors at the election and coronation. **25.** romantisch, 'romantic'; here equivalent to 'medieval.' **28.** einherschweben, 'float along'; cf. l. 22, note.

128. **6.** aufbrücken, 'build up like a bridge'; transl. 'a bridgelike board-walk had to be built.' **17.** kalte Küche, 'cold meats.' **25.** im Wagen, viz. on the day of the election; the corresponding passage is omitted in this edition.

129. **4.** Frauenstein; an error for Limpurg. **26.** zuging; the zu- belongs as adverb to nach uns, 'toward us.'

130. **2.** Himmel = Krönungshimmel, Baldachin; cf. 126. 29, note. **9.** aber, here = abermals, 'again'; transl. 'thousands upon thousands.' **11.** Peace actually reigned till 1792, when the wars growing out of the French Revolution began. **19** sq. eigens bestellt, 'especially appointed.' **21.** bahnenweise, 'in strips'; cf. 97. 17 sq., note. **23.** Unheil, 'mischief.'

131. **3** sq. Römerstiege; Stiege for Treppe is rather provincial; in the present literary language Stiege denotes rather a narrow flight of stairs and could not well be used of the great stairs of the Römer. 7. besetzt, 'guarded.' 7 sq. kam * * * Geländer, 'succeeded in getting a place directly at the top by the iron railing.' 14. Menächmen, 'twin-brothers,' the name of the principal characters in Plautus' comedy of the same name, in which the close resemblance of the twins gives rise to many ludicrous complications. überein, 'alike.' 17 sq. fielen wohl in die Augen, 'looked well'; this expression could hardly be used now in this sense. 21. zu erkennen geben, 'indicate,' 'reveal.' 23. schleppte sich — einher, 'dragged himself along'; the whole Ornat is said to have weighed 130 lbs., the crown alone 14 lbs. 28. For 'dalmatica' and 'stole,' see English dictionaries. 29 sq. einnähen, 'take in by sewing.'

132. 3. gewachsen with dative, 'grown up to,' 'equal to.' 21. gehenkeltes Gemäß, 'measure with a handle.' 22. Streichblech, an instrument made of thin metal (Blech) like a large, broad-bladed knife, used to smooth (streichen) down grain and the like in a measure; there seems to be no English word exactly corresponding to it. 24. sprengen, intr., 'dash.' 27. Erbkämmerer; cf. 122. 7, note. 28. Handquele, 'towel.' The word Quele, 'wash-cloth,' 'wiper,' is now used only in dialects; Handtuch is the common word.

133. 3. Gericht, 'dish,' i.e. the food, not the vessel. 4 sq. die Reihe trifft ihn, 'it is his turn.' 7. bestellt, 'provided.' 19. in sich selbst, 'among themselves.' 24. es geht lebhaft her, 'things are lively.'

134. 10. was * * * mehr waren, 'and all sorts of other tricks.' 13. sich (dat.) etwas streitig machen, 'contest for.' 14. Weinschröter, 'wine-cellar porter'; schroten means 'hoist,' hence Schröter one who handles heavy articles, boxes, barrels; a 'drayman' or 'porter.' 15. hergebrachtermaßen, 'according to tradition.' 20. zunftmäßiger Aufenthalt, rather awkward for Zunfthaus or Zunft, 'guild-hall.' The second reason is due to an error on the part of Goethe; the butchers had conquered twice in succession. 29. soll, 'must.'

135. 1. preisgemacht, for the more common preisgegeben; cf. 134. 5. 13. sich; this ethical dative with erwarten would hardly be used at present.

136. 4 sq. einen pfälzischen Hausoffiziaten, 'a Palatine court functionary.' **10.** Büffett, from Fr. *buffet;* each table with its 'sideboard' stood on an elevation or platform. **18.** Estrade, f., = Erhöhung. **24.** mag, 'likes to.' **24** sqq. ließen — denken, 'brought to mind.' **26.** weltlich, 'secular,' as opposed to geistlich, 'spiritual,' 'ecclesiastical'; cf. 126. 20, note. **26.** Mißverhältnis, 'disagreement,' 'dissension.'

137. 3. unbesetzt, 'unoccupied.' **5.** alle die, etc., viz. the other Reichsstände; cf. 25. 9, note. **6** sq. anstandshalber, 'for the sake of propriety, etiquette.' **8.** vergeben; cf. 25. 11 sq., note; they stayed away partly because they wished to avoid the expense, partly by reason of disagreements concerning precedence, etc. dermalen, 'at the time.' **10.** Betrachtungen anstellen, 'make reflections.' **15.** das Freie, 'the open air.' **19** sq. gemütlich, 'pleasant and social'; cf. 47. 12, note. **21.** der Seinigen, 'his sweetheart.' **23.** Ecken und Enden, collocation of alliterative synonyms; cf. 25. 8, note. **30.** anbringen, 'arrange,' 'provide.'

138. 3 sq. fand es nicht übel, 'did not dislike it'; litotes. 5. feenmäßig, 'fairy-like.' **7.** Anstalt, 'arrangements.' Fürst Esterhazy, the Bohemian ambassador. **12** sq. der brandenburgische Gesandte, Baron von Plotho; cf. 139. 8. **13** sq. ließen uns nicht verdrießen, 'took the trouble.' **15.** Saalhof; cf. 17. 14, note. **19.** dessen, dem. pron. **24.** Kramladen, 'small shop.'

139. 4. Pagliasso, in Italian comedy a 'buffoon,' 'clown.' 5. Bedenklichkeit, 'scruple.' **8.** glossieren, 'make glosses, remarks,' 'comment on.' nun einmal, 'once for all'; cf. 92. 27, note. **10** sq. sich über — hinaussetzen, 'place one's self above,' 'regard one's self as superior to.' **14.** überge'hen, 'pass over,' 'neglect.' **22.** Hängeleuchter, 'chandeliers.' **25** sq. an einander geschlossen, 'arm in arm.'

140. 5. alles, 'everybody'; the neuter singular of indefinite pronouns is used of a number of persons of different sex. **5** sq. ließen * * * sein, 'enjoyed ourselves all the more.' **16** sq. sich gefaßt machen auf [acc.], 'prepare one's self for.' **23** sq. Rat Schneider; cf. 59. 23 and note. **26.** anhängig, 'pending,' used of a lawsuit.

141. 1. der alte Messianische Freund, 'our old friend of the *Messiah.*' 11 sq. Es ist — die Rede, 'It is — a question.' 17. N. N., for the Latin *nomen nescio*, is often used for a name which is not to be mentioned; similarly three asterisks are used in l. 26 and, in place of another word, in l. 18. 29. wollen, 'claim to,' as sollen is often used in the sense of 'be claimed to,' 'be said to.'

142. 1. auch nicht, 'not even.' 9. Gartenhaus, 'arbor,' 'pavilion.' 22. Handschrift, 'signature.' 23. untergeschoben, 'substituted [for something genuine].' 30 sq. Umgang pflegen, 'associate.'

143. 1 sq. die Verhältnisse, etc., 'the circumstances [which Councillor Schneider mentioned] did not tally [with those with which I was familiar], but they touched them, seemed to be connected with them.' 10 sq. bis auf, '[up to, but] not including,' 'except.' 19 sq. verhören, 'examine [in court].' 23. böse Händel, 'bad affairs'; sich einlassen in, 'engage in.' 28. von der Seite, 'as far as that is concerned.'

144. 4. nichts verschulden, 'do no wrong.' 11. ein Nest ausheben, lit. 'take the eggs (or 'the young') from a nest.' The word Nest is often used to denote a secret hiding-place. Transl. 'the birds in the first nest are already caught.' 13. im klaren, 'cleared up.' 15 sq. wie * * * alle heißen, 'all the other * * *.' 18. bei, 'in view of.' 19. jenen, i.e. Gretchen and her cousins.

145. 7 sq. mir ist viel (alles) daran gelegen, 'I care much (everything) about it,' 'it is of great importance (or 'an all-important matter') to me.' 10. notdürftig, 'just barely.' 13. erlassen, 'let out,' 'issue'; here simply 'put [more questions].' 22 sq. ihnen — geschehe, 'they were treated —'; the expression is of doubtful grammatical propriety. 23 sq. ein Leids anthun, 'do an injury'; Leids, a genitive used in this formula originally after an adverb of quantity, e.g. viel, now used like the accusative Leid.

146. 7. die Länge lang, 'full length.' 12. eine Magistratsperson, 'somebody connected with the magistracy.' 13. erwartet, supply habe. 23 sq. umständlich mit dem Argumente, 'by circumstantially arguing.' **29.** auch, etc.; the noun Bilder would ordinarily be represented by the determinative pronoun die or diejenigen.

147. **5.** Hausfreund; cf. 59. 22. **6** sq. mein Geschäft zu pflegen, 'to have to do,' an unusual expression for etwas zu thun zu haben or zu verkehren, 'have intercourse.' **7.** Es war mir ganz recht, 'I was quite satisfied with it.' **13.** Amnestie = Verzeihung. **14.** allein den Antrag, etc., an anacoluthon, the following clause being apparently dependent on the relative pronoun die, l. 13, on which it cannot be logically dependent. **13** sqq. er will nichts davon wissen means often 'he will have nothing to do with it.' **24** sqq. mich aus dem Hause — zu bewegen could hardly be used now in the sense of 'induce me to go out'; we should say mich zu bewegen, auszugehen und * * * teilzunehmen. **26.** Galatag, the day on which the Emperor and the King of Rome received those who came to do homage. **27.** Standeserhöhungen; the coronation was the occasion of numerous 'elevations in rank'; not even the many ceremonies connected therewith interested the boy. **28.** Tafel, 'banquet.' **29** sq. The count Palatine, who had not been present at the election and coronation, came April 5 to wait upon the Emperor.

148. **2.** The 'last session of the Electors' took place April 7. **4.** Kurverein, 'Electoral Union.' **6.** Dankfest; the 'Thanksgiving Festival' took place on the following Sunday, April 8, in the Capuchin Church; the Emperor departed two days later, and the Electors after him. **11.** sich verziehen, 'disperse.' **19.** Lebensgewalt, 'vitality.' **24** sq. sich — ergeben, supply habe; 'had turned out.' **27** sq. auf das mannigfaltigste, 'in every possible way.'

149. **6.** wechselsweise, 'by turns.' **10.** wobei, 'when.' **12.** im allgemeinen ordinarily means 'generally,' 'in general'; here rather 'by generalities'; say 'by general assurances, [without entering into particulars].' **20.** zum besten, 'in the best possible manner.' **24.** nun erst recht, 'now for the first time really,' 'now more than ever'; transl. 'the real misery now commenced.' **26** sq. selbstquälerisch, 'by way of self-torment.'

BOOK VI.

Book VI covers the period from April, 1764, to the end of 1765, when Goethe had become a student at the University of Leipsic.

150. Motto. Goethe was quite fond of this old proverb; it occurs twice in Book IX. The meaning is, of course, that our early desires indicate the bent of our minds, our talents, and that every man obtains what he really thus desires. **6.** zustellen, 'deliver.' **8.** und * * * war, 'and the like.' **12.** nun erst recht; cf. 149. 24, note. **13 sq.** meine * * * üben, 'exercise my imagination.' **16.** Es dauerte, etc., 'it was not long before,' etc. **18 sq.** eine Stelle bekleiden, 'hold a position.' Hofmeister, 'tutor,' 'governor.' **20.** Akademie; cf. 38. 3, note. **21.** öfters; cf. 31. 12, note.

151. **7 sq.** mit jem. auf gutem Fuße stehen, 'be on a good footing, on good terms, with one'; gespannt, 'constrained,' 'forced.' **14.** im einzelnen und besonderen, synonyms; 'with all details.' **16.** sich fassen, 'become composed.' **18 sq.** von Stande, 'of quality.' **20.** possenhafte Polizeiverbrechen, 'sportive mischief,' lit. 'ludicrous violations of police-regulations,' pranks such as students and other young men are wont to play on police and citizens. **21.** Geldschneider, 'sharper'; transl. 'amusing sharpers' tricks.' **22.** verfänglich, 'risky.'

152. **9 sq.** bestehen, 'pass' in an examination or a trial, now more often with haben as auxiliary. **16.** Aussage, 'deposition.' Akten, 'documents,' from the Lat. *acta;* a newly formed singular Akte f. is rarely used.

153. **5 sq.** zu den Akten, a legal formula from the Lat. *ad acta;* say 'in court.' **9.** abgethan, 'settled,' 'over'; cf. 154. 9, note. **17.** gescheit und geschickt, 'bright and clever.' **19.** anreizen, 'attract,' 'charm.' **24.** förmlich, 'real.' **26.** maskiert zur, 'disguised as a'; zu (originally with the indefinite article) is used before the factitive predicate. **29.** hin und wider, 'over and over.'

154. **2 sq.** jem. Lügen strafen, 'give the lie to.' **7.** inneren jugendlichen Heilkraft, 'inner recuperative power of youth.' **9.** abthun, 'do away with'; cf. 153. 9, note. **12.** durch, adverb belonging to halbe Nächte, l. 11. **16.** verwandt, 'connected [with the other organs].' **22.** höchst ammenhaft weise, 'very wise, just like a nurse.'—All attempts to find out anything definite in regard to Gretchen and her friends have been in vain. In all probability many of the details, as well as the artistic grouping of the circumstances in this first love-affair, were later products of the poet's imagination, though there is no reason for doubting the main facts. The plot as well as some of the characters in the drama *Die Mitschuldigen* which Goethe wrote only a few years later, while he was a student at Leipsic, remind us of this episode and were probably the outcome of it. It is uncertain whether the name of Goethe's first love was really Gretchen, and whether the poet named the Gretchen in *Faust* after his first love or *vice versa.* Beside the name the Frankfort Gretchen has but little in common with the Gretchen in *Faust.* Cf. SCHERER: *Aufsätze über Goethe* (Berlin: 1886), pp. 31 sqq.—Goethe now proceeds to relate how his friend and tutor endeavored to console him by interesting him in the study of philosophy. The young poet, however, was not attracted by philosophical systems; he preferred to draw his companion with him into the woods and enjoy communion with nature; they explored the surrounding country for many miles, and Goethe pleased and reconciled his father by many landscape sketches which he brought home from these excursions. Much time was spent in company with Cornelia and her maiden friends, and gradually the wound which his first severe experience had made in the youth's heart, healed. In October, 1765, he went to Leipsic, in accordance with his father's wish, to study jurisprudence. **23.** Meßzeit, viz. Michaelmas 1765; cf. 24. 6, note. The fair began October 6 and continued for three weeks. **28.** in einer andern Folge, 'differently arranged.'

155. **3** sq. deren * * * ging, transl. 'whose * * * I often went [out of my way] to see.' The passage is somewhat obscure, as ging has no object of direction and the phrase zu Gefallen gehen is sometimes used in the sense of 'please,' which would have no meaning here. **6** sq. trat * * * entgegen, 'appeared,' here literally, for during the fair the streets were filled with booths, and the real city was, so to speak, concealed. **14.** gegen, 'compared with.' **21.** die, nach zwei Straßen, etc. Leipsic has many such 'enormous' buildings running through an entire block to the next street and built around a great courtyard which may be entered from either side by an arched gateway, thus affording a 'passage' (Durchgang, l. 27) from one street to another. **25.** Feuerkugel; cf. 88. 7, note. Many of the oldest and largest houses have special names; cf. also 18. 9 sqq. Ten years before, Lessing had lived in the same building. It is still standing, the streets being now called Neumarkt and Universitätsstraße. **28.** Goethe had made the journey from Frankfort in the company of a Frankfort bookseller, named Fleischer, and his wife. As the fairs come during the recesses of the University, it is still customary to rent rooms, ordinarily occupied by students, during the fairs to visiting merchants. **30** sq. einen Theologen, etc. A letter found among Goethe's papers shows that the 'benevolent' landlady afterwards left the poor theologian considerable property, and as he also inherited from other sources, he became quite wealthy. He died shortly before the appearance of this part of the Autobiography.

156. **10.** Hofrat, a mere title, given as a distinction; cf. 55. 7, note. **11.** Staatsrecht, 'constitutional law.' **12.** untersetzt, 'square-built.' **16** sq. sich merken lassen, 'betray.' **17.** im Schilde führen, 'intend.' **19.** der Alten, 'of the ancients, classics.' **21.** Fleischers, 'the Fleischers'; a plural in -s of a surname is formed to denote the members of the family. **23.** ohne Anstand, 'without hesitation.' Böhmen; cf. 32. 14, note. **25** sq. Konsequenz und Parrhesie, terms of rhetoric, 'consistency of argument and boldness of speech'; cf. 13. 14, note. **27.** Vortrag, 'lecture,' 'speech.' Historiker und Staatsrechtler, 'professor of history and constitutional law'; the termination -ler (formed with the diminutive suffix -el) often has a derogatory sense, but it is also used, as in this case, as a convenient means of forming a noun of agency from another noun without the intervention of a verb. **29.** die schönen Wissenschaften, 'belles-lettres.'

157. **1.** Vernehmen, or Einvernehmen, 'agreement'; transl. 'not on the best footing.' Gellerten; cf. 32. 14, note and 59. 11, note. Gellert was professor of poetry and oratory. **4.** Zuhörer, 'student,' lit. 'auditor,' as most of the instruction in such branches in the German universities is given by lectures; cf. 158. 10. **20.** Kollegium or Kolleg, n., plur. Kollegien, 'a course of lectures.' **26.** ausbilden, 'picture,' rather unusual for ausmalen, vorstellen.

158. **8** sq. da — denn, 'accordingly.' **9.** Institutionen, 'Institutions,' i.e. the Elements of Roman Law; this title was given to several briefer codifications of Roman Law, notably the *Institutionum libri IV* of Justinian. **10.** hören; cf. 157. 4, note. **12.** Stockhausen was the author of a *Kritischer Entwurf einer auserlesenen Bibliothek für die Liebhaber der Philosophie und schönen Wissenschaften*, which Gellert made the basis of his lectures. **12** sq. Praktikum, as distinguished from a course of lectures, is a course of practical exercises in which the students do systematic work which is criticised by the instructor. **23.** Famulus, plur. Famuli, 'amanuensis,' is the name used in German universities for a student-assistant of a professor.

159. **6.** vereinzelen, 'individualize,' 'analyze.' For the whole passage, cf. the words of Mephistopheles to the young student in *Faust*, ll. 1910 sqq.:

> Mein teurer Freund, ich rat' euch drum
> Zuerst Collegium Logicum.
> Da wird der Geist euch wohl dressiert,
> In spanische Stiefeln eingeschnürt,
> Daß er bedächtiger so fortan
> Hinschleiche die Gedankenbahn,
> Und nicht etwa, die Kreuz und Quer,
> Irrlichteliere hin und her.
> Dann lehret man euch manchen Tag,
> Daß, was ihr sonst auf Einen Schlag
> Getrieben, wie Essen und Trinken frei,
> Eins! Zwei! Drei! Dazu nötig sei.

8. Ding, here a philosophical term; das Ding an sich, 'entity,' '*ens*,' as distinguished from its outward manifestations. **9.** der Lehrer, viz. Professor Winckler, mentioned below. **10** sq. es hapert, 'there is a hitch'; the es is indefinite and does not refer to Ding. **11. in ziemlicher Folge,** 'quite regularly.' **13. Thomasplan,** the open space around St. Thomas' Church. **um die Stunde,** viz. the hour of the lecture. **14. Kräpfel,** or Pfannkuchen, a species of 'fritters' or 'crullers' sold especially before and during Lent. **16. Hefte,** here 'note-books'; cf. 13. 9, note. **locker,** lit. 'loose'; 'disconnected,' 'full of gaps.' **22. Nachschreiben,** 'taking notes.' For the whole passage, cf. *Faust*, ll. 1958 sqq.:

> Habt euch vorher wohl präpariert,
> Paragraphos wohl einstudiert,
> Damit ihr nachher besser seht,
> Daß er nichts sagt, als was im Buche steht;
> Doch euch des Schreibens ja befleißt,
> Als diktiert' euch der Heilig' Geist!

28. Schulen is used here to denote the lower schools as distinguished from the universities. Goethe means to say that instead of teaching boys languages and other things of similar fundamental importance, time and strength are often wasted on 'so-called realities'; cf. 30. 24, note. **29. ergeben,** 'reveal.' **30. Begründung,** 'grounding'; cf. 37. 2, note.

160. **1. Vorkenntnisse,** 'preparatory studies' of fundamental things. **2. abbrechen,** 'take away from.' **10. gute Köpfe**; cf. the English 'he *is* a genius' by the side of 'he *has* genius.' Such use of the *pars pro toto* figure (synecdoche) is very common in German; thus: er ist ein guter Kopf, eine edle Natur, ein großer Geist, ein schroffer Charakter, etc. **dem Zeitalter voreilen,** 'are in advance of the time'; theories are anticipated and presented before they are fully worked out and established. **24. ins Gleiche bringen,** 'set right'; cf. 15. 28, note. **25. mehreres**; cf. 34. 17, note. **26. zurechte legen,** 'put to rights,' 'systematize'; here 'digest.' **27. in mir hervordrang,** 'made itself felt.' **30. Einstand geben,** lit. 'give an admission-fee'; say 'pay for it.'

161. **9 sq. zwei Fliegen mit einer Klappe schlagen,** 'kill two birds with one stone.' **11. noch etwas,** 'something else.' **13. später,** i.e. when he wanted a secretary. **14.** The **Hausgenosse** referred to was a young man, a ward of Rat Goethe, who had been a student, but had become "half-witted through over-exertion and conceit," and who occupied and amused himself chiefly with copying and writing from dictation. See Book IV, Weimar Ed., XXVI, 223. 24 sqq. **18** sq. **Flickwerk**, 'mending.' **23. von Löwenigh**, proper name; cf. 8. 24, note. Aix-la-Chapelle carried on a considerable trade in fine Belgian cloths. **29. Sarsche**, also Sarge, Serge, 'serge.' **Göttinger Zeug**; Göttingen had a reputation for its woolen goods.

162. **2** sq. **allenfalls**, 'at most.' **3. Geselle**, 'journeyman tailor.' **3** sq. **meisterhaft**, used here in a technical sense, 'by a master-tailor.' **13. Akademie**; cf. 38. 3, note. **15. Tressenkleid**, 'laced suit'; a suit embroidered with gold or silver lace. **15** sq. **Aufzug**, 'attire,' 'rig.' **22** sq. **der * * * poetische Dorfjunker**, 'the poetical country-squire,' was the title of Mme. GOTTSCHED's translation of DESTOUCHES' comedy *Le poète campagnard*; cf. 75. 16, note. The rendering of the name of the principal character 'Monsieur de Masures' (Fr. *masure*, f., 'a tumble-down building') by „Herr von Masuren" was particularly happy, because Masuren is an ill-reputed Polish district in Eastern Prussia, and the name is often used humorously as 'Wayback' and 'Podunk' are used in America.

163. **2** sq. **auffallen**, here 'seem'; a rare use of the word. **5. in dem oberdeutschen Dialekt.** The differences between the dialects spoken in different parts of Germany are so great that an uneducated person from the extreme north and another from the extreme south, each speaking only his local dialect, would be practically unable to understand each other. The differences between the dialects of districts less remote from each other are naturally less marked. There are few distinct lines of demarcation between these dialects; as a rule they shade off imperceptibly into one another. By a rough classification they have been divided into Upper German (Oberdeutsch) spoken in the upper or southern country, Middle German (Mitteldeutsch), and Low German (Niederdeutsch or Plattdeutsch), the latter spoken in the low and flat northern country. The differences between the Middle German and Upper German are less marked than those between these two and the Low German, which has a closer affinity to Dutch and English.

Through the influence of Luther's writings, the dialect which he used, the Upper Saxon or 'Misnian' (from the city of Meissen in Saxony) gained great prominence and became the basis of the literary language. This literary language (Schrift-sprache, Schriftdeutsch) may be said to be a compromise between Middle German and Upper German, partaking more of the former, mixed with slight traces of Low German. It gained its prominence only after a long struggle against a strong opposition. In the hands of its extreme advocates, GOTTSCHED, ADELUNG, and others, it became more and more conventional and was in danger of becoming petrified and lifeless. It was necessary that new life should be infused into it by the accession of just such elements as characterized Goethe's speech at this time. This was accomplished by the influence of his own writings, particularly his earliest works, *Götz von Berlichingen* and *Werther*, as well as by the writings of Schiller and other prominent authors. Through their influence the position of the common *Schriftsprache* became definitely established. It is now used as the language of literature, the schools, the church, the government, throughout the country, although the local dialects continue to be used by the lower classes, and even to some extent by the educated, for other purposes. **13.** mit Behagen hervorhob, 'took pleasure in accentuating.' **18.** Gleichnis, 'simile.' **19** sq. bei * * * Tüchtigkeit, 'combining character with good judgment of men.' **21.** derb, 'blunt.' **23.** gehörig, 'appropriate.' **23** sq. mit un'terlaufen, 'slip in.'

164. 5. Hofmeistern, an infinitive used as a noun; 'tutoring.' 8. sich ergeben, 'resign one's self.' **12.** sich zueignen, 'appropriate'; here 'adopt.' **15.** Kernstellen, 'pithy sayings': Kern, 'kernel,' 'heart,' is often used to denote something especially good, or the best of a thing. **16.** treuherzig, 'honest.' **17.** Geiler von Kaisersberg (1445–1510), a prominent preacher at Strassburg, whose sermons were taken down by some of his hearers and were much read; their language was simple but full of life. **19.** Hin- und Herfackeln, 'dilly-dallying.' **26.** da, 'when,' 'while.' **29** sq. sich ausnehmen, 'look.' **30.** nicht sonderlich, 'not especially [well].'

165. 9. Sinnesförderung, 'intellectual improvement.' 12. Attentionen, for Aufmerksamkeiten; cf. 13. 14, note. 16 sq. umgehen mit, here 'treat.' 23. gesittet, 'well bred.' 24. Lebensart, here 'etiquette.' 29. Trutz = Trotz; 'to spite her.' Unarten, 'bad manners.'

166. 2. Pikett or Piquet, L'Hombre, games of cards. 10. widerstehen, 'be repugnant.' 12. gelten lassen, 'let pass,' 'accept.' 13. allenfalls, 'possibly.' 15. Prose, now always Prosa. 16. sich herausnehmen, 'undertake,' 'presume.' 17. behielt — auswendig, 'remembered.' 20. herunter machen, generally written as a compound, 'criticise.' 21. C. F. Weiße (1726–1804) wrote many plays; the *Poeten nach der Mode* was a satire on Gottsched and his followers.

167. 12. Roman, m. 'novel'; cf. note on Book IV.

BOOK VII.

Book VII is chiefly devoted to an account of the condition of German literature in the middle of the eighteenth century and of Goethe's literary studies at Leipsic. The general drift of the discussion is clear in spite of the omission, in the present edition, of several less important portions of the Book.

168. 3 sq. von vorne herein, 'from its beginnings.' 5. J. G. Schlosser (1739–1799), ten years older than Goethe, since 1762 practicing law in Frankfort; in 1773 he married Goethe's sister Cornelia, who died four years later; he became well known as a critic, essayist, and translator. 6 sq. sich * * * begeben, 'entered upon the usual career as a lawyer.' 8 sq. das Allgemeine suchend, 'seeking the universal,' i.e. interested in philosophy, science, literature, rather than the details of law-cases. 11 sq. Herzog Friedrich Eugen was a general in the service of Frederick the Great, stationed at Treptow in Pomerania. 15. das Ganze, 'the world.' 18. sich Rats erholen; cf. 30. 24, note. 20 sq. *Si j'avais*, etc., 'If I had the misfortune to have been born a prince.' But Goethe made a mistake here; this answer was given by ROUSSEAU in reply to a letter from the duke's brother Ludwig. 26. Reinigkeit, 'purity'; now generally Reinheit.

169. 9. abtreten, 'put up'; absteigen is now generally used. 10. der Brühl, lit. 'Marsh,' one of the principal streets in

Leipsic; the house is now No. 19. **14.** Messenzeits, 'during fair-time'; now obsolete. **20.** zusammengefaßt, 'compressed.' **21.** stumpf, 'dull,' 'not clear-cut.'

170. **2.** fahrig, 'unsteady.' **3.** die Engländer, 'the English writers.' **5** sq. Versuch was used in the eighteenth century to render the English 'essay'; now Essay, m. or n., is generally used. POPE's *Essay on Man*, published anonymously in 1733, was first translated into German by HOHLFELDT in 1822. **9.** Deismus, 'deism'; the belief of those who acknowledge the existence of God, but deny revelation. **10** sqq. ließ er mir — sehen; modern usage requires the accusative mich. **17.** bedeutend, here 'full of import'; cf. 44. 9, note. **21.** denen = den; the extended forms dessen, deren, denen can now be used only as demonstrative, determinative, or relative pronouns. **24.** schon charakterisierter, 'who was already a public character,' 'who was already well known.' **25** sq. den Aufwand, etc., lit. 'could well bear the expense of the conversation,' 'could well contribute his share to the conversation.' **27.** J. C. Gottsched (1700–1766) had exercised since his appointment to the professorship of poetry in the University of Leipsic in 1734 a very powerful influence on German literature; indeed he played for some time the part of a literary dictator. He regarded the French as the best literature and advised all German writers to imitate French models. He and his followers, the Leipsic School, were opposed by the Swiss School (Bodmer, Breitinger, and others), who advocated the claims of English literature, and later by Lessing. When Goethe was at Leipsic, Gottsched's influence had already greatly declined. **30.** des goldenen Bären; cf. 155. 25, note. B. C. Breitkopf (1719–1794), founder of a publishing house which now, under the name of Breitkopf & Härtel, enjoys a world-wide reputation. Goethe was a frequent guest in the family. In 1770 the firm, then B. C. Breitkopf & Sohn, published *Neue Lieder, in Melodien gesetzt von* BERNHARDT THEODOR BREITKOPF, the text of the songs being by Goethe, though his name was not mentioned.

171. **2.** Assistenz, for Hilfe; cf. 13. 14, note. **12.** riesenhaft; on account of his 'gigantic' stature, the recruiting officers of

Frederick William I. of Prussia had tried to press Gottsched, when he was a student, into military service, so that he was compelled to flee from Prussia into Saxony. **13.** Taft or Taffet, 'taffeta.' Schlafrock, 'dressing-gown.' **17.** Allongeperücke, 'wig with long curls.' **26** sq. Altvater, 'patriarch [of literature].'

172. 2. Livland, 'Livonia,' one of the Baltic provinces of Russia where German is spoken. **5.** Pendant; cf. 32. 11, note. GELLERT'S *Das Leben der schwedischen Gräfin von G* * * * (1746) is his only novel. **6.** J. F. W. Zachariä (1723–1777), author of songs and comic-heroic poems, among them '*Der Renommist*' ('The Braggard'). His brother whom Goethe mentions as belonging to the table company is otherwise unknown. Cf. 80. 23. **7.** Redakteur; cf. 13. 8, note. **11.** Ziererei, 'affectation.' **17.** Zuthätigkeit, 'affectionate nature.' **20.** gab * * * auf; Goethe had hitherto dined at the house of Hofrat LUDWIG, Professor of Medicine, where he had also met pleasant company. **21.** geschlossene Gesellschaft, an organized society, 'club,' though the word is not be taken in a technical sense; say 'society.' **22.** die Tochter; Anna Katharina Schönkopf, called Annette or Ännchen, was two years older than Goethe. Cf. 180. 7.

173. 3 sq. Gottsched and his followers had given their chief attention to what they considered correct form, but the great mass of literature which they had produced, a regular 'flood,' as Goethe calls it elsewhere (Weimar Ed., XXVII, 64. 1), was devoid of content, of thought; it was wässerig, 'watery,' 'wishy-washy,' weitschweifig, 'prolix,' null, 'void.' **7** sq. alles unter einander, 'all together'; 'all, without distinction, was drawn out into insipidness.' **9.** breit, of style, means 'drawn out,' 'diffuse,' 'wordy.' **10.** Haller; cf. 59. 11, note. **11.** K. W. Ramler (1725–1796), writer of epics, cantatas, and patriotic odes. Cf. 174. 1 sqq. and 175. 18 sqq. gedrängt, of style, 'concise,' the opposite of breit; cf. 8. 21, note. **12.** G. E. Lessing (1729–1781), author and critic, the "Reformer of German Literature," is too prominent a figure in the history of German literature to be characterized by a few remarks within the scope of these Notes. His *Minna von Barnhelm* (cf. 177. 7 sqq.) was written in 1763; *Emilia Galotti* in 1772; *Nathan der Weise* in 1779. See J. SIME, *Lessing. His Life and Writings* (Boston: 1877), or any good History of German Literature. For C. M. Wieland (1733–1813) we must also refer the student to a History of German Literature. *Agathon*, a novel, was published in 1766, *Don Sylvio von Rosalva*, a novel in imitation of *Don Quixote*, in 1764, *Musarion, oder die Philosophie der Grazien* and *Idris*, poems, in 1768. **20.** gefaßt, nearly synonymous with gedrängt; cf. l. 11. **22.** Messiade, 'Messiad,' a poem dealing with the Messiah; cf. the English *Iliad;* of course the title of Klopstock's poem is *Der Messias.* **25.** den Alten, 'the ancients,' 'the classical writers.' In his dramas and prose-writings, Klopstock endeavored to imitate the style of Tacitus. **26.** eng, also nearly synonymous with gedrängt; cf. ll. 11 and 20. **27.** H. Gerstenberg (1737–1823), author of Anacreontic lyrics and the drama *Ugolino* (1768). **28.** bizarr, 'bizarre,' 'fantastic,' 'grotesque,' 'eccentric.' Talent; cf. 160. 10, note. nimmt sich zusammen, lit. 'pulls himself together,' i.e. his style is gedrängt. Notice the many synonyms for this expression. **30.** Gleim; cf. 48. 12, note and 175. 11 sqq.

174. **1.** Ramler (cf. 173. 11, note) edited two anthologies, *Lyrische Blumenlese* (1774) and *Fabellese* (1783–90). **5.** redigieren; cf. 13. 8. **12.** Rhythmik, 'the art (or 'science') of rhythm'; 'metrical art.' **14.** poetische Prosa, the style which employs poetic words, figures of speech, and other material of poetry, without attempt at metrical regularity. **15.** S. Geßner (1730–1787), a Swiss poet, wrote *Idyllen* in 'poetic prose'; Klopstock wrote dramas in the same style. **16.** andere, e.g. Gleim, who versified Klopstock's *Tod Adams* and Lessing's *Philotas.* **17.** faßlich, 'intelligible.' **18** sq. es jem. zu Dank machen, 'give satisfaction to some one'; cf. 32. 10, note. **25.** Lebensgehalt, lit. 'life-content'; say 'vital element.' **29.** Das Menschlich-Erste, 'that which is human and of prime importance to mankind'; a boldly coined expression.

175. **1.** Hirten; kings are the 'shepherds' of their people. **4.** der Letzte = der Niedrigste, 'the lowest.' **9.** Epopöe, 'epopee' or 'epopœia,' here, as appears from the context, used in the sense of a 'national work of literature'; it may have the form of an 'epic' or 'epopee,' in the common sense of the term, or that of a drama or a novel, or any other form; the national character is the essential. **11.** Kriegslieder; cf. 48. 12, note. **29.** Kunststück, 'artifice'; Kunstwerk, 'work of art.' **30.** Gegenstand, 'subject.'

176. **3.** entgegenbringen, 'present.' **9** sq. bauten — sich — heran, 'built themselves up,' 'elevated themselves'; the idea referred to was the very foundation of their work. **10** sqq. It is well known that Frederick the Great, having been nurtured in the love of French literature, was entirely unable to understand and appreciate the literature of his own country. **15.** Finanzanstalten, 'financial institutions'; Frederick adhered to a very high protective tariff and the French system of internal revenue. **20.** Litterarwesen, 'literature.' **20** sq. um sich — bemerken zu machen, 'to cause one's self to be noticed'; an unusual construction, which is not now allowable. **25** sq. dieses deutsche Rechte, not 'this German right' (which would be expressed by dieses deutsche Recht), but 'this thing which was German and right [in and for Germany].' **28** sqq. Goethe excuses Frederick on the ground that when the latter learned to appreciate literature, there was nothing in German literature to appreciate; when Germany began to produce good literary works, Frederick's tastes were already formed and he was too old to appreciate things so different from those to which he had been accustomed.

177. **1.** Handwerks- und Fabriksachen, 'matters pertaining to manufactures and industries'; Frederick's prohibitive tariff compelled the people to content themselves with poor home-made articles, often poor substitutes for the genuine things; but Goethe suggests that this was a comparatively easy matter, easier than to impose upon them an inferior literature. **7.** Ausgeburt, 'product,' now generally used in a derogatory sense. **11.** Theaterproduktion, ordinarily 'presentation on the stage'; here 'dramatic work'; 'the first taken from the important events of life.' temporär, here not 'temporary' in a derogatory sense; rather 'timely.' **14.** im Gegensatz von; we now say im Gegensatz zu. **20.** In 1760, LESSING became secretary General von Tauentzien, then governor of Silesia, with headquarters at Breslau. In this position he led a somewhat irregular life. **23** sq. eine höhere bedeutendere Welt, viz. great political events, as opposed to domestic affairs and literary jealousies and feuds which the poets had hitherto treated. **27.** gehässig, 'hostile.'

178. **4.** sollte, 'was to.' Lessing, however, certainly did not write the 'aforesaid drama' for that purpose. **8.** Subalternen, 'subordinate characters.' **18.** sich abfinden, 'settle,' 'come to terms.' **19.** gelten machen, 'insist on,' 'enforce'; nowadays the present participle is used instead of the infinitive in this phrase: geltend machen. **23.** möglichst, 'as well as possible.' überliefern, 'relate.'

179. **5.** das Bedeutende, 'importance'; cf. 8. 21, note. Similarly das Concise; cf. also 173. 1 sqq. and 13. 14, note. **8.** Beschränktheit meines Zustandes, 'narrowness of my sphere'; where was a young student like Goethe to find material such as Lessing had found in the stirring scenes of the Seven Years' War? His teachers were reserved and did not encourage him; cultivated persons who might have aided him were inaccessible; he had seen no inspiring natural scenery. **14.** wahre Unterlage, 'basis of truth.' **17** sq. In other words, the poet must present what he himself had seen, heard, felt. **24** sqq. This paragraph is of the highest importance and interest, inasmuch as it shows the method which Goethe followed in all his work, and indicates clearly the method we must pursue in trying to understand his work. **28.** abschließen, 'settle.'

180. **5.** Cf. *Vorwort*, 2. 1 sqq. and note. **7.** ü'bergetragen; in the figurative sense of 'transfer' the inseparable compound übertra'gen is now used. **16** sqq. und * * * verdiente; the logical connection with what precedes is somewhat obscure; und hardly seems the right conjunction. **23.** Zachariä; cf. 172. 6, note. Herzog Michel, a one-act comedy by J. C. Krüger, published in 1763, then very popular. Michel, a poor peasant, plans what he will do with the proceeds from a nightingale which he has caught, and builds air-castles. **28.** auf die Dauer, 'in the long run.' **29.** Sucht, viz. Eifersucht, 'jealousy'; cf. the popular saying, said to have originated with the theologian F. E. D. SCHLEIERMACHER (1768-1834): „Eifersucht ist eine Leidenschaft, die mit Eifer sucht, was Leiden schafft."

181. 4 sq. hierüber ins klare zu kommen, 'to arrive at a clear understanding in regard to these matters' (viz. the foundations of poetry). **6.** kneipen, 'pinch,' used humorously for kümmern, 'trouble.' **17.** Es gab; cf. 60. 14, note. **26** sq. Annette afterwards became engaged to a young lawyer, Dr. Kanne, whom Goethe had himself introduced into the family. **29** sq. in — stürmte, 'assaulted.'

182. 7. Intervallen = Zwischenzeiten, between his fits of jealousy; cf. 13. 14, note. **11** sq. eines andern Paares, viz. his friend Horn and Constanze Breitkopf. **18.** dessen, of course, refers to Stück. **21.** ansprechen, 'appeal to,' 'attract.' **23.** Irrgänge, 'labyrinths.' **24.** die bürgerliche Sozietät (for Gesellschaft), 'society in the cities'; cf. 54. 1, note. **25.** Stand, 'rank.' **30** sq. übertünchen, 'whitewash'; cf. übertünchte Gräber, 'whited sepulchres' (Matth. xxiii. 27); transl. 'covers, with a thin coat, many a rotten wall.'

183. 7. Hausdiebstahl, 'theft committed by a member of the household.' **14.** mochte; cf. 55. 19, note. **15.** vertuschen; cf. 47. 21, note. **21.** Expositionen, 'plots.' In the strictly technical language of the drama, however, Exposition means a statement of the events which lead up to the action of the play. **22.** ängstlich, generally 'anxious,' here used actively, 'causing anxiety' or 'pain.' **24** sq. Die Mitschuldigen, *The Fellow-Culprits*, was presented on the Weimar stage in 1805, and occasionally afterwards. Like *The Lover's Caprice*, it is written in Alexandrines and otherwise conforms to French standards.

184. 3. Nachahmungen, especially a prose version with considerable modifications by J. F. E. ALBRECHT under the title of *Alle strafbar* (1795), which was well received. **9.** bei moralischer Zurechnung, 'in judging of one's morals.' **10.** jenes höchst christliche Wort; viz. John viii. 7. **12.** The rest of Book VII contains miscellaneous reminiscences of Goethe's life in Leipsic, among them some relating to a jolly and somewhat unprincipled friend by the name of Behrisch, in whose company Goethe played a number of wild pranks.

BOOK VIII.

Book VIII covers the remainder of Goethe's stay at Leipsic, his return to Frankfort in September 1768, and his stay there until April 1770. While at Leipsic he placed himself under the instruction of Oeser (cf. 208. 24, note) and devoted much time to drawing and etching. He also made a journey to Dresden, where he saw for the first time original paintings by great masters.

15. schleichend, 'slow,' 'lazy.' **17.** Auerstädter Unfall; on the way from Frankfort to Leipsic, the coach stuck fast in the mud near Auerstädt in Thuringia, and in helping to pull it out, Goethe had strained the muscles of his chest. **21.** Merseburg, a small town not far from Leipsic. **22.** trist, Fr. *triste*, = traurig, melancholisch.

185. **5.** Epoche, etc., the epoch when cold bathing was the fad. **9.** in Gefolg; now infolge. **10.** Rousseau's 'suggestions' were to return to a simple, more natural life; cf. 78. 15, note. **14.** empfanden mehrere, etc., 'several persons experienced to be the worst thing [they could do].' **15.** verhetzen, 'excite, 'upset.' **21.** His neighbor was the theological student mentioned 155. 30 sqq. **25.** Eruption, viz. the hemorrhage. **26.** Geschwulst, now feminine, as in 192. 16.

186. 3 sq. als * * * gekannt, 'than I had known [in me] for a long time'; the use of the ethical dative in this expression is analogous to that after erwarten in 135. 13; the negative was formerly often used after a comparative, as in French to this day. **12.** Widersinn, 'contrariness.' **21.** wenn unser Seelenconcent, etc. (Lat. *concentus*, 'blending of sounds'), 'when the harmony of our souls is attuned most spiritually.' **23.** Weltwesen, 'affairs of the world.' **24.** ingeheim, now insgeheim or im geheimen, 'secretly'; cf. 194. 8. **27.** E. T. Langer (1743–1820), one of Goethe's friends with whom he used to take long walks and discuss literary and philosophical questions; he afterwards became Lessing's successor as librarian at Wolfenbüttel. The school of Aristotle was called the 'peripatetic,' because he taught his disciples while walking up and down in the Lyceum at Athens.

187. 2. Stadtsoldaten, 'policemen.' 3. Thätlichkeiten, 'violence.' 7 sq. Formerly those connected with a university really constituted, legally speaking, a community by themselves, with a separate court, police officers, etc., hence the expression akademische Bürger, which is retained even now after its old significance has disappeared. 12. Fenster einwerfen, 'break windows' by throwing stones. 30. Goethe left Leipsic on his birthday, August 28, 1768.

188. 1. Hauderer, 'hackney-coachman'; he did not take the regular public stage. 4. bedenklicherweise, 'anxiously.' 21. vorläufig, here 'previously'; now generally 'for the present,' 'provisionally.' 28. sich * * * umzuthun, 'to look about a little outside.' 30. wobei, 'in addition to which.'

189. 15. ganz und gar, alliterative collocation of synonyms, stronger than gar. 18 sq. nichts * * * drunter, 'neither more nor less.'

190. 1. lassen = stehen, 'become.' 4 sq. Rotwelsch, the slang of beggars and thieves, 'gibberish.' 17. expedieren = beeilen. 23. bald besorgt, 'easily cared for'; besorgt is often used in the sense of 'anxious,' 'troubled.' 25 sq. das nächste, viz. Interesse. 'her nearest interest she found in religion.' 29. Susanna Katharina von Klettenberg (1723–1774); member of a sisterhood at Frankfort. Her life and character are reflected in Book VI of *Wilhelm Meisters Lehrjahre* under the title of *Bekenntnisse einer schönen Seele.*

191. 6. Herrnhutisch; cf. 42. 13, note. 14. religios, now generally religiös. 15 sqq. die * * * kamen, a somewhat obscure passage; Goethe probably means 'the religious sentiments, which she gracefully, and even with genius, regarded as partly natural and partly supernatural.' 28. in Absicht auf; cf. 37. 27, note.

192. 3. unbewunden, 'frankly'; unumwunden is now used in this sense. 7. im Rest stehen, 'be behind [with his dues].' 18. zeitigen, 'let mature.' 22 sq. Höllenstein, *lapis infernalis,* 'caustic stone' (nitrate of silver). **25** sq. die abgesonderten Frommen; cf. 42. 11 sqq. **29.** hektisch = schwindsüchtig, 'hectic,' 'consumptive.'

193. **3.** abstrus; cf. 90. 30 sq., note. **10.** eigene, 'private'; only licensed apothecaries had a legal right to dispense medicines. **14.** den Gläubigen, 'those believing,' 'the initiated.' **19.** Empfänglichkeit, 'receptiveness.' **25.** überliefern, 'communicate.'

194. **6.** sich zu eigen machen, 'acquire.' **8.** G. von Welling's *Opus mago-cabbalisticum et philosophicum*, first published in 1735, was republished in Frankfort in 1769. **24.** gebaren, now generally reflexive, 'conduct one's self.' **26.** Gedachtes Werk; cf. 178. 4, note. **29.** Theophrastus Paracelsus (1493–1541), the famous Swiss physician and alchemist. His collected works first appeared at Basle in 1589 in ten volumes. **30.** Basilius Valentinus, a pupil and follower of Paracelsus. **30** sq. J. B. van Helmont (1577–1644), a Belgian physician, also a follower of Paracelsus; he regarded diseases as chemical processes and thereupon based his system of cures by chemical means. He is also known as the coiner of the word *gas*.

195. **1.** G. Starkey, an alchemist, who died in 1665. **4** sq. *Aurea Catena Homeri*, the subtitle of a work by HERWERD VON FORSCHENBRUNN, called *Annulus Platonis oder physikalisch-chemische Erklärung der Natur*. **6.** Verknüpfung, 'harmony.' **30.** darf has here its original meaning, now very rare, of 'need.'

196. **6.** Windofen, 'furnace.' Kolben, m. 'alembic.' **8.** Wellingisch; cf. 194. 8, note. **17.** Mittelsalz, containing neither acid nor alkali. **23.** Sandbad; the glass retort is placed in a metal case filled with sand, which is then heated from below; the retort is thus heated more gradually and evenly. **26.** abrauchen, 'evaporate.' **27** sq. Makrokosmus, 'macrocosm,' the great world, outside of man. **28.** Mikrokosmus, 'microcosm,' man, who is supposed to unite in him all the elements of the macrocosm on a small scale. Terms used in the scholastic philosophy of the middle-ages. Cf. *Faust*, ll. 430 sqq.

197. **7.** aufführen, 'arrange,' 'classify'; transl. 'chemistry has been treated (or 'studied') more systematically.' **9.** Adept, 'adept,' i.e. 'one who has acquired [the art],' 'initiated,' a favorite term with the alchemists. **12.** H. Boerhave (1668–1738), a Dutch physician and chemist; his *Elementa Chemiae* (Paris: 1724) put an end to the delusions of alchemy. His *Aphorismi de cognoscendis et curandis morbis in usum doctrinae medicae* first appeared at Leyden in 1709.

198. **6.** gefaßt, here 'restrained,' 'regulated.'

BOOK IX.

Book IX treats of Goethe's arrival in Strassburg, April, 1770, and his studies, occupations, and acquaintances there.

199. **2.** Recidiv, n. = Rückfall, 'relapse.' **10.** Akademien; cf. 38. 3, note. **23.** in diesem Sinne, 'in this manner,' 'on this plan'; a somewhat unusual expression. **24.** frei; cf. 30. 2, note. **28** sq. diese Kommunikation, etc., 'this free communication from top to bottom.' **30.** Partie; cf. 105. 22, note.

200. **3.** ängstlich; cf. 183. 22, note. **9.** heraussetzen, 'expose,' 'point out,' a rare expression; auseinandersetzen, 'explain,' is the common term. **10.** verlegen, 'move.' **12.** schnörkelhaft, cf. 21. 3, note; also 208. 24. note. **13.** chinesische Tapeten; cf. 66. 15, note. **14.** Es gab; cf. 60. 14, note. **15.** tuschen; cf. 47. 21, note. ausgleichen, 'adjust' (a quarrel). **17.** Diligence, 'fast stage,' pronounced as in French. **19.** im Wirtshaus zum Geist, 'at the Ghost Tavern' on the bank of the river Ill; zu is often used before names of houses and inns, e.g. „der Goldene Löwe" or „zum Goldenen Löwen." Geist here means 'the Holy Ghost'; in Roman Catholic countries inns frequently have such names. **21.** das Münster, 'Minster,' 'Cathedral,' one of the most famous specimens of Gothic architecture in Europe. It was begun in 1015, but it was not remarkable as a work of art till the architect ERWIN VON STEINBACH in 1277 planned and began building the façade and the two towers. The former and one of the two towers were completed in 1439, the other has remained unfinished to this day. **22** sq. eine ganze Strecke her, 'for quite a distance.'

201. **3.** Plattform, viz. on the unfinished tower. **4.** wohnen und hausen, collocation of synonyms. 7. durchflechten, 'interweave.' 14. Wiesenwuchs, a sort of collective for Wiesen, 'meadow-lands.' 22. Meierhof, 'farm.' 23. unübersehlich, 'unbounded'; lit. 'of which the end cannot be seen.' 25. anbauen, 'cultivate.' 29. Anblick; in connection with the following in, Blick or Ausblick would sound more natural.

202. 1. Ahnungsvolle; cf. 11. 25 sq., note. 2. Tafel, 'tablet.' 8. herausheben, 'render prominent'; less common than hervorheben. 16. Sommerseite, 'sunny side.' 22. Pension (pronounce the first syllable as in French), 'boarding-house.' 24. pensioniert, 'pensioned,' 'retired.' Ludwigsritter, 'knight of the order of St. Louis.' 27. Deputat', n. 'allowance.' 29. The title 'Doctor' is probably a mistake; Salzmann was clerk of the Surrogate Court.

203. 3. knapp, 'trim.' 4. in Schuh und Strümpfen, i.e. he never wore boots, but was always 'in full dress.' In a few common formulas, two co-ordinate words are regarded almost like a compound and the ending of the second serves for both. 9. Streifschauer, 'passing showers.' 13. promovieren, 'graduate'; cf. 35. 24, note. 15. Kollegia; cf. 157. 20, note. 17 sq. es sich — verhalte, 'matters were.' 20 sq. dem * * * gemäß, 'in accordance with their relations toward France.' Strassburg had been annexed to France in 1681. 22. eingeleitet, 'introduced,' 'instituted.' welche, etc., 'who like to stick to that which is given,' i.e. to things as they are, without troubling themselves about their origin or their probable future development. 24. Vorkenntnisse, 'knowledge of the preliminaries' (or 'rudiments'). 25. beibringen, 'impart.' sich fassen, 'express one's self.' 28. Repetent, 'tutor,' 'coach,' who prepares students for the examinations.

204. 2. Schwadronieren, 'big talk.' 5. Rechtserfordernisse, 'principles of law.' 16 sq. Umhervagieren, 'rambling.' 22 sq. wird * * * gesucht, lit. 'the matter (i.e. what is wanted) is by no means sought in the distance,' i.e. the examiners will confine themselves to that which is near at hand, to matters of fact; transl. 'nobody need go far out of his way.' The difference between the training given at a German university and that given at Strassburg was that the former was more theoretical and scientific, the latter more practical; the former was intended to produce learned jurists, the latter only practicing lawyers.

205. **6.** findet sich, 'will come of itself.' **8.** Hefte; cf. 159. 16, note. **10.** Goethe tells in Book IV how already as a small boy he had studied HOPPE'S *Small Catechism of Law.* **12.** supplieren = ergänzen. **17.** Positives, 'positive,' that which *is*, as distinguished from the manner in which it came to be. **17** sq. wo nicht; cf. 26. 27, note. **18.** verständig, 'reasonably.' **25.** Metier; cf. 36. 18, note. **26.** To this day the medical students in the German universities are accused by students in other departments of being too fond of Fachsimpelei, a student-slang term for 'talking shop.'

206. **9.** Pension; cf. 202. 22, note and 172. 20, note. **10** sq. Lustpartien; cf. 105. 22, note. **11.** kam — zur Sprache, 'was talked about.' **12.** Kumpan', used familiarly for Gefährte, Geselle. **16** sq. in Absicht; cf. 37. 27, note. **17** sq. Frequenz, 'attendance,' 'number.' **22.** [Vorlesungen] besuchen, 'attend [lectures]'; say 'I took chemistry with L.,' etc. **25.** Sozietät; cf. 55. 16, note. Vorkenntnisse; cf. 203. 24, note. **26.** Überkenntnisse, 'knowledge surpassing [what might be expected],' 'knowledge reaching over into other departments,' 'miscellaneous information.'

207. **2** sq. Marie Antoinette had been married at Vienna by proxy on April 19, 1770, to the Dauphin, later King Louis XVI. of France. **7.** häufig, now only 'frequently,' 'many times'; here 'numerously'; transl. 'many preparations were diligently made for,' etc. **10.** Rheininsel; the Rhine then formed the border between Germany and France. **21.** wirken, in a technical sense, 'weave.' **22.** ausschlagen, 'line,' 'cover.' **24.** Teppich, here 'tapestry'; now generally 'rug,' 'carpet.' 'Raphael's Cartoons,' for tapestries designed for the Sistine Chapel represent scenes from the lives of the Apostles.

208. **4.** Hautelissen, Fr. *haute-lisse*, a species of large tapestry. **16** sqq. Und damit, etc. The scene was 'horrible and atrocious,' but not lacking by any means in the 'absurd';

the absurdity consisted in the fact that only the tail of the magic bull was visible, the rest of the beast being hidden behind the drapery of the throne. **24.** Oesers Schule; A. F. OESER (1717–1799) had been since 1764 director of the Academy of Fine Arts at Leipsic. Goethe had taken drawing-lessons from him and had received from him many valuable ideas on art. Oeser was a classicist in art; he strove after simplicity and appropriateness and hence was an enemy of the rococo style. Cf. 200. 12 sq. **29.** Verwahrer, 'keeper.'

209. **11.** Tapezierer, synonymous with Dekorateur; now the business of a Tapezierer comprises upholstering and paperhanging. **14.** Ist es doch, etc., 'Surely it seems as if,' etc. **20.** setzen; cf. 48. 3, note. **21.** Sache, 'concern'; here 'way.' **24.** Population = Bevölkerung; see 13. 14, note. **25.** wie sie auch, 'however [numerously] they might flock thither.' **28.** Marie Antoinette was not yet fifteen years old.

210. **9.** sich verlaufen, here 'disperse'; often 'lose one's way.' **25.** Schreckenspost, 'terrible news.' **28.** Unzahl, 'enormous number'; rumor mentioned five hundred.

211. **5.** Außenbleiben, 'remaining absent,' 'disappearance.' **16.** im Gleichgewicht, lit. 'in equilibrium'; transl. 'which often upset me.'

212. **2.** eine Elle ins Gevierte, 'a cubit square.' **3.** ohne * * * können, 'without any particular thing to hold one's self by.' **7.** Montgolfiere; the brothers E. and J. MONTGOLFIER invented the air-balloon, hence Fr. *montgolfière*, 'a balloon'; pronounce in German as in French, but sound the final -e. **14.** eben belongs to muß; 'one just must.' **20.** Klinikum, 'clinique,' 'clinical lectures.' **21.** Entbindungskunst, 'obstetrics.' **23.** Apprehension = Furcht; cf. 13. 14, note; we should expect vor instead of gegen. **30.** The comma after Finsternis is retained contrary to the punctuation of the Weimar edition; it is clear that der Finsternis is co-ordinate with the other genitives and does not govern them.

BOOK X.

Book X continues the account of Goethe's residence in Strassburg, until the beginning of his acquaintance with Friedrike Brion.

213. 10. was; modern usage requires welches or das. 13. J. G. Herder occupies such an important position in German literature that it cannot be properly characterized within the space of a brief note. Comment will therefore be limited to such special matters as are mentioned in Goethe's account.— The fourteen-year-old son of the Prince-Bishop of Holstein-Eutin was inclined to melancholy. 25. Locke, here 'queue.'

214. 3. galant, here = elegant. 11. Mitteilung, here = Gespräch. 11 sq. sich — finden ließ = war. 19. adrett = gewandt; of manners, it denotes easy and natural observance of etiquette, a combination of ease and ceremoniousness. 20. bedeutend, 'expressive'; cf. 44. 9, note. 21. aufgeworfen, 'turned up,' 'full.' 29. zutraulich, 'confiding.'

215. 6. Hausfreund; cf. 59. 23, note. 7. Staatskalender, a political almanac, giving dates and statistics, like the well-known *Almanach de Gotha*. 18. Widersprechungsgeist, now more commonly Widerspruchsgeist. 25. Thränensäckchen, 'lachrymal sack.'

216. 2. da denn, 'whereupon'; cf. 7. 23, note. 3. Thränenpunkt, 'lachrymal point.' 12. Lobstein; cf. 206. 23. 12 sq. jene Übungen, etc.; cf. 212. 16 sqq. 25. behaglich, here = gemütlich; cf. 47. 12, note. 27. Riga, a city in Livonia (cf. 172. 2, note), where Herder had taught and preached from 1764–1769. 30. allerliebst einnehmend, 'delightfully amiable.'

217. 6 sqq. schrieb sich — her, 'must be ascribed to.' 14. in solcher Maße, 'accordingly'; Maße, f., is now used only in certain formulas like dermaßen, folgendermaßen, etc.; otherwise Maß, n., is used. 16. auch wohl, 'occasionally even.' 22. Er hatte, etc.; cf. the Fr. *il avait cinq ans*, etc. Modern usage would require er war fünf Jahre älter. 26. Superiorität = Übermacht, Macht, Gewalt. 30. verziehen, 'educate badly,' 'spoil.'

218. 2. sich anstellen, 'behave one's self,' 'do.' 8. bedeutend, 'full of import'; cf. 44. 9, note. 10. eine, here = irgend eine. 12. abgezirkelt, 'circumscribed'; say 'stereotyped.' 23. Fragmente, etc. In 1767 Herder had published his *Fragmente zur deutschen Litteratur* and in 1769 his *Kritische Wälder*, collections of short essays, by which he continued the work of Lessing in trying to establish the principles on which the new German literature was to rest.

219. 2. R. Lowth (1710–1787), since 1741 professor of poetry at Oxford, published *Prælectiones de sacra poesi Hebræorum* (London: 1753), the first attempt at applying literary criticism to the Hebrew Scriptures. Volkspoesie, 'folk-poetry' in general. 3. Überlieferungen im Elsaß, the Alsatian songs, such as had been 'handed down [from former generations].' 4. die ältesten Urkunden, etc., 'the oldest records [regarded] as poetry,' not as history or divine revelation. 5 sqq. This doctrine as taught by Herder and later illustrated by him in his *Stimmen der Völker in Liedern* (1778) caused a widespread interest in folk-poetry. 12 sq. gelang mir, etc., 'I often succeeded in doing two or three times as much [as I should otherwise have done].' 19. komplettieren = vervollständigen. 25. J. G. Hamann (1730–1788) anticipated many of the ideas which afterwards influenced German writers, but his own writings were such a mixture of reason and unreason, of clearness and confusion, and he clothed his thought in such mystical and oracular language, that, while he earned the title of the Magus des Nordens, 'the wizard of the North,' he was understood by few and was able to exercise but little direct influence. 27. Hang und Gang, 'trend and tendency.' 30. sibyllisch, 'Sibylline,' 'oracular.'

220. 7. nachbringen, 'add'; generally nachtragen. 22. Gutachten, etc. At the beginning of Book IX, Goethe had quoted the opinion of the well-known philologist C. G. HEYNE (1729–1812), that the study of Ovid is a valuable aid in training the imagination of youth. 24. sollte nicht gelten, 'was not to be allowed,' 'was denied.' 26. hier, i.e. in diesen Gedichten. 29. manierirt, 'full of mannerisms,' 'unnatural.'

221. 5. gut halten, here 'grant,' 'admit.' 8. Mißrede, 'stricture,' 'disparaging criticism.' 10. Cf. PLUTARCH'S maxim:

"*Audacter calumniare, semper aliquid haeret.*" **16.** **wollten,** 'were about to.' **16** sq. Götz von Berlichingen "with the iron hand," a German knight of the sixteenth century, one of the last representatives of the chivalry of the middle ages, then decadent, the hero of Goethe's first published drama (1773). **17.** Faust. The legend of Doctor Johann Faust is too well known to require comment. As has been pointed out before, according to Goethe's account he became acquainted with this subject through the puppet-play and not through the older *Volksbuch;* cf. 41. 27, note. From this time on for about sixty years it engaged the poet's attention, for the second Part of his *Faust* was completed only a short time before his death. **20.** bedeutend; cf. 218. 8, note.

222. **1** sq. ob ich, etc. Goethe wrote from Strassburg to Frl. von Klettenberg that chemistry was still his love. **4.** die Mitschuldigen; cf. 183. 24 sq., note. **24** sq. GOLDSMITH'S *Vicar of Wakefield*, published in 1766, was translated into German the following year. The following pages contain numerous allusions to characters and incidents in this book that are too well known to require explanation. **25.** fürtrefflich, now vortrefflich; cf. 117. 28, note.

223. **2.** Melchisedech, etc.; cf. Gen. xiv. 18. **6.** geknüpft, 'attached.' **21.** gleich, 'equable.' **24** sq. Beschränktheit, 'limitation.'

224. **6.** Fabel, the 'story,' as distinct from the presentation of characters. **15.** Frömmelei, 'cant.' Pedantismus, 'pedantry'; now Pedanterie. **16.** der hohe Sinn, 'that elevation of mind.' **17.** Ironie, here not in its ordinary restricted sense, but in that of 'humor.' **18** sq. entgegenkommen, 'appear.' **19.** Doktor Goldsmith; Goldsmith is said to have obtained the degree of Doctor of Medicine at Padua. **26.** des bürgerlichen Behagens, 'of middle-class comfort'; for bürgerlich here and in l. 29, cf. 54. 1, note. **28** sqq. greift — mit ein, 'participates in.' **30.** reich, 'full,' refers to Leben rather than to Woge. **bewegt,** 'agitated.'

225. **15.** fingiert = erdichtet, 'fictitious'; cf. p. x, note. **20.** **einsprechen,** now more commonly **vorsprechen,** '**drop in,**' '**call.**'

24. nahe bei, etc., viz. in Sesenheim. Drusenheim is 15 miles northeast of Strassburg, Sesenheim about three miles further northeast. **26.** Pfarre, 'parish,' 'living.'

226. **1.** abzumüßigenden, 'that were to be (or 'could be') gained for leisure'; transl. 'all leisure hours.' **3.** Partie; cf. 105. 22, note. **10.** bedeutend, here 'of consequence,' 'prominent.' **12.** Gehalt, lit. 'content'; transl. 'their inner human worth.' **17** sq. im Fall, 'in a position.' **20.** Philemon und Baucis, an aged couple in Phrygia, who entertained Jupiter and Mercury after they had been refused shelter elsewhere; cf. Ovid, Metam. VIII, 621 sqq. Goethe was fond of this story, and gave the names of Philemon and Baucis to the aged couple in *Faust* II, Act 5. **20.** The adventure of Henry IV. of France among his peasants was dramatized by COLLÉ (1709–1783) in *La partie de chasse d'Henri IV* (1774), which was translated into German and transformed into a popular opera.

227. **2.** von Jugend auf, etc.; cf. 12. 9 sq. **8.** zugestutzt, 'rigged up.' **9** sqq. besonders wenn ich, etc., a poorly constructed sentence, though the sense is clear enough. **11.** lateinische Reiter, i.e. men more used to Latin books than to horses; cf. Fr. *piquer en latin*, 'ride badly'; cf. also Sonntagsreiter, one who stands behind a counter during the week and on Sunday hires a horse to ride. **18.** frei, 'open.' **23.** irren, transl. 'confuse,' 'trouble'; the clause with daß is the direct object of laß, and the logical subject of irren. **28.** ansprechen, 'appeal to,' 'please.'

228. **6.** den Vater, etc.; JOHANN JACOB BRION, then 53 years old, had been at Sesenheim since 1760. **6** sq. in sich gekehrt; cf. 99. 6, note. **10.** Frauenzimmer; cf. 109. 12, note. **16.** Gemeine, 'parish'; now Gemeinde. den oberen Stellen, 'the higher authorities.' **23.** betreiben, 'push.'

229. **9** sq. die älteste Tochter, Maria Salomea, about as old as Goethe; her younger sister Elisabeth Friedrike was then about eighteen years old. An older daughter, not mentioned here, was married to a neighboring clergyman; and there was, beside the boy Christian, seven years old, a sister, not mentioned here, Jacoba Sophia, in her fifteenth year. **14.** fuhr —

hinaus, 'rushed out.' **17.** bewußte = bekannte, 'known [to them].' **21.** sich wechselsweise, 'each other.'

230. **1.** trugen sich, 'dressed themselves,' 'were dressed.' Though Alsace had been annexed to France a hundred years before, the people spoke German, as they do to this day, and they had up to that time preserved many German customs in spite of efforts made by the French Government to eradicate them. The women of Strassburg gave up the German costume during the wars with Germany following the French revolution. **13.** Stumpfnase, 'turned-up nose.' forschte, say 'peered.' **18.** meine Rolle; it appears later that Weyland had introduced him as a poor theological student. Cf. 236. 9 sqq. **19** sq. zum besten haben, 'deceive,' 'fool.' **21.** jenes Gespräch, viz. the conversation begun by the parents; cf. 229. 16. **22.** Leidenschaft, 'animation.' **23.** Verwandte; Weyland's sister had married a brother of Frau Brion.

231. **10.** hätte — sollen; supply 'as she said.' **28** sq. gäbe es, potential subjunctive; transl. 'where would you find.'

232. **4.** frei, 'easy.' einladend, 'attractive.' **7** sq. ging — an Handen; now an die Hand or zur Hand gehen, 'help'; cf. 259. 26. **14.** zur Sprache kommen; cf. 206. 11, note. **22.** die Ansicht, 'my view,' 'my knowledge.'

233. **1.** Landwein, Fr. *vin ordinaire*, a light home-grown wine. **5.** belieben, here 'approve.' **9.** neben, 'around.' in der Breite, 'in extension.' **17.** denn ich hoffe, etc., a curious and anomalous mixture of direct and indirect discourse. **23.** denen; cf. 170. 21, note. **23** sqq. beibringen; cf. 203. 25, note.

234. **5.** meine Vermutung, viz. that she might love one or another. **8** sq. Es * * * zu, 'it was too pleasant to listen to her'; the impersonal passive construction. **16** sq. that * * * zu gute; cf. 123. 6, note. **30.** durfte, 'had a right,' 'had reason.'

235. **3** sq. verkehrtes Zeug, 'nonsense.' **10.** gelten lassen, 'let pass'; here 'consider natural.' **17.** niederträchtig, 'mean.' **19.** fertig werden; cf. 73. 17, note. **29.** gestopft, 'quilted.'

236. **1.** Taille, Fr. *taille*, 'figure'; pronounce as in French, but sound the final -e. **17.** fixieren, 'eye.'

237. **14.** fuhr, 'flashed.' **16** sq. ländliche Anordnungen, 'rural labors.' **18.** flüchtig, 'slightly.' **22.** Vortrag, here 'proposal'; now obsolete in this sense; Vorschlag is the modern term. **24.** ausreden, 'finish speaking. **36.** Mamsell, from Fr. *mademoiselle*, formerly often used in speaking of young women of the middle class, the present term Fräulein being then reserved for the higher classes. Cf. *Faust*, l. 2607. **27.** Riekchen, abbreviated diminutive of Friedrike. **28** sq. es — zuginge, 'things went on.' **30.** ein armer Schlucker, 'a poor devil.'

238. **1.** sich insinuieren = sich einschmeicheln, 'ingratiate one's self.' **7.** schmuck, 'good-looking.' sich in die Brust werfen, 'throw back one's shoulders,' 'draw one's self up.' **9.** Topp, an exclamation expressing agreement; 'all right.' **10.** wacker, 'heartily.' Er, the form of address used in the eighteenth century toward inferiors and in half-contemptuous familiarity. **11.** Mädel, provincial and familiar for Mädchen. sich vergreifen, lit. 'mistake'; transl. 'mistake you for me.' **12.** Meine Haare, etc. In order to conform to the fashion of wearing a queue, Goethe had, on his arrival at Strassburg, allowed his hair to grow. **18.** A person whose eyebrows meet over the nose is called provincially a Rätsel or Räzel; the origin of this expression is obscure. **19** sq. bebändert; cf. 75. 25, note. **20** sq. etwas — ausrichten, 'do some errand.' **24.** Wöchnerin; it appears later that the young mother was his sister. den Kuchen; in some parts of Germany it is the custom among the country people to bake cake when a child is to be christened and send a loaf of it to the wife of the clergyman. **25.** Pfarrin, for Pfarrerin, 'the parson's wife.' **26.** Hoffart muß Not leiden, 'pride must come to grief,' a proverbial saying, the more common form of which is Hoffart kommt vor dem Fall.

239. **2.** Kreditiv, n., 'credentials,' for Beglaubigung. **7.** springen, provincial for eilen, laufen. **14.** Terrain, pronounced as in French, 'lay of the land,' 'nature of the ground.' **17** sq. gegen mir über, now always mir gegenüber. **19.** George; the spelling with final -e is French and indicates that the name is to be pronounced here as in French, as it is by many people in Germany to this day; the common German form of the name is written Georg and is pronounced according to the ordinary rules of German pronunciation. **22.** Kindtaufkuchen, 'christening-cake.' **23.** Guet, Alsatian for gut. elsassisch, now elsässisch. fremd, 'strangely,' i.e. not in my natural dialect.

240. **1.** niemand weder; the use of a double negative was formerly not as rare as it is now. **2.** Herrn = Hausherrn. **3.** aufregen, now 'excite'; here 'arouse' or 'disturb.' **6.** nicht leicht = kaum. **13.** in diesem zweideutigen Falle, probably 'in this doubtful situation,' though the expression is somewhat obscure. **20.** aber; the appearance of the maid interrupted his quiet enjoyment. **21.** geraten = gut geraten, 'turned out well.' **25.** Bärbchen, diminutive abbreviation for Barbara, George's sweetheart; cf. 245. 28, note. **27.** eine saubere Ehe, 'a nice kind of marriage.' **29.** bedeuten, here 'inform'; now a very rare use of the word.

241. **7.** Scharrfuß, 'scrape,' 'bow.' **8.** zusprechen, 'urge.'

242. **6.** vogesischen Gebirge, 'Vosges Mountains.' **13.** zu stören; an allusion to Goethe's later relations to Frederica and his abandonment of her. **26.** garstig, provincial for unartig, 'naughty.' **29.** einigermaßen, 'at all.'

243. **5.** der Schreck ist mir in die Glieder gefahren, a common idiom, 'the fright has shaken all my limbs.' **9.** das Weitere, 'the rest.' **29** sq. eine schöne Geschichte, 'a fine business.'

244. **15.** eines Erschrockenen, viz. Menschen, 'of one frightened'; otherwise we should expect the feminine. **19.** jemandem etwas (here was = etwas) abbitten, 'beg one's pardon for something.' **25.** gezaudert, etc.; past participles are used in place of imperatives to express decided commands. **27.** Pardon, pronounced as in French. **28.** vonnöten haben = nöthig haben, 'be in need of.' **30** sq. sich zufrieden geben; cf. 9. 24, note.

245. **2.** Junge = Bursche, 'fellow.' **19** sq. anführen, 'fool.' **27.** einbilden, 'make believe'; now generally used reflexively, 'imagine.' **28.** Bärbe, abbreviation for Barbara; cf. 240. 25, note. sich überwer'fen, 'quarrel.'

246. **1.** derb, 'robust,' 'healthy.' **12.** Liese, abbreviation of Elisabeth. **14** sq. es kommt darauf an, 'the main point is'; cf. 98. 5 sq., note. **22.** es ist mir recht, 'I have no objection.' **28** sq. Vogelhecke, 'nest full of birds'; a proverbial apology for persons who keep their hats on when they ought not. **29** sq. **verteufelter Spuck**, 'awful rumpus.' **30** sq. **loser Vogel**, 'loose bird,' 'wild bird'; often used in the sense of 'mischievous fellow,' here used for the double meaning.

247. **6.** **Kandidat**, the name given to an older student preparing to take the examinations for a degree. **8.** **umsatteln**, lit. 'change horses'; in student slang, 'change from one course of study to another.' **10.** **die Wochenkanzel — besteigen**, 'conduct week-day services.' **14.** **verhören** = nicht hören. **21.** **gesegnete Mahlzeit**, 'a blessing on your meal'; a salutation used in Germany before and after meals.

248. **3** sq. **aufziehen**, 'tease.' **6.** **dusselig**, more often duselig, 'dizzy,' 'confused'; say 'crazy.' **16.** **Pekesche**, 'laced jacket'; cf. *Hermann und Dorothea* I, 36. **28.** **Die neue Melusine.** This tale was completed in 1807 at Karlsbad and incorporated in Book III of *Wilhelm Meister's Wanderjahre.* Cf. 41. 28, note. **29.** **Der neue Paris**; cf. 53. 16, note.

BOOK XI.

Book XI concludes the account of Goethe's residence in Strassburg.

250. **Motto.** An old German saying found as early as the sixteenth century; the meaning is, of course, that Providence interferes with our most ambitious plans. **4.** **eigen teilnehmend**, 'peculiarly interested.' **6.** **verzaubert**, 'charmed,' in which sense bezaubert is now used; verzaubert now means 'transformed by magic.' **14.** **matt**, 'flat.' **18.** **folgerecht**, 'methodical.' **akademischer Bürger**; cf. 187. 7, note. **23.** **sich übernehmen**, 'undertake too much.'

251. **6.** **das Juristische** = die Jurisprudenz. **7.** **die Promotion —absolvieren**, 'pass the examination for the degree,' 'graduate.' **8.** **das Medizinische** = die Medizin. **10.** **Umgang**, viz. his table-companions; cf. 205. 23. **21.** **Schnuppen** = Sternschnuppen, 'shooting stars,' 'meteors.' **23.** **verkümmern**, 'spoil.' **26.** **den herrlichen breiten Weg**, viz. the recognition of the true nature of poetry; cf. 219. 5 sqq. **28.** **Jonathan Swift** (1667–1745), the English satirist, here first mentioned as a favorite of Herder. **Hamann**; cf. 219. 25, note.

252. 1. angehend, 'beginning,' 'incipient.' 7. Pension; cf. 202. 22, note. 18. Klinikum; cf. 212. 20, note. 22. Hippokrates, (ca. 460–ca. 377 B.C.), "the father of medicine." Verfahrungsart, 'method.' 23 sq. sich heraufgeben, 'reveal one's self.' 27. Fach, 'department.' 30. Begriffe, 'conceptions.'

253. 20. herausputzen, 'dress up.' 22. sich verziehen, 'proceed slowly,' 'drag.' 27. sprengte zu, 'galloped on.'

254. 6. recht sein, 'suit.' 16. an sich halten, 'command herself.' 23. Eintreffen, 'fulfillment.' 26. zartfühlend, 'sensitive.' 27. Bezug, 'relation.' 29. Verknüpfungen, 'connections'; here 'consequences.'

255. 11. Johann Peter Hebel (1760–1822), a Swiss poet, whose *Alemannische Gedichte*, written in his native dialect, possess great warmth of feeling and force, combined with simplicity of language. The poem here referred to, entitled *Sonntagsfrühe* (ed. BEHAGHEL, I, 78), is too long to be quoted. 16. obenhin, 'superficially,' 'by the way.' 18 sq. im Tanze sich auszurasen, 'tire one's self out in wild dancing.' rasen, 'rush wildly'; secondarily, 'rave.' 28. Vorzüge, 'excellent qualities.'

256. 2 sq. ihr Äußeres, etc.; these qualities 'showed themselves very pleasantly in her appearance and manners.' 6. jenes leidenschaftliche Mädchen, etc. In Book IX, Goethe tells how he took lessons at Strassburg from an old French dancing-master, who was assisted by his two daughters. With these Goethe became well acquainted. He liked the younger of the two better, but the older, Lucinda, fell violently in love with him, and when Goethe took final leave, she threw her arms about him, kissed him and uttered a curse on the woman who should touch his lips after that. 7. Weihe, 'consecration'; a consecration implies a curse on the desecrator. 14. sittig, 'decorous.' 18. Pfänder, here 'forfeits.' 20. Lösewert, '[redeeming] value.'

257. 3. allenfalls, 'perchance.' 7. Zierlichkeit, 'pretty things.' 13. jenem schönen Platze, viz. „Friedrikens Ruhe"; cf. 242. 12. 17. mein Geheimnis, viz. Lucinda's curse. 30 sq. dem geselligen Menschen = der menschlichen Gesellschaft.

258. 12. Brust, 'lungs.' 14 sq. sich ausnehmen, 'look.' 18. beblümt, 'covered with flowers.' 23. Verwirrungen ausgleichen, transl. 'adjust difficulties.'

259. 5. die keimenden Saaten, 'the sprouting grain.' 15. gepaart, 'mated'; transl. 'had sometimes no suitable companion.' 25. es, 'with it,' originally a genitive, now felt as an accusative, in consequence of which a number of adjectives and verbs which formerly took the genitive, now take the accusative. 26. an die Hand gehen = helfen; cf. 232. 7, note. 27. aufregen; cf. 240. 30, note.

260. 5. hoch zu stehen kommen = viel kosten. 8. gewohnt and 11. danke; cf. 259. 25, note. 13. Roman, 'novel.' 27. Urlaub = Abschied, 'leave'; now generally used only in the technical sense of 'furlough.'

261. 5. Spediteur, here 'messenger'; properly only 'forwarding agent.' 13 sq. von innen heraus = aus dem Herzen. 16. Vorzüge; cf. 255. 28 sqq. 19. Zuruf, 'admonition.'

262. 15. Brouillons, Fr. *brouillon*, 'sketch,' 'rough draft'; pronounce as in French, but sound the final -s.

263. 1 sq. und, etc., another anacoluthon; this clause is not logically dependent on the preceding relative pronoun. 2. angeben, 'suggest.' 5 sq. nach, etc.; 'after the vigorous exercise in rather warm weather.' 7. der alte Amtmann, 'the old squire,' mentioned 262. 30. 7 sq. des Guten zu viel thun, 'indulge too much.' 12 sq. in gleichem Falle, 'similarly.' 17 sq. kamen an die Reihe, 'had their turn.' 18 sq. ging — ins Übertriebene, 'was carried to excess.' 21. zeigte von, 'witnessed to,' 'proved,' 'showed'; now zeugen von.

264. 3. Allemande, Fr. *allemande*, 'German dance,' 'round dance.' 4. Anfang, Mittel und Ende, a common phrase. 6. Lehrmeisterinnen; cf. 256. 6, note. 9 sq. Schicht machen = aufhören, 'stop'; originally a mining term. 11. fortzurasen; cf. 255. 19, note. 16. Spiel, viz. Kartenspiel; cf. 255. 18. 19. Gesundheit, 'toast.'

265. 3. gegen ihr über; cf. 239. 17 sq., note. 7. ablehnen, here 'ward off.' 11. über alle Berge, a common idiom, 'a thousand miles away.'

266. 12. diesem zarten Wesen, viz. unserer Eitelkeit. 19. Nachtvögel; cf. Mächte der Nacht, l. 6. The hooting of owls and other night-birds plays a prominent part in popular superstitions. 27 sqq. mich * * * zu ihr sammelte, 'concentrated (lit. 'collected') my thoughts (lit. 'myself') upon her.'

267. 5. Vergegenwärtigung, lit. 'rendering present'; transl. 'thought.' 8. in der Folge, 'afterwards,' viz. when his relation to Friedrike began to cause him anxiety; cf. 276. 13 sq. 18. sagen, 'signify'; transl. 'as if it were an insignificant matter.' 23. Raymond und Melusina; cf. 248. 26; they had compared the characters in *Die neue Mulusine* to persons of their aquaintance.

268. 3. läßt sich gelten, 'thinks highly of one's self.' 6. Schattenriß, 'silhouette.' 11 sq. geschehn und gehn, collocation of synonyms; transl. 'they let matters take their course.' 15. hinwalten, 'go on,' 'continue.' 15 sq. sich — bestätigt, 'is settled.' 19 sq. wegen jenes, etc.; cf. 256. 11 sqq. 23 sq. es hing von uns ab, 'we were free.' 28 sq. legte * * * unter, 'wrote to well-known melodies many songs,' etc. 30. Sie hätten, etc., 'they would have made a neat volume,' 'quite a volume.' wenige davon, etc. Of the poems that had their origin in Goethe's love for Friedrike, two were included, in somewhat altered form, in the collection of 1806 under the titles of *Willkommen und Abschied* and *Mit einem gemalten Band* (cf. 269. 13 sqq.). Their orignal form was as follows·

1.

Es schlug mein Herz; geschwind zu Pferde,
Und fort, wild, wie ein Held zur Schlacht!
Der Abend wiegte schon die Erde,
Und an den Bergen hing die Nacht;
Schon stund im Nebelkleid die Eiche,
Wie ein getürmter Riese, da,
Wo Finsternis aus dem Gesträuche
Mit hundert schwarzen Augen sah.

Der Mond von seinem Wolkenhügel
Schien schläfrig aus dem Duft hervor;
Die Winde schwangen leise Flügel,
Umsausten schauerlich mein Ohr;

Die Nacht schuf tausend Ungeheuer —
Doch tausendfacher war mein Mut;
Mein Geist war ein verzehrend Feuer,
Mein ganzes Herz zerfloß in Glut.

Ich sah dich, und die milde Freude
Floß aus dem süßen Blick auf mich.
Ganz war mein Herz an deiner Seite,
Und jeder Atemzug für dich.
Ein rosenfarbes Frühlingswetter
Lag auf dem lieblichen Gesicht,
Und Zärtlichkeit für mich, ihr Götter!
Ich hofft' es, ich verdient' es nicht.

Der Abschied, wie bedrängt, wie trübe!
Aus deinen Blicken sprach dein Herz.
In deinen Küssen, welche Liebe,
O welche Wonne, welcher Schmerz!
Du gingst, ich stund, und sah zur Erden,
Und sah dir nach mit nassem Blick;
Und doch, welch Glück! geliebt zu werden
Und lieben, Götter, welch ein Glück!

2.

Kleine Blumen, kleine Blätter
Streuen wir mit leichter Hand,
Gute junge Frühlingsgötter,
Tändelnd auf ein luftig Band.

Zephir nimm's auf deine Flügel,
Schling's um meiner Liebsten Kleid;
Und dann tritt sie für den Spiegel
Mit zufriedner Munterkeit.

Sieht mit Rosen sich umgeben
Sie, wie eine Rose jung.
Einen Kuß! geliebtes Leben,
Und ich bin belohnt genung.

Schicksal segne diese Triebe,
Laß mich ihr und laß sie mein,
Laß das Leben unsrer Liebe
Doch kein Rosenleben sein.

Mädchen, das wie ich empfindet,
Reich mir deine liebe Hand,
Und das Band, das uns verbindet,
Sei kein schwaches Rosenband.

Cf. *Der junge Goethe*, I, 269 sq. and 266 sq.

269. 19 sq. Bauverständigen, 'architect.' 24. Aufriß, 'elevation.' Durchschnitt, 'section.' 26. detaillierter; pronounce -aill- as in French. Anschlag, 'estimate.'

270. 6. Chaise, pronounce as in French, but sound the final -e. staffieren, here 'decorate'; cf. 32. 7, note. 16. Rumpelkasten, 'an old rattle-box of a vehicle,' 'a ramshackle carriage.' 20. ums, here for um des, ordinarily used in writing only for um das. 21. Grund, 'groundwork.' 28. Häuser = Familien.

271. 8. jenen, viz. the members of die ländliche Familie, 270, 27 sq. 9. Gegenaufnahme, 'reception in return.' 10. handeln = verhandeln. 15. fiel, cf. 12. 6, note. 25. Enge, 'in confinement.' in Bezug auf, 'alongside of,' 'amid.' 26. Porzellanpuppen, 'porcelain figures.' 28. sagen; cf. 267. 18, note.

272. 16. Eigentlich genommen, 'properly speaking.' 19. modeln = umbilden, 'transform.' 20. gebärte; cf. 194. 24, note. 26. Kanapee, 'sofa'; now only provincial for Sofa.

273. 2. sich's leicht machen, 'take things easy,' 'be at ease'; cf. 32. 10, note. 13. eingehen, 'agree to'; now with auf, except in phrases like ein Bündnis eingehen, 'enter into an alliance.' 15 sq. wie — nur, 'as well as.' 24. veranlaßt, here 'induced,' viz. zum Lesen.

274. 5. sich deutsch trugen; cf. 230. 1, note. 8. mägdehaft ausgezeichnet, 'dressed like a servant'; the lower classes clung to the German dress after fashionable society had adopted the French. Of course Olivia's feelings are somewhat exaggerated; while she and her sister were not dressed according to the French fashion, it must not be supposed that they could have been mistaken for maidservants. 12. Geschick, here 'manners', 'style,' 'good form.' 14. wühlte, 'worked,' 'rankled.' 21 sq. sich behaben = sich betragen. — Goethe now proceeds to tell of his graduation, which did not occur without a hitch. He had written a dissertation entitled *De legislatoribus* in which he endeavored to show that it was not only the right but the duty of legislators to prescribe a form of religion which should be observed by both laymen and clergy, but without binding the conscience of the individual. He argued that in this way the continual strife between the secular and ecclesiastical authorities would be ended. This dissertation, which contained many startling propositions, was rejected by the very conservative Law Faculty, and Goethe was advised to give up the idea of obtaining the degree of Doctor of Laws and content himself with that of Licentiate, which could be obtained by a public disputation on a number of theses. Goethe was easily persuaded to do so, because he had always disliked the idea of seeing his dissertation printed, which would otherwise have been necessary, and for practical purposes the degree of Licentiate was as useful as that of Doctor of Laws; he thought he could easily reconcile his father by further elaborating his treatise and publishing it at some later time. He accordingly submitted a number of brief theses which he defended in a public disputation against his friend Lerse, on August 6, 1771, and accordingly received the degree of Licentiate in Law. — Then follows a brief review of the condition of French literature, and an account of his Shakespeare studies, which had received a new impulse through Herder; brief mention is made of a number of pleasant excursions through Alsace, to which the words immediately following refer.

275. 8. Heiterkeiten, 'cheering recreations,' generally used only as an abstract in the singular. **12.** aus Geratewohl, 'at random,' 'thoughtlessly.' **27.** lange nicht, 'not by far.'

276. 2. Übersicht, 'survey'; it is expected of him that he will look ahead. **12.** und sollte, etc., 'even if it be,' etc. **16.** kam — hinaus, 'went out' (to Sesenheim).

277. 14. hechtgrau, 'pike-gray,' then a fashionable color. **20.** Es mag sich * * * mit * * * verhalten, 'it may be with * * *.' **25.** Taumel, 'excitement.' **25** sqq. sich wiederfinden, 'recover one's self.' **27.** so ziemlich, 'pretty well'; for this idiomatic use of so compare the English 'so so.' — Goethe left Strassburg the middle of August, 1771, and returned to Frankfort by way of Mannheim, where he spent some days in the Museum, enjoying for the first time in his life the sight of fine reproductions of ancient statues. Book XI closes with a brief account of this visit.